Prentice Hall Realidades 3

Teacher's Resource Book
Capítulos 5–10

PEARSON

Boston, Massachusetts   Chandler, Arizona   Glenview, Illinois   Upper Saddle River, New Jersey

ISBN-13: 978-0-13-320371-4

ISBN-10: 0-13-320371-9

PEARSON

Table of Contents

Welcome to *Realidades!*

Realidades is based upon the belief that the purpose of learning Spanish is to communicate with people who speak it and to understand their cultures. Across the different levels, *Realidades* offers you and your students a variety of print and digital tools that get them communicating from the first day!

Overview of the *Teacher's Resource Book*

This *Teacher's Resource Book* provides detailed support for teaching with *Realidades*. The introductory section gives an overview of different program components and teaching tips for using many of them in your classroom. The remaining section provides chapter-by-chapter support including answer keys, scripts, and blackline masters. All pages in this book are available digitally in the Interactive Teacher's Edition and Resource Library DVD and in **realidades.com** in the Teacher eText. For additional teaching support, we invite you to read the front matter articles in the Teacher's Edition and to visit MyPearsonTraining.com for training on using the digital components.

Program Components

The following charts highlight the program components. They provide a brief description of the component and indicate the different formats and locations of each component across our print and digital resources.

Legend:
Audio: Audio Program
EV: ExamView® Assessment Suite CD-ROM
IWB: Activities and Tools for Interactive Whiteboards DVD
PE: PresentationExpress™ Premium DVD
PV: *¡Pura vida!* DVD
TE: Interactive Teacher's Edition and Resource Library DVD
TRB: Teacher's Resource Book
VC: *Videocultura* DVD
VM: *Videomodelos* DVD
VP: Video Program DVD

Student Editions
The *Realidades* Student Editions are available in three formats: online, DVD, and print. The eText (on DVD and online within **realidades.com**) contains all the content from the print Student Edition plus embedded audio and video files, flashcards, and study tools. Individual eText activities are also available as assignable assets within the Course Content on **realidades.com**. For details on using the *Realidades* eText, visit the training modules on MyPearsonTraining.com.

In addition to the *Realidades* eText, **realidades.com** contains the eText edition of the highly acclaimed DK Spanish-English Bilingual Visual Dictionary. This resource gives students access to over 6,000 vocabulary words with audio support. The eText and individual visuals are also available on the Spanish Activities and Tools for Interactive Whiteboards DVD. For schools wanting the print edition of the DK dictionary, it can be purchased separately through PearsonSchool.com or your Pearson representative.

Component	realidades.com	DVD	Print
Student Edition Core instructional tool organized around thematic chapters	eText Course Content	eText	✓
DK Spanish-English Bilingual Visual Dictionary 6,000+ vocabulary words organized by topics	eText	IWB	✓

Workbooks

Realidades provides a variety of differentiated workbooks available in three formats: online, DVD, and print. The workbook activities available within the Course Content on **realidades.com** can be assigned and graded online. For details on assigning and grading within **realidades.com**, visit the training modules on MyPearsonTraining.com.

Component	realidades.com	DVD	Print
Leveled Vocabulary and Grammar Workbook Guided and core practice for new vocabulary and grammar plus puzzles and organizers	Course Content	TE	✓
Communication Workbook with Test Preparation Worksheets for audio and video activities plus reading skills worksheets, reading tests, and Integrated Performance Assessments	Course Content	TE	✓
Realidades para hispanohablantes All-Spanish companion worktext for heritage learners	Teacher eText Lesson Plans	TE	✓

Video, Multimedia, Audio, and Transparencies

Realidades features an outstanding selection of video, multimedia, and audio files accessible to both teachers and students. Resources available in the **realidades.com** Course Content can be assigned to students. Students can also access these resources through their Home Page.

Component	realidades.com	DVD/CD	Print
Video Program Contains the following video segments: • *Videohistoria* • *GramActiva* • *¿Eres tú, María?* (Levels A/B-1) • *En busca de la verdad* (Level 2)	eText Course Content	VP	n/a
Tutorial Videos Detailed grammar explanations; often include comparison of English and Spanish grammar	eText Course Content Tools	n/a	n/a
Videocultura Culture videos per theme in English or Spanish; activities online (Levels A/B-1 and 2)	Course Content	VC	n/a
Videomodelos Short videos of chapter speaking tasks modeled by teens from the Spanish-speaking world	eText Course Content	VM	n/a
¡Pura vida! Storyline video filmed in Costa Rica (Level 3); activities online	Course Content	PV	n/a
Animated Grammar Animations of verb conjugations	Course Content	PE	n/a
Canciones de hip hop Songs to teach new vocabulary and grammar	Course Content	n/a	n/a
Audio Program Audio for Student Edition, *Communication Workbook*, and Assessment Program	eText Course Content	AP	n/a
Transparencies All transparencies are online and on DVD; for vocabulary, grammar, fine art, maps, graphic organizers, and answers	Teacher eText	TE PE	n/a

Geography and Global Positioning

Realidades offers interactive KMZ files that transport students to locations in the Spanish-speaking world using global positioning technology. For details on using KMZ files, visit the training module on MyPearsonTraining.com.

Component	realidades.com	DVD/CD	Print
Mapa global interactivo Downloadable KMZ files with links to locations in Spanish-speaking world and accompanying culture notes and activities	eText Content Library	n/a	n/a
DK Reference Atlas Links to information on the various Spanish-speaking countries	Tools	n/a	n/a

Reading and Common Core

Realidades provides extensive support for helping students learn and apply reading skills and strategies. In addition to the reading support within the Student Edition, the program offers additional resources. For a correlation between *Realidades* and the Common Core English Language Arts Standards, visit PearsonSchool.com/Realidades2014.

Component	realidades.com	DVD/CD	Print
Lecturas Sixteen selections with comprehension questions	Teacher eText	TE	✓
Lecturas Teacher's Guide Answers and discussion questions	Teacher eText	TE	✓
Reading Skills Worksheets that practice essential reading strategies; found in the *Communication Workbook with Test Preparation*	Course Content	TE	✓

Grammar

The Grammar Study Guides are a popular "grammar at a glance" study tool. The three-ring punched laminated guides are ideal for placing in binders.

Component	realidades.com	DVD/CD	Print
Grammar Study Guides • Levels 1–2 • Levels 3–4	n/a	n/a	✓

Assessment

The program provides a variety of leveled assessment options available in multiple formats: online, DVD, and print. Assessments available in Course Content can be assigned to students and graded online.

Component	realidades.com	DVD/CD	Print
Instant Checks Auto-graded activities that quickly check for comprehension of new vocabulary and grammar	Course Content	n/a	n/a
Self-test End-of-chapter multiple-choice test	Course Content	n/a	n/a
Pruebas Assignable, auto-graded vocabulary recognition quizzes	Course Content	n/a	✓
Pruebas with Study Plans Assignable vocabulary production quizzes and all grammar quizzes; includes auto-assigned remediation and retesting	Course Content	n/a	✓
Examen del capítulo, Examen cumulativo, Placement Test Chapter, cumulative, and placement tests (online includes RealTalk!)	Course Content	TE	✓
Assessment Program Front matter, quizzes, tests, rubrics, answer keys, scripts	Teacher eText	TE	✓
Alternate Assessment Program Adapted chapter tests based upon core assessment; ideal for students needing extra help	Lesson Plans Teacher eText	TE	✓
Assessment Program: *Realidades para hispanohablantes* All-Spanish assessment for heritage learners	Lesson Plans Teacher eText	TE	✓
Integrated Performance Assessments Integrated assessments in the test practice section of the *Communication Workbook*	Course Content	TE	✓
Practice Tests Spanish or English readings with multiple-choice responses in the test practice section of the *Communication Workbook*	Course Content	TE	✓

ExamView® Assessment Suite Differentiated test banks per chapter with powerful editing and customization tools	Custom Content (test banks only)	EV	n/a

Planning and Presentation

With *Realidades*, you have variety of planning and presentation tools in multiple formats: online, DVD, and print. For details on using many of these planning and presentation tools, visit the training modules on MyPearsonTraining.com.

Component	realidades.com	DVD/CD	Print
Interactive Teacher's Edition and Resource Library Teacher's Edition with embedded links to resources; PDF files of program print resources and transparencies	Teacher eText	TE	n/a
PresentationExpress™ Premium Presentational tool for vocabulary, grammar, and review: audio, video, clip art, photo gallery, maps, self-tests, transparencies	n/a	PE	n/a
Activities and Tools for Interactive Whiteboards Activities written in SMART Notebook Express software for practicing new vocabulary and grammar; includes DK Bilingual Visual Dictionary eText, visuals with embedded audio in Image Gallery	Teacher Resources Folder	IWB	n/a
Teacher's Resource Book Provides program overview and key resources in print format	Teacher eText	TE	✓
Transparencies All transparencies are online and on DVD	Teacher eText	TE PE	n/a
Pre-AP* Resource Book Suggestions and activities for preparing students for the AP® Spanish Language and Culture Exam	Teacher eText	TE	✓
TPR Stories Suggestions and activities for integrating TPRS; written by Karen Rowan	Teacher eText	TE	✓

Component	realidades.com	DVD/CD	Print
ExamView™ Assessment Suite Differentiated test banks per chapter with powerful editing and customization tools	Custom Content (test banks only)	EV	n/a

Planning and Presentation

With Realidades, you have a variety of planning and presentation tools in multiple formats online, DVD, and print. For details on using many of these planning and presentation tools visit the training modules on MyPearsonTraining.com.

Component	realidades.com	DVD/CD	Print
Interactive Teacher's Edition and Resource Library Teacher's Edition with embedded links to resources, PDF files of program print resources and transparencies	Teacher eText	TE	n/a
PresentationExpress™ Premium Presentational tool for vocabulary, grammar and review; audio, video, clip art, photo gallery, maps, self-tests, transparencies	n/a	PE	n/a
Activities and Tools for Interactive Whiteboards Activities written in SMART Notebook Express software for practicing new vocabulary and grammar; includes DK Bilingual Visual Dictionary eText, visuals with embedded audio in Image Gallery	Teacher Resources Folder	IWB	n/a
Teacher's Resource Book Provides program overview and key resources in print format	Teacher eText	TE	✓
Transparencies All transparencies are online and on DVD	Teacher eText	TE PE	n/a
Pre-AP® Resource Book Suggestions and activities for preparing students for the AP® Spanish Language and Culture Exam	Teacher eText	TE	✓
TPR Stories Suggestions and activities for integrating TPRS, written by Karen Rowan	Teacher eText	TE	✓

Integrating Technology in the *Realidades* Classroom

Realidades offers teachers and students a wide range of technology tools to plan, teach, practice, explore, assess, and remediate.

Student Technology on realidades.com

realidades.com

Students using *Realidades* have access to a wide range of digital tools on **realidades.com**. These tools include:

- *Realidades* eText with embedded audio and video
- *Realidades* eText for mobile devices
- *DK Spanish-English Bilingual Visual Dictionary* eText with embedded audio
- Course Content (assignable content)
  - eText activities with embedded audio and video*
  - RealTalk! activities*
  - Leveled Vocabulary and Grammar Workbook*
  - Communication Workbook with Test Preparation*
  - *Mapa global interactivo**
  - *Canciones de hip hop*
  - Animated Grammar
  - Videos: *Videocultura, Videohistoria, Videomodelos, GramActiva, Videomisterio, Videodocumentario, Pura vida,* Tutorial
  - Flashcards
  - Instant Checks*
  - Culture reading tasks*
  - Games and puzzles*
  - Self-test
  - *Pruebas* (with and without Study Plans)*
  - Integrated Performance Assessments*
  - *Examen del capítulo**

* Indicates activities that require computer or teacher grading and must be assigned by the teacher. The scoring feeds into the Gradebook.

For details on using **realidades.com** with students, visit MyPearsonTraining.com under the SuccessNet Plus tab. You will also find important information for using **realidades. com** on home computers and mobile devices.

Teacher Technology on realidades.com

realidades.com

Getting Started on realidades.com

To get started, teachers need to create an account on SuccessNet Plus, the learning management system that serves as the platform for **realidades.com**. Use the following self-registration process to accomplish this:

1. Go to **realidades.com** and register as a new user.
2. Request and/or enter the School Code.
3. Continue self-registration by providing the requested information. Create a unique username and a password.
4. Once your account has been set up, log in using the username and password.
5. Use the provided link to check your computer for compatible browsers, software, etc.
6. Go to MyPearsonTraining.com to learn more details on how to add products, create classes and calendars, and enroll students. You will find extensive resources for teachers, students, and parents related to using **realidades.com** and the many digital tools that come with *Realidades*.

Management and Instructional Tools

SuccessNet Plus and **realidades.com** offer teachers powerful management, reporting, and customization tools. In **realidades.com**, teachers can:

- Register and create a Home Page
- Add product, create classes, set up calendars, and enroll students
- Assign activities with or without Due Dates
- Personalize and differentiate assignments to individual or groups of students

- Set Preferences such as customizing the grade schema, determining when assignments are due, and setting the number of attempts for an activity
- Assess vocabulary and grammar as well as listening, speaking (using RealTalk!), reading, and writing
- Communicate with students
- Create a wide range of Reports
- Add, Customize, and Create Content

For in-depth training on how to get started and use the many teacher tools on **realidades.com**, visit MyPearsonTraining. com to view the many SuccessNet Plus and *Realidades* Video Modules.

Using realidades.com for Assessment

There are a variety of ways to use the content and tools on **realidades.com** for assessment. The assessments listed below are all assignable through the Course Content. For details, see the information in Program Components. In addition, **realidades.com** offers a variety of assessment templates in the Custom Content: Add Content section.

Formative assessment

- Instant Checks
- *Pruebas* (vocabulary recognition)
- *Pruebas* with Study Plans (vocabulary production and grammar)

Summative assessment

- *Examen del capítulo* (vocabulary, grammar, listening, speaking, reading, writing, and culture)
- *Examen cumulativo* (vocabulary, grammar, listening, speaking, reading, writing, and culture)
- Placement Tests (listening, speaking, reading, writing)

Performance assessment

- Integrated Performance Assessment
- *Presentación escrita*
- RealTalk! *Presentación oral*
- RealTalk! Communicative Pair Activities
- RealTalk! Situation Cards

Teacher Resources Within Pearson Content

Teachers using **realidades.com** have access to same Course Content listed previously in the Student Technology section. Teachers can preview, assign, and customize any of the Pearson Content.

From the teacher Home Page within **realidades.com**, teachers have additional teaching resources in the Pearson Content link. These resources include:

- Teacher eText: includes Student Edition plus all the PDF files found on the Interactive Teacher's Edition and Resource Library DVD. Teachers can link to program resources.
- Teacher Resources Folder that contains:
  - Lesson Plans
  - Teacher's Resource Book
  - Answer Keys: Student Textbook, Core Workbook, Guided Practice Workbook, Assessment Program
  - Vocabulary and Grammar Transparencies
  - Pre-AP* Resource Book
  - *Videomisterio* Teacher's Guide (Levels 1 and 2)
  - Spanish Interactive Whiteboard Teaching Tools
  - *Mapa global interactivo*

Using the *Mapa global interactivo* Files

The *Mapa global interactivo* files uses global positioning technology that enables students to zoom in on the places they are studying across the Spanish-speaking world. To access these files, you need to download them to your computer from the Teacher Resources Folder and use them with third-party global positioning software. For in-depth training on using this technology, visit MyPearsonTraining.com to see the module under *Realidades* ©2014.

Using Activities and Tools for Interactive Whiteboards

The Activities and Tools for Interactive Whiteboards component is available both as downloadable files within **realidades.com** and on a separate DVD. You will find a variety of activities per chapter that provide practice for the new vocabulary and grammar. The activities are written in SMART Notebook Express but can be used on most interactive whiteboards. For detailed information on how to use these activities, please read the information provided within the **realidades.com** folder or on the DVD.

Teaching Support in the Teacher's Resource Book

This *Teacher's Resource Book* is divided into two volumes. Volume I contains the teaching resources to supplement the preliminary chapter, called *Para empezar*, and *Capítulos* 1–4. Volume 2 includes the resources needed for *Capítulos* 5–10. For your convenience, both volumes are also provided digitally on the Interactive Teacher's Edition and Resource Library DVD and within **realidades.com** in the Teacher eText.

The following resources are provided for each chapter in *Realidades.*

Chapter Project

Each chapter has a classroom chapter project. These projects encourage students to prepare products and presentations directly related to the *Capítulo* subject matter. They help students internalize both vocabulary and grammar, and allow them to apply the language in a performance-based task. The blackline masters in this section introduce students to the chapter project and contain instructions for preparing the project. A rubric is also provided for students so that they will understand how the project and presentation will be evaluated. Each project is accompanied by suggestions for integrating 21st Century Skills, including digital tools, into the project. A second rubric has been provided to assess 21st Century Skills. Feel free to integrate these skills into the project as appropriate.

School-to-Home Connection Letter

Parental involvement plays an integral part in student success and in supporting language learning at home. To that end, we provide a model letter for each chapter that you can either photocopy or personalize and send home to parents or guardians.

¡Pura vida! Scripts

This section contains the complete video script for the ¡Pura vida! segments. Use these scripts to complement the accompanying video program or as a student comprehension aid in class. You might want to use them to familiarize yourself with the videos before using them in class.

A primera vista Input Scripts

Each chapter of *Realidades* has a language input section called *A primera vista: Vocabulario en contexto* that introduces vocabulary and lexical uses of grammatical structures to students. The Input Scripts offer a step-by-step approach to presenting the new terms in a contextualized manner that engages students, yet requires minimal production on the learner's part. They can be followed in their entirety or they can be used as a resource for ideas to supplement the suggestions found in the Teacher's Edition. The Input Scripts are based on the theory of comprehensible input as a teaching tool. (For more information on how to use the Input Scripts, see the discussion under Teaching with Input Scripts on p. xv.)

Audio Scripts

This section contains the complete script for Student Edition audio including vocabulary, activities, pronunciation, end-of-chapter vocabulary, and *Preparación para el examen.*

It also includes the script for the audio activities in the *Communication Workbook with Test Preparation*. The scripts for the listening associated with the chapter tests can be found in the Assessment Program.

Video Scripts

The *Realidades* program has a comprehensive video component to support each chapter. In addition to the *¡Pura vida!* program, *Realidades 3* offers captivating videos for the *¡Adelante!* section that integrate culture and vocabulary in a fascinating, documentary-style format. In some cases, you may want to provide copies of the video scripts to students as an aid to comprehension when they view the videos. You may also want to use them to identify specific vocabulary and grammar structures that you want to focus on in the videos before you show videos in class.

Communicative Pair Activities

These Communicative Pair Activities blackline masters focus on student-to-student involvement where students have some control over the communicative elements. They allow for personalization and individualization, and often allow students to share real information. They practice communication and help students become comfortable interacting in a second language. Although a given activity may focus on particular vocabulary or structures, the emphasis is always on using language to give or obtain information. These activities have been designed to complement the ones found within *Realidades* and are meant to help students develop better communicative skills. (For more information on these blackline masters and how to use them, see Teaching with Communicative Pair Activities on p. xvi.)

You also have the option to record the Communicative Pair Activities within **realidades.com** using RealTalk! Each Communicative Pair Activity can be assigned from the Course Content (located in the *¡Adelante!* folder). Students can open the activity and print off the PDF for *Estudiante A* and *Estudiante B*. The PDF is identical to the copy in this *Teacher's Resource Book*. This gives you the option of printing it yourself for students, or having them print it in preparation for completing the activity. Students record their conversation and send it to you for evaluation. For details on using RealTalk!, visit MyPearsonTraining.com and view the video module.

Situation Cards

The Situation Cards blackline masters are designed to help students build confidence and develop skills as they work toward the goal of communicative proficiency. These guided conversations will provide your students with the opportunity to complete real-life tasks in Spanish. They will build confidence in even the most uncertain or reluctant students, and will enable more talented students to be truly creative with the language. There are a total of 11 pairs of Situation Cards, two per chapter, including *Para empezar*. (For more information on these blackline masters and how to use them, see the section Teaching with Situation Cards on p. xvii.)

You also have the option to record the Situation Cards within **realidades.com** using RealTalk! The activity can be assigned from the Course Content (located in the *¡Adelante!* folder). Students can open the activity and print off the PDF for *Estudiante A* and *Estudiante B*. The PDF is identical to the copy in this *Teacher's Resource Book*. This gives you the option of printing it yourself for students, or having them print it in preparation for completing the activity. Students record their conversation and send it to you for evaluation. For details on using RealTalk!, visit MyPearsonTraining.com and view the video module.

Vocabulary Clip Art

The Vocabulary Clip Art offers reproducible images of the visualized vocabulary in each chapter of *Realidades*. These visuals can be used in a variety of ways to provide students with a hands-on opportunity to work with the new vocabulary. Engaging students in activities in which they "see, hear, say, and do" will help more students learn the new words and phrases. The Clip Art is available online. You can also access digital images of this vocabulary through the Interactive Teacher's Edition and Resource Library DVD. You will find this visualized vocabulary used through the program:

- PresentationExpress™ Premium DVD
- Flashcards (eText)
- Leveled Vocabulary and Grammar Workbook: Guided Practice

Leveled Vocabulary and Grammar Workbook

Answer Key: Core Practice

The Answer Key for the *Core Practice* activities allows you to quickly check the answers so students can have quick feedback. You may wish to reproduce these as a classroom set that you keep in a resource center or hand out so students can check their own work. You can also access pages with the answers displayed on the PresentationExpress™ Premium DVD.

Answer Key: Guided Practice

These are reduced pages of the *Leveled Vocabulary and Grammar Workbook: Guided Practice.* You can use them yourself to check work, or reproduce them in booklet form or on overheads so that students can check their own work. You can also access these pages on the PresentationExpress™ Premium DVD.

Communication Workbook with Test Preparation

Answer Key: Writing, Audio & Video Activities

These are reduced pages of the Writing, Audio & Video Activities with the answers printed on them. You can use them yourself to check work, or reproduce them in booklet form or on overheads so that students can check their own work. You can also access pages with the answers displayed on the PresentationExpress™ Premium DVD.

Answer Key: Test Preparation

This page provides answers for the Reading Skills worksheets and the Practice Test. Please note that answers to the Integrated Performance Assessments will always vary. The rubrics that you can use to assess student performance are given right on the student's page so that the students can see how they are to be evaluated.

Teaching Tips for the *Teacher's Resource Book*

Teaching with Input Scripts

The Input Scripts are based on the notion of comprehensible input. Rather than putting pressure on students to produce complex sentences with their newly acquired vocabulary and structures, they are given opportunities to show their comprehension through minimal responses. These responses range from physical responses (such as pointing to images in their textbook or manipulating the Vocabulary Clip Art images and flashcards found in this *Teacher's Resource Book*) to short verbal responses (such as answering yes-no questions or questions with a choice of two answers) to short, structured

conversations. There is one page of Input Script for each two facing pages of *A primera vista: Vocabulario en contexto*. The arrangement of input varies, depending on how the vocabulary and grammatical structures are presented in *A primera vista*.

Input Vocabulary: This section provides a script for presenting the vocabulary in *Vocabulario en contexto*. In *A primera vista 1* of *Capítulo 3*, for example, information about physical exercise is presented on the first two pages. The presentation for this set of new vocabulary is on the first page of the Input Script. The next two pages of *A primera vista 1* contain a comic strip and an Internet article on advice for keeping fit. The presentation for this additional new vocabulary is on the second page of the Input Script. The emphasis in this section is on presenting the new terms in a creative fashion.

Input Dialogue/Monologue: In the *A primera vista*, grammatical structures are presented in context through dialogues, monologues, articles, comic strips, surveys, pamphlets, posters, and advertisements. Many key concepts are embedded in them. The goal of this section of the Input Scripts is to help present the dialogues in manageable sections that allow you to stop and ask students minimal-response questions that target the key grammatical concepts.

Comprehension Check: This section provides additional activities to help you gauge how well students understand the vocabulary and grammatical structures presented.

Teaching with Communicative Pair Activities

Learning a foreign language does involve learning important linguistic skills, such as grammar, syntax, and spelling, but also involves developing communicative skills, such as the ability to carry on a conversation in the target language, the ability to make a brief oral presentation, and the ability to communicate through written language.

These communicative activities focus primarily on listening and speaking skills—those skills that are more difficult to acquire outside of the classroom. Most of the activities are completed in pairs. One type of activity *(Actividades en grupo)* is intended for small groups of students. Students must communicate with each other to complete the activities. They ask and answer questions, role-play different scenes, share opinions on a variety of topics, and exchange real, but limited, information. In short, they use language in realistic situations that do not involve the teacher or a recording.

Activity Types: There are nine basic types of communicative activities included in this book: *Con otro(a) estudiante* (Partner Practice), *Descubrir ...* (Discovery), *Diagramas* (Diagrams), *Entrevista* (Interview), *Hacer un papel* (Role-Play), *Opiniones* (Opinions), *Opiniones y reacciones* (Opinions and Reactions), and *Tres en raya* (Tic-Tac-Toe).

General Guidelines: Because most true communication takes place between two people or in small groups, most of the activities are to be used by pairs of students. You will want to determine the assignment of partners for the activities to be completed by student pairs. Also, you will want to have partners for a week or more, but partners should change at least once a month. Working together for several activities helps students get to know each other and learn to work together; changing partners at least once a month prevents students from getting too comfortable and wasting time. Reassign partners if a partnership simply doesn't work out, for whatever reason. Before students begin an activity, check to make sure that everyone understands the directions. As students complete these activities, keep in mind that most conversation, even in one's native language, involves hesitation,

mispronunciation, and errors. These will occur more frequently while learning a second language. Remember that these activities are not intended as grammar practice, but are designed as conversational activities to practice communication. If you notice consistent errors while students are working, make brief notes and review the relevant structures after the activity has been completed. Although difficult, it is best not to comment on errors while students are completing the activities. Students should be focusing on communication, not on structure.

Teaching with Situation Cards

The Situation Cards are designed to focus on the chapter's communicative objectives while integrating the vocabulary and grammar. In addition, they guide an exchange between two students, in which Student A initiates the conversation and Student B responds (both students know what the general topic is, but neither knows exactly what the other one's instructions are). Finally, they provide a structured role-play with opportunities for personalization and open-ended conversation.

Using the Situation Cards: The Situation Cards are most successful when students have already worked with the vocabulary and grammar. You will see the cards referenced in the *Repaso del capítulo* section of the *Teacher's Edition*. There are a variety of ways to use the Situation Cards. You can photocopy them, cut them out, and paste them on 3 x 5 cards. Some teachers copy them directly onto colored paper and use a different color for each level. Other teachers laminate them for use as class sets. Use the cards for extended oral practice at the beginning of the class, as a warm-up, as practice for the speaking section of the *Examen del capítulo* (found in the Assessment Program book that is also part of the *Realidades* ancillary program), as informal speaking practice, or as the chapter's

formal assessment for speaking proficiency. The Situation Cards also work well as a review for an end-of-quarter or final exam or at the beginning of the following year.

Directions:

1. Organize the students in pairs.

2. Distribute the cards. You can give each pair both situations to work on or you can give one situation to a pair of students and then have them exchange with another pair when completed.

3. Quickly brainstorm vocabulary and expressions that might be helpful in completing the tasks on the Situation Cards.

4. Start the activity. Remember that Student A will always initiate the conversation. Keep the activity within reasonable time limits. Three to seven minutes is ideal.

5. Circulate to verify that students are on task. This is also a good moment to informally assess students' level of comfort with the vocabulary and the speaking task, and to decide whether any reteaching is necessary. Do not correct errors at this point.

6. Signal when students should stop. You may ask them to reverse roles. Or you may devise a "traffic pattern" in which each pair of students puts their two cards together and exchanges them with another pair of students.

Assessment for Situation Cards: The Situation Cards can be used as a tool for informal or formal assessment. Students can act out the conversation with the partner with whom they practiced, with an assigned partner, or with the teacher.

Assessment can be based on a single criterion or on several different ones. For informal assessment, you might want to choose from any of the following criteria: completion of the task, appropriateness, comprehensibility, originality, quality above and beyond base expectations, individual improvement, group improvement, accuracy, or fluency. For a more formal assessment tool, see the *Scale for Evaluating Writing/Speaking Proficiency*, found in the *To the Teacher* section, pp. T1–T9, of the Assessment Program book. Whatever system you use, be sure to share it with your students before the assessment begins so that they will understand how they are to be graded.

Finally, once students have become accustomed to the Situation Cards, you might encourage them to write their own.

The use of these Situation Cards is a motivating and effective tool for guiding students to a level of increased comfort and confidence, and to a quality performance in the very challenging process of developing speaking proficiency.

Teaching with the Vocabulary Clip Art

The following ideas for using the Vocabulary Clip Art are only a sample of the many ways in which it can be used. You will probably devise additional ways to get students physically involved with learning and practicing new vocabulary. Each chapter set of Vocabulary Clip Art in *Realidades* includes both images for visualized vocabulary as well as printed flashcards for nonvisualized words and expressions. You will need to make copies of the images and flashcards for each student to participate in these activities. You may wish to laminate one or two complete sets for permanent classroom use.

Homework Assignment: Have students use the visuals to create flashcards. They can cut and paste the visuals on cards and write the Spanish word on the back of the card.

Picture Dictionary: Have students write the Spanish word for each picture on photocopies of pages as art of a "picture dictionary." For nonvisualized vocabulary, they can write a brief definition in Spanish. These pages can be kept in a notebook that can be used as a valuable reference or review tool for students.

Assess Listening Comprehension: Begin by simply identifying a word on a page and by having students identify objects. Describe an object and have students point to it. Tell a story using the visual and have students point to vocabulary words in the story or indicate the sequencing through drawing lines or arrows. You might want to make an overhead transparency so that you (or a student) can be at the overhead doing both activities at the same time.

Additional Assessment of Listening Comprehension: Have students work in pairs to use the ideas in the prior bullet item. Circulate to keep the students on task and assess pronunciation and comprehension. Do not correct errors at this point; rather, use this time to determine areas needing further work.

Individual Images: Have students cut out the individual pictures of visualized vocabulary, as well as the flashcards of nonvisualized words and expressions, and keep them in their notebook in a large zippered freezer bag that is three-hole punched. Here are some ideas for using the individual images:

1. Repeat the activities in the "Assess Listening Comprehension" section, and have students sort through the individual images or flashcards to indicate comprehension. For example: If you say, *"Estornudo mucho. Creo que tengo una alergia,"* students should place the picture for "sneeze" and the flashcard for *la alergia* in the center of their desks. Cut up the overhead transparency of the vocabulary art so that you (or a student) are at the overhead manipulating the image simultaneously with the students.

2. Have students work with each other saying the vocabulary words, telling stories, and asking questions. For example, a student might say, *"Tienes una tos."* The partner should show the Clip Art image while performing the action of coughing. Getting each student to manipulate the vocabulary

images is an excellent way to assist learning.

3. Have students draw a background for the visuals, such as a doctor's waiting room. Have them sit back-to-back, and have one student arrange objects in a certain order. He or she then tells the partner where each item is located. For example, one student can tell the partner, *"El paciente con la alergia está sentado al lado de la mujer que está resfriada."* The other student can ask questions, but should not see the layout of the waiting room until he or she thinks the placement is correct. Students can then compare layouts.

4. Have students create their own Bingo cards using the visuals and flashcards. Have each student create a grid of five down and five across. Students then place 25 visuals or flashcards in any order. Have one student be the "caller" and call out different vocabulary words. Students turn the words over on their grids until one has five down, across, or diagonally. The winning student names the vocabulary pieces he or she turned over and becomes the next "caller."

5. Use the individual pictures as an oral vocabulary quiz. Have students name or define each image or flashcard as he or she lays them on the desk in front of you. Students who do not feel confident with all the chapter's vocabulary may select a handful of images and flashcards and name or define them for you.

Teaching Tips for the Test Preparation Section of the *Communication Workbook with Test Preparation*

The Test Preparation section reinforces the language arts skills and test-taking strategies needed for success on high-stakes exams. The activities in this section practice these key skills and strategies while building proficiency in Spanish.

Reading Skills Worksheets

For each chapter, you will find two worksheets that focus on core reading skills. Each activity allows students to practice the reading skill with existing activities from the corresponding *Realidades* chapter. These are important worksheets to use if you want to emphasize teaching students to read or if your school or district has an initiative to support reading across the curriculum or support for the Common Core. The Reading Skills worksheets can be completed in the print *Communication Workbook with Test Preparation*. In addition, all worksheets can be assigned to students within the Course Content in **realidades.com** and graded online.

Practice Tests

To further reinforce reading skills, the Test Preparation section of the *Communication Workbook* provides a reading passage for each chapter followed by three question types: multiple choice, short response, extended response. Each Practice Test can be completed in the print *Communication Workbook with Test Preparation*. In addition, all Practice Tests can be assigned to students within the Course Content in **realidades.com** and graded online.

Multiple Choice Multiple choice questions always have four answer choices. Students pick the one that is the best answer. Answers to the multiple choice questions are included in this *Teacher's Resource Book*.

Short Response This symbol appears next to questions that require short written answers:

This symbol appears next to questions requiring short written answers that are a creative extension based on the reading:

It is suggested that students take approximately 3 to 5 minutes to answer a Short Response question. These types of questions are called "performance tasks" and require that students read all parts of the question carefully, plan their answer, and then write the answer in their own words. A complete answer to a Short Response question is worth 2 points. A partial answer is worth 1 point or 0 points. The Short Response questions on the student test preparation pages are written in either English or Spanish. Students are instructed to respond in English when the question is in English and in Spanish when the question is in Spanish. Sample top-score Short Response answers are included in this *Teacher's Resource Book*.

Extended Response This symbol appears next to questions requiring longer written answers based on information that can be inferred from the reading:

This symbol appears next to questions requiring longer written answers that are a creative extension based on the reading:

It is suggested that students take about 5 to 15 minutes to answer an Extended Response question. These types of questions are also called "performance tasks" because they require that students read all parts of the question carefully, plan their answer, and then write the answer in their own words. A complete answer to an Extended Response question is worth 4 points. A partial answer is worth 3, 2, 1, or 0 points. The Extended Response questions on the student test preparation pages are written in either English or Spanish. Students are instructed to respond in English when the question is in English and in Spanish when the question is in Spanish. Sample top-score Extended Response answers are included in this *Teacher's Resource Book*.

How the Test Will Be Scored

Multiple Choice Questions

Multiple choice answers are either right or wrong. Students receive 1 point if the correct answer is selected.

Performance-Based Questions (Short Response and Extended Response)

Short Response and Extended Response questions, which are called "performance tasks," are often scored with rubrics. Sample rubrics follow. These rubrics describe a range of performance and students receive credit for how close their answers come to the anticipated response.

Rubric for Short Response Questions

2 points The response indicates that the student has a complete understanding of the reading concept embodied in the task. The student has provided a response that is accurate, complete, and fulfills all the requirements of the task. Necessary support and/or examples are included, and the information given is clearly text-based. Any extensions beyond the text are relevant to the task.

1 point The response indicates that the student has a partial understanding of the reading concept embodied in the task. The student has provided a response that may include information that is essentially correct and text-based, but the information is too general or too simplistic. Some of the support and/or examples may be incomplete or omitted.

0 points The response is inaccurate, confused, and/or irrelevant, or the student has failed to respond to the task.

Rubric for Extended Response Questions

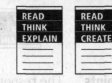

4 points   The response indicates that the student has a thorough understanding of the reading concept embodied in the task. The student has provided a response that is accurate, complete, and fulfills all the requirements of the task. Necessary support and/or examples are included, and the information given is clearly text-based. Any extensions beyond the text are relevant to the task.

3 points   The response indicates that the student has an understanding of the reading concept embodied in the task. The student has provided a response that is accurate and fulfills all the requirements of the task, but the required support and/or details are not complete or clearly text-based.

2 points   The response indicates that the student has a partial understanding of the reading concept embodied in the task. The student has provided a response that may include information that is essentially correct and text-based, but the information is too general or too simplistic. Some of the support and/or examples and requirements of the task may be incomplete or omitted.

1 point   The response indicates that the student has very limited understanding of the reading concept embodied in the task. The response is incomplete, may exhibit many flaws, and may not address all the requirements of the task.

0 points   The response is inaccurate, confused, and/or irrelevant, or the student has failed to respond to the task.

Using the Practice Tests

Practice Test and Answer Key Format
There is one Practice Test for each *capítulo* in Level 3. For each test, you will find three parts:
- reading selection
- questions
- response sheet

The student tests for *Communication Workbook with Test Preparation* are not reproduced in this *Teacher's Resource Book*. You will need to refer to the student workbook for copies of the tests. Answers to each test for *capítulos* 5–10 appear in this *Teacher's Resource Book*.

Practice Tests
There is one reading per *Capítulo*. This reading is in Spanish and incorporates the themes and content of each *Capítulo* (e.g., school, shopping, leisure activities).

The readings incorporate the chapter vocabulary and grammar and are most useful after completion of the chapters for which they were written. Of course, these selections add the challenge of reading in Spanish to the other strategies used on reading tests. Encourage students to employ the same strategies used when reading in English (see "Tips for Improving Your Score" on pp. 156–159 of the Introduction to the *Communication Workbook with Test Preparation*). You will notice that the multiple choice questions are written in English. This practice is supported by research stating that students can demonstrate reading comprehension more effectively when the follow-up questions are in English and they are allowed to respond in English. The Short Response and Extended Response questions are generally written in English prompting an English response. Responses in English again allow students to demonstrate comprehension and allow them to practice reading skills, such as comparing and contrasting, recognizing cause and effect, and identifying author's purpose, required for success with standardized tests. This practice recognizes that beginning-level students do not have the proficiency in Spanish to respond to such in-depth questions.

Integrating the Practice Tests with Instruction
Decide when you want to use a practice test within your lesson plan. You can use the tests during class time or as homework assignments. Be sure to review with students how the test questions will be scored, including how the rubric is used. Students have a copy of the rubrics on pp. 159–160 of their workbook. Allow approximately 25 minutes for students to take the test. Grade the multiple choice questions as a whole-class activity and discuss the correct responses, or collect the papers and grade them on your own. The answers are provided in this *Teacher's Resource Book*. However, to grade the Short or Extended Response questions, it is suggested that you collect the papers and grade them using the rubrics and the sample top-score responses provided in this *Teacher's Resource Book*. When you return the tests to the students, you might want to share the sample top-score responses and discuss how they could best construct a response that earns the highest score on the rubric.

Preparing Students for Standardized Tests

Teaching Students to be Good Test-Takers

Many students are not successful on standardized tests because they lack the skills and strategies employed by good test-takers. You can use the strategies found on pp. 156–159 of the Introduction to the *Communication Workbook with Test Preparation* to review with students prior to administering the first practice test. It is helpful to remind students of these strategies each time that they take a practice test.

Success for ALL Students

Helping Students Raise Their Test Scores

The *Communication Workbook with Test Preparation* provides each teacher with complete support to prepare students for success on standardized tests. Students learn valuable test-taking tips, practice taking tests and responding to various types of questions, learn why a response was correct, and learn how to better shape their responses in the future. Over time, they will become more comfortable with taking standardized tests. In addition, the high-interest readings will enable students to expand their knowledge and understanding of the cultures of the Spanish-speaking world while building important reading and writing skills.

Realidades 3

Capítulo 5

Table of Contents

Capítulo 5: Trabajo y comunidad

Chapter Project

Álbum de mis amigos en el futuro

Overview:

You will create six pages for a scrapbook featuring photos or illustrations of your friends along with a brief description of what professions or jobs you think they are going to have in the future. You will give an oral presentation of your scrapbook, describing one of your friends and predicting his or her future profession or job.

Resources:

construction paper, digital or print photos of friends, drawing paper, colored pencils, markers, glue, scissors

Sequence:

STEP 1. Review the instructions with your teacher.

STEP 2. Submit a rough sketch of your scrapbook pages. Incorporate your teacher's suggestions into your sketch. Work with a partner and present your drafts to each other.

STEP 3. Do layouts. Try different arrangements before writing descriptions.

STEP 4. Submit a draft of your descriptions.

STEP 5. Complete and present your scrapbook to the class. Describe one of the people in the photos or illustrations and say what profession or job you think he or she is going to have in the future.

Assessment:

Your teacher will provide you with a rubric to assess this project.

Chapter 5 Project: Álbum de mis amigos en el futuro

Project Assessment Rubric

RUBRIC	Score 1	Score 3	Score 5
Your evidence of planning	You provide no preliminary proposal or description drafts.	Your preliminary proposal and descriptions are created, but not corrected.	You show evidence of corrected proposal and descriptions.
Your use of illustrations	You include no photos or illustrations.	You provide photos or illustrations but don't organize them.	You provide well organized photos and illustrations.
Your presentation	You do not include the required information.	You include most of the required information.	You include all of the required information.

21st Century Skills Rubric: Communication

RUBRIC	Score 1	Score 3	Score 5
Eye contact	Neglects to engage the audience; rarely makes eye contact.	Occasionally engages the audience by making eye contact.	Actively engages the audience by making eye contact.
Body language	Neglects to engage the audience; rarely uses movement to focus attention and interest.	Occasionally engages audience by movement to focus attention and interest.	Actively engages the audience by using movement to focus attention and interest.
Voice	Does not speak clearly/loudly.	Usually speaks clearly/loudly.	Always speaks clearly/loudly.

School-to-Home Connection

Dear Parent or Guardian,

This chapter is called *Trabajo y comunidad* (Work and Community).
Upon completion of this chapter, your child will be able to:

- communicate about skills and qualities needed on the job
- talk about job-seeking skills, including interviewing techniques
- talk about volunteer work and community organizations

Also, your child will explore:

- using the present perfect tense to talk about completed actions
- using the pluperfect tense to talk about actions that had been completed before a specific point in the past
- using demonstrative adjectives to identify things and people

Realidades helps with the development of reading, writing, and speaking skills through the use of strategies, process speaking, and process writing. In this chapter, students will:

- read about contributions from the Spanish-speaking community in the United States
- give a campaign speech
- write a letter of introduction to a prospective employer

To reinforce and enhance learning, students can access a wide range of online resources on **realidades.com,** the personalized learning management system that accompanies the print and online Student Edition. Resources include the eText, textbook and workbook activities, audio files, videos, animations, songs, self-study tools, interactive maps, voice recording (RealTalk!), assessments, and other digital resources. Many learning tools can be accessed through the student Home Page on **realidades.com.** Other activities, specifically those that require grading, are assigned by the teacher and linked on the student Home Page within the calendar or the Assignments tab.

You will find specifications and guidelines for accessing **realidades.com** on home computers and mobile devices on MyPearsonTraining.com under the SuccessNet Plus tab.

realidades.com ⊙

For: Tips to Parents
Visit: www.realidades.com
Web Code: jce-0010

Check it Out! Ask your child to describe his or her idea of the ideal job. Then have him or her tell about the skills and qualities needed to find and keep such a job.

Sincerely,

Pura vida Script

Episodio 7: ¡A divertirnos!

MARCELA: Buenos días, chicos.

SILVIA: ¿Qué tal, Marcela? ¿Ya no llueve?

MARCELA: No, no. ¡Menos mal! Ayer llovió todo el día y toda la noche, pero ahora hace un sol magnífico.

SILVIA: ¿De dónde vienes?

MARCELA: Estuve en la playa surfeando. ¡Fue increíble! Pero bueno, ¿qué pasó?

SILVIA: Tengo la cabeza… Ayer fui a bailar a la discoteca y creo que bebí demasiado.

MARCELA: ¿Fuiste a bailar? ¡Qué padre! ¿Y dónde estuviste?

SILVIA: Estuve en el Planet Mall con unos amigos de la Universidad.

MARCELA: Y, ¿por qué no me llamaste?

SILVIA: Es que decidimos ir a última hora. Nadie supo qué hacer hasta muy tarde.

MARCELA: Bueno, no pasa nada, pero la próxima vez llámame, ¿eh?

SILVIA: Vi a Hermés. ¡Baila genial!

FELIPE: Ese tipo nunca se queda en casa. El miércoles fue al cine, el jueves fue a un concierto de salsa, el viernes a una fiesta…

MARCELA: ¿Y a ti, qué te pasa, eh?

FELIPE: Argentina perdió en el partido de ayer. ¿Qué? ¿Nadie lo vio? Si pusieron el partido en la televisión.

MARCELA: No soy aficionada al fútbol. Y no me gusta ver la televisión. A mí lo que más me gusta es estar al aire libre.

SILVIA: A mí tampoco me gusta el fútbol. ¡Qué deporte más aburrido! Prefiero mil veces cualquier otro deporte… incluso el boxeo.

MARCELA: ¿El boxeo? ¡Ay qué deporte más violento!

SILVIA: Además, en España ponen fútbol a todas horas.

FELIPE: Es que España siempre pierde, pero Argentina no pierde nunca.

SILVIA: Bueno, casi nunca. Porque ayer perdió, ¿no?

FELIPE: Fue horrible.

MARCELA: Bueno Felipe, a veces de pierde.

FELIPE: Lo de ayer fue como la final de la Copa de América de hace unos años.

SILVIA: Sí, me acuerdo. Se jugó en el Perú.

FELIPE: Sí, sí. En Perú.

SILVIA: Argentina perdió contra Brasil en los penaltis.

FELIPE: En América no se dice penaltis. Decimos penales.

MARCELA: Caramba Silvia, ¿y tú cómo sabes de eso?

SILVIA: Es que una vez mi hermana trajo a casa a un futbolista argentino.

FELIPE: ¿De la Liga de España?

SILVIA: No, de la italiana, y de la selección argentina.

FELIPE: ¡De la selección argentina! ¿De verdad? ¿Quién? ¿Quién?

SILVIA: Es un hombre muy fuerte, muy guapo, pero muy tonto.

FELIPE: ¿Cómo se llama?

SILVIA: No sé, ella lo llamaba Chuqui.

FELIPE: ¿Pero cómo que Chuqui?

SILVIA: Sí, Chuqui o Cuchi, no estoy segura. Es que sólo fueron novios por dos meses.

FELIPE: ¿Quién fue? ¿Santiago Solari? ¿Cambiasso? ¿Xavier Zanetti? ¿el Kily González?

SILVIA: Simplemente, Chuqui.

FELIPE: No, no. Ni Chuqui, ni Chiqui, ni Chaqua. No hubo nadie con ese nombre en la selección argentina. Tenés que decirme su nombre real.

SILVIA: A lo mejor no tiene nombre real.

FELIPE: ¡Silvia, por favor!

SILVIA: Ella lo llamó siempre así. Y, él le llamaba también Chuqui a ella: "Hola Chuqui, ¿qué tal?" "Bien, Chuqui, contigo siempre estoy bien."

MARCELA: ¿Chuqui, no más? ¿Y su apellido?

SILVIA: No era Maradona, de eso estoy segura, ¿eh?

FELIPE: Vamos a ver. ¿Era alto o bajo? ¿De dónde era?

SILVIA: Mira Felipe, era argentino y futbolista. Luego hablamos. Me voy a dormir.

Input Script

Presentation: *A primera vista 1*

Input Vocabulary, pp. 206–209: Conduct the presentation as though students are attending an employment fair, at which you will be the presenter. Create three or more centers in the classroom that will serve as interview posts for different types of work. These will be staffed by yourself and student volunteers who act as interviewers. Prepare a butcher paper sign for each center with the name of the business that is looking for employees, such as *Club deportivo Buena Vista* or *Centro infantil primavera*. Also hang a large butcher paper sign that announces the name of the employment fair, such as *Feria regional de empleo.*

Prepare a generic interview form with questions like those shown on the next page, as well as others that you care to invent. A day or two before the presentation, help the interviewers select from the generic list the questions that most pertain to the type of work they will be interviewing for and copy them to their own interview forms. Help each volunteer practice asking his or her particular set of questions and fielding some possible responses. Interviewers should actually note down on their interview forms the answers they receive from each interviewee. Encourage interviewers to ask "spin-off" questions as well, based on the responses of their interviewees. These will serve as added fuel for discussion later in the presentation.

Input Text, pp. 206–207: On the day of the presentation, come dressed as though for an interview and encourage your volunteer interviewers to do the same. Point to the main sign and the interview centers and say, *"Bienvenidos a la Feria regional de empleo. Aquí Uds. van a aprender y desarrollar las habilidades importantes para solicitar trabajos de varios tipos. Empecemos con la historia de Miguel, un joven que muy recientemente ha encontrado un trabajo que le gusta."* Place *Vocabulary and Grammar Transparencies 103–104* on the screen as needed. Call on students to read the introduction and five parts of the story. After each part check for comprehension by asking questions like the following:

Part 1: *"¿Miguel se presentó en una tienda o en un club deportivo?"*, *"¿Miguel quiere cualquier trabajo o un trabajo que le gusta?"*, *"¿Qué trabajos suelen hacer los jóvenes en nuestra escuela?"*

Part 2: *"¿Con quién tuvo Miguel una entrevista?"*, *"¿Qué tipo de experiencia le interesaba al gerente?"*, *"¿Miguel tiene conocimientos de computación?"*

Part 3: *"¿Miguel quiere trabajar cuarenta horas por semana o menos? ¿Cómo lo sabes?"*

Part 4: *"¿Qué había visto Miguel en el periódico?"*, *"A Miguel ¿por qué no le interesaba el trabajo de consejero?"*

Part 5: *"¿Miguel dejó de solicitar trabajo o siguió buscando trabajo?"*, *"¿Consiguió trabajo?"*, *"¿Le gusta ayudar a los mensajeros o a los clientes?"*

Comprehension Check

- Distribute copies of the Clip Art and have students cut them into individual images and flashcards. Say definitions for the vocabulary and have students show they understand by holding up the appropriate image or flashcard. For example, for *"ser responsable de algo"* students hold up the *encargarse (de)* flashcard.

Presentation: *A primera vista 1 (continued)*

Input Text, pp. 208–209: Before the presentation, prepare photocopies of the questionnaire on p. 208. Continue your *Centro de Empleo* by saying, "*Uds. van a tener más suerte al solicitar un puesto si saben exactamente lo que quieren.*" Place *Vocabulary and Grammar Transparency* 105 on the screen and say, "*Aquí tenemos una encuesta. Va a ayudarles a organizar los pensamientos.*" Allow students a few moments to read the information silently. Ask different volunteers to read each of the questions. After each question is read, ask other students, "*¿Cuáles respuestas vas a marcar?*" Invite other students to say if they agree or not with that student's assessment of him- or herself. Then distribute the copies of the questionnaire and have students fill them out on their own. Follow up with further comprehension questions and discussion.

Place *Vocabulary and Grammar Transparency* 106 on the screen. Ask volunteers to read one ad at a time. Check students' comprehension with questions such as "*¿Cuáles son los requisitos del puesto de niñero(a)?*", "*¿De qué tiene que encargarse el(la) entrenedor(a)?*", "*Un puesto de mensajero(a) es parecido a ¿cuál de estos puestos?*", "*¿Cómo se llama el documento que tienes que llenar cuando solicitas trabajo?*"

Now have your interviewers assume their positions at the various interview posts with their interview forms ready. Invite the rest of the class to join in the *feria* by being interviewed at two or more posts of their choice.

Comprehension Check

- Say sentences that are missing a vocabulary word or expression. For example: "*Una ___ reparte cosas en bicicleta.*" *(repartidora)* Students respond by holding up the appropriate Clip Art image or flashcard.

Generic Interview Questions List

¿Cómo te llamas?

¿Cuál es tu dirección? ¿Cuál es tu número de teléfono?

¿Cuál es tu dirección de correo electrónico?

¿Buscas un empleo a tiempo completo o a tiempo parcial?

¿Te gustan los deportes?

¿Te gustan los niños? ¿Tienes hermanos pequeños?

¿Tienes habilidad con los números?

¿Puedes encargarte del dinero (de los niños, de los mensajes importantes…)?

¿Sabes trabajar con la computadora? ¿Cuáles programas conoces?

¿Tienes habilidad con las manos? ¿Puedes reparar cosas?

¿Cómo debe uno portarse con los clientes? ¿De manera (___ agradable, ___ amable…)?

¿Cómo debe uno portarse con el dueño (el (la) gerente)? ¿Eres (___ puntual, ___ dedicado(a)…)?

¿Por qué quieres ser niñero(a) (mensajero(a), consejero(a), entrenador(a)…)?

¿Tienes transporte? ¿Tienes una bicicleta?

¿Puedes trabajar con un horario flexible?

¿Qué salario deseas?

¿Con quién podemos hablar para obtener referencias?

Presentation: *A primera vista 2*

Input Vocabulary and Text, pp. 220–221: Before class, assign your students to the community centers shown on p. 220. Do this by making copies of the Clip Art and writing each student's name on one of the images or flashcards that represents a community center. You may wish to assign some students to one or more of the organizations mentioned on p. 221 as well. If possible, each community center or organization should have at least two students assigned to it.

Place *Vocabulary and Grammar Transparency* 109 on the screen. Explain to students that they will be assigned to one of the community centers shown. Point to each community center as you say its name. For each one, ask students, "*¿Has tenido la oportunidad de trabajar en ____?*" They can respond with a simple "*Sí*" or "*No.*" Make an additional comment about each center to help students understand its nature and to incorporate other vocabulary. For example: "*Los centros recreativos protegen a los niños.*" "*Un hogar de ancianos beneficia a las personas de mayor edad.*" "*Los comedores de beneficencia ayudan a la gente sin hogar.*" "*En el centro de rehabilitación, organizamos actividades para personas con distintos problemas.*" "*En el centro de la comunidad, hay varias actividades, como clases, presentaciones y exhibiciones de arte.*"

Place *Vocabulary and Grammar Transparency* 110 on the screen. Ask volunteers to read the various sections of the *Boletín de la Comunidad.* After each section is read, ask quick comprehension questions. For item 1, for example, ask: "*Los jóvenes de la escuela La Libertad participaron en ¿qué?*" ("*una marcha*") "*¿Para qué?*" ("*para juntar fondos*") "*¿Los fondos eran para ellos?*" ("*¡No! Los fondos eran para las víctimas de los huracanes.*")

Then give students their community center or organization assignments by distributing the Clip Art images or flashcards with students' names on them. Ask about each center or organization: "*¿Quién participa en ____?*" Students can respond by saying, "*yo*" and holding up the Clip Art. Tell students that they will be helping create a video program about *las organizaciones de voluntarios* in your community. Students in each group will have a thirty-second segment in which to demonstrate the activities of their community center or organization. Those in the *comedor de beneficencia* will prepare foods and serve them to the needy, those in the *centro de la comunidad* might conduct a yoga class or an art exhibit, and so on. Give the groups time to rehearse their segments.

Begin "shooting" the video program. (If possible, have a student actually make a video of it.) As part of the program one or more volunteers can read the introduction on p. 220, as well as the introductory paragraph from the *Boletín de la Comunidad,* if applicable.

Comprehension Check

- If you make a video of the presentation, have the entire class watch it together afterwards and hold up appropriate Clip Art images or flashcards as they hear the vocabulary mentioned. If you do not make a video, have each group perform their segment as the rest of the class watches. Again, have those watching hold up Clip Art images or flashcards as the vocabulary items are mentioned.

Presentation: *A primera vista 2 (continued)*

Input Vocabulary, p. 222: Introduce the information on the page by saying, *"Ya hemos hablado de los centros comunitarios y otras organizaciones de voluntarios que tienen muchas comunidades. ¿Sabían Uds. que también existen organizaciones que ayudan a los inmigrantes? Hablemos de ellas."*

Ask a student who was born in the United States, *"¿Naciste en los Estados Unidos?"* When the student responds with *"Sí,"* say, *"¡Ah! O sea que eres ciudadano(a) de los Estados Unidos."* Ask the class, *"Pero si una persona nace en otro país y más tarde viene a vivir a los Estados Unidos, ¿es ciudadana?"* Students will respond with, *"No."* Say, *"No. Esa persona no es ciudadana. Es inmigrante. Díganme. ¿Muchos inmigrantes en los Estados Unidos quieren la ciudadanía?"* Students will respond with *"Sí."* Ask, *"¿Y qué tienen que hacer los inmigrantes en los Estados Unidos para conseguir la ciudadanía?"* Use further questions and comments to lead students to understand that immigrants in the United States must *estudiar las leyes* and the nature of our democratic government in order to attain citizenship.

Input Text, p. 222: Place *Vocabulary and Grammar Transparency* 111 on the screen. Call on students to read the information. Check students' comprehension with questions such as, *"¿Los voluntarios estudian las leyes o dan clases de leyes?"*, *"¿Quiénes estudian las leyes?"*, *"¿Para qué examen tienen que estudiar los inmigrantes?"*

Input Vocabulary, p. 223: Distribute copies of the Clip Art for this section of *A primera vista 2* and have students cut them into individual flashcards. Since many of the new vocabulary items are cognates, most students should understand them readily. Use gestures, chalkboard sketches, examples, and circumlocution to clarify the meaning of the vocabulary. Have students hold up the appropriate Clip Art flashcard for each item you clarify. The following are ideas for clarifying the meaning of some of the vocabulary:

* *a favor de:* Name a current important issue in your school or town and say *"Estoy a favor de ___."*

* *los derechos:* Say, *"En los Estados Unidos tenemos muchos derechos."* Continue by naming specific rights, such as *el derecho de vivir dónde queremos* or *el derecho de criticar al gobierno.*

* *construir:* On the board, sketch stick figures constructing a house.

* *la campaña:* Say, *"Es antes de una elección. Los candidatos dan discursos y hacen promesas."*

Input Text, p. 223: Place *Vocabulary and Grammar Transparency* 112 on the screen. Call on students to read the information. After each section, check students' comprehension with questions such as, *"¿Qué sociedad va a elegir a un presidente?"*, *"¿Quiénes son los dos candidatos?"*, *"¿María Luna de Soto está en contra o a favor de los derechos de los niños?"*, *"Según ella, ¿qué es injusto?"*, *"Según Mauricio Gutiérrez, ¿ser presidente de la Sociedad de Beneficencia es un derecho o una responsabilidad?"*

Comprehension Check

* Say sentences with a vocabulary item left out. Students "fill in the blank" by holding up the appropriate Clip Art flashcard: *"Van a ___ (construir) una nueva farmacia cerca de mi casa."*

Audio Script

Track 01: Libro del estudiante, pp. 206–207, *A primera vista 1*, Vocabulario y gramática en contexto **(4:24)**

Lee en tu libro mientras escuchas la narración.

FEMALE ADULT: ¿Has trabajado alguna vez? ¿Qué trabajo has tenido? Muchas personas suelen usar sus habilidades y sus cualidades para encontrar un trabajo que les guste, como es el caso de Miguel. A Miguel le encantan los deportes. Este verano había decidido conseguir un trabajo. Buscó en el periódico algunos trabajos que le parecieron interesantes. Sigamos a Miguel en su búsqueda.

FEMALE ADULT: Primero, se presentó para un trabajo en un club deportivo.

MALE ADULT: Vas a escuchar cada palabra o frase dos veces. Después de la primera vez hay una pausa para que puedas pronunciar la palabra o frase, y luego vas a escuchar de nuevo la palabra o frase.

la salvavida

la recepcionista

FEMALE ADULT: Luego, tuvo una entrevista con el gerente del club, pero no consiguió el puesto porque no tenía experiencia en computación.

MALE ADULT: ¿Sabes trabajar con programas de computadora?

Lee en tu libro mientras escuchas la narración.

FEMALE ADULT: Miguel también se había entrevistado para un trabajo de niñero, pero era a tiempo completo y él buscaba un trabajo a tiempo parcial.

En el periódico había visto un trabajo de consejero a tiempo parcial, pero el salario era muy bajo.

Miguel siguió solicitando trabajo por varios días. Finalmente, después de una entrevista con el dueño, el Sr. Urbina, Miguel encontró trabajo en una tienda de equipo deportivo. A Miguel le gusta ayudar a los clientes y le encanta el horario flexible.

MALE ADULT: Vas a escuchar cada palabra o frase dos veces. Después de la primera vez, hay una pausa para que puedas pronunciar la palabra o frase, y luego vas a escuchar de nuevo la palabra o frase.

el dueño

la clienta

el mensajero

Track 02: Libro del estudiante, p. 207, Act. 1, *¿Dónde hay trabajo?* **(1:41)**

Primero, escucha las frases e indica sobre qué ilustración habla cada una. Luego, di por qué Miguel consiguió o no consiguió ese puesto. Vas a oír cada frase dos veces.

1. Se solicitan consejeros en un campamento de verano. El horario es flexible pero desafortunadamente el salario es bajo.

2. El trabajo de niñero es un trabajo a tiempo completo.

3. En este lugar se necesita una persona con experiencia en computación.

4. Éste es un trabajo con horario flexible y donde hay que ayudar a los clientes.

Track 03: Libro del estudiante, p. 208, *A primera vista 1*, Vocabulario y gramática en contexto **(7:19)**

Lee en tu libro mientras escuchas la narración.

MALE ADULT: Tú y tus habilidades

Para muchos, el mejor trabajo es aquél donde podemos usar nuestros conocimientos y habilidades. Lee la siguiente encuesta.

¿Cómo eres?

Vas a escuchar cada palabra o frase dos veces. Después de escucharla la primera vez habrá una pausa para que puedas pronunciarla, luego volverás a escucharla de nuevo.

cortés

agradable

eficiente

puntual

ordenado u ordenada

dedicado o dedicada

flexible

práctico o práctica

honesto u honesta

responsable

considerado o considerada

amable

comprensivo o comprensiva

¿Qué sabes hacer?

Vas a escuchar cada palabra o frase dos veces. Después de escucharla la primera vez habrá una pausa para que puedas pronunciarla, luego volverás a escucharla de nuevo.

cocinar

hablar otro idioma

usar la computadora

reparar cosas

nadar

manejar un coche

escribir bien

¿Qué te gusta hacer?

Vas a escuchar cada palabra o frase dos veces. Después de

escucharla la primera vez habrá una pausa para que puedas pronunciarla, luego volverás a escucharla de nuevo.

atender a la gente

trabajar con las manos

trabajar en equipo

enseñar a los niños

cuidar animales

practicar deportes

viajar

leer

¿Qué es más importante para ti?

Vas a escuchar cada palabra o frase dos veces. Después de escucharla la primera vez habrá una pausa para que puedas pronunciarla, luego volverás a escucharla de nuevo.

un buen salario

un trabajo a tiempo completo

un trabajo a tiempo parcial

trabajar en una compañía grande

trabajar al aire libre

trabajar en un lugar agradable

un horario flexible

buenos beneficios

vacaciones largas

Track 04: Libro del estudiante, p. 208, Act. 4,
Conseguir trabajo es un tremendo trabajo (2:56)

Los estudiantes de la clase de Marcos no saben cuál es el mejor trabajo para ellos. Escribe en una hoja de papel los números del 1 al 6. Escucha lo que cada estudiante dice sobre sus habilidades y sus cualidades y decide cuál es el mejor trabajo para cada uno. Luego, haz una frase para cada trabajo que escribiste, que diga algo de lo que se trata ese trabajo y dónde se puede hacer. Vas a oír cada frase dos veces.

Modelo: Soy bueno con las matemáticas y quiero un trabajo a tiempo parcial.

1. A mí no me gusta estar siempre en el mismo lugar. Soy muy rápido en la bicicleta y sé repararla. Sólo puedo trabajar unas horas.

2. Sé nadar muy bien y me gusta estar en la piscina. Quiero trabajar durante el verano, todo el tiempo, porque no voy a la escuela.

3. Soy muy puntual y dedicada, adémas, sé usar bien la computadora.

4. Soy amable con la gente y me gusta mucho cuidar niños.

5. Sé dar consejos a mis amigos y ayudarlos cuando lo necesitan.

6. Me gusta hablar con mucha gente y trabajar al aire libre.

Track 05: Libro del estudiante, p. 209, *A primera vista 1*,
Vocabulario y gramática en contexto (2:51)

Lee en tu libro mientras escuchas la narración.

Male Adult: Los anuncios clasificados

Male Adult: NIÑERO O NIÑERA CON EXPERIENCIA

Se necesita persona que tenga experiencia.

Requisitos:

2 cartas de recomendación

referencias

No recibimos solicitudes sin la fecha de nacimiento.

Llamar al tres, dos, uno, cuatro, cero, cuatro, cero.

Female Adult: SECRETARIO O SECRETARIA

Requisitos:

Experiencia mínima de 3 años

Conocimientos de computación

Inglés

Ofrecemos muy buenos beneficios. Interesados favor de llamar al cuatro, uno, siete, dos, nueve, cuatro, nueve, o presentarse en nuestras oficinas de Hernán Cortés, número veinticuatro.

Male Adult: CAMAREROS

Se solicitan personas con experiencia, que cumplan con su trabajo, para trabajar en un restaurante. Llamar al cinco, cinco, cuatro, tres, cuatro, tres, cuatro, y pedir una solicitud de empleo.

Female Adult: PASEAR PERROS

Se busca persona que le gusten los animales para encargarse de pasear tres perros. Horario flexible, buen salario. Llamar al cuatro, seis, dos, nueve, cero, tres, dos.

Male Adult: ENTRENADOR O ENTRENADORA

Club deportivo necesita entrenador o entrenadora para atender a nuevos miembros.

Venir a llenar la solicitud de empleo a nuestra oficina de calle Colón número cuatrocientos cincuenta y dos.

Female Adult: REPARTIDOR O REPARTIDORA

Preferible con experiencia en repartir cosas en bicicleta. Tiempo parcial.

Enviar por fax solicitud de empleo.

Fax: siete, siete, uno, siete, uno, siete, uno

Track 06: Libro del estudiante, p. 210, Act. 6, *¿Quiénes son?* (2:36)

La ilustración a la derecha muestra las personas que trabajan en la florería de la mamá de Laura. Escucha a Laura describir lo que hace cada persona. Identifica quién es cada persona en la ilustración. Luego, escribe dos detalles acerca de cada una. Vas a oír cada frase dos veces.

1. La señora Bonilla es la dueña de la florería, y también es mi mamá. En este dibujo ell está sentada. Está trabajando.

2. Mi hermana Celia es la gerente. Es muy responsable, puntual y dedicada. En el dibujo, está atendiendo a un cliente.

3. Y mi hermano menor, Jorge, a veces trabaja como repartidor. Lo ves allí, reparando su bicicleta.

4. En este dibujo, yo estoy cerca de la puerta. Los sábados soy niñera. Me gusta visitar a mamá en la tienda.

5. El mensajero, que está allí con el paquete, es mi tío Eduardo. Él ayuda mucho a mamá.

Track 07: Writing, Audio & Video Workbook, p. 64, Audio Act. 1 (5:12)

Escucha los comentarios de seis personas que describen su empleo. Decide cuál es el trabajo de cada persona y escribe el número del comentario al lado del trabajo en la tabla. Solamente vas a escribir *cinco* de los seis números. Vas a oír cada comentario dos veces.

1. **Male Adult 1:** A ver si entiendo bien . . . Necesito llevar este paquete a la oficina de la compañía Proforma y dejarlo para la señora Valdés, que es la gerente. ¿Está bien? . . . Entonces me voy ahora mismo. Vuelvo a eso de las once.

2. **Male Adult 2:** Sí . . . espere un momento, por favor. Voy a ver si el señor Gómez está en la oficina . . . Ah, un momento . . . veo que está hablando por teléfono. Siéntese, por favor, y espere mientras yo le doy su mensaje.

3. **Female Adult 1:** ¡Qué calor hace hoy! Creo que por eso ha venido tanta gente a la piscina. ¡Y todos quieren nadar a la vez! Yo no tengo muchas ganas de levantarme de esta silla. Pero tengo que asegurarme de que la gente sigue las reglas del club deportivo.

4. **Female Adult 2:** Uy, ¡qué cansada estoy! No sé qué pasa. ¡Estos niños tienen tanta energía hoy! ¡No me han dejado descansar! Bueno, voy a ver si ya terminaron sus tareas. Después voy a darles de cenar.

5. **Female Adult 3:** Señora Montero, como su compañía nos atendió con tanta dedicación y responsabilidad el año pasado, queremos que Uds. se encarguen de nuestra nueva campaña de publicidad para el año que viene. Sé que tenemos que hablar del dinero y el horario, pero queremos que Uds. sepan que siguen siendo nuestra agencia de publicidad.

6. **Male Adult 1:** Hace más de veinte años que fundamos esta compañía . . . Empezamos con dos personas . . . yo y mi esposa Carmen . . . trabajando a tiempo completo, todos los días . . . Ahora tenemos treinta empleados a tiempo completo y veinticinco a tiempo parcial. ¡Es increíble!

Track 08: Writing, Audio & Video Workbook, p. 64, Audio Act. 2 (4:16)

Javier acaba de conseguir un trabajo nuevo y está un poco nervioso. Quiere cumplir con todas sus responsabilidades rápida y eficazmente. Escucha mientras Javier contesta las preguntas de su supervisora sobre lo que ha hecho esta mañana. Mientras escuchas, escribe los números del 1 al 5 al lado de los dibujos para indicar el orden de las actividades. Vas a oír la conversación dos veces.

Female: Bueno, Javier, ¿qué tal te va? ¿Te gusta tu nuevo trabajo a tiempo completo?

Male: ¡Sí, señora Rosales! Todos son muy amables conmigo.

Female: Muy bien. La verdad es que la gente aquí es muy agradable. Bueno . . . a ver . . . ¿qué has hecho esta mañana? Déjame ver la lista. ¿Ya has atendido a la señora Pérez?

Male: Sí. Le he llevado una taza de café a su oficina.

Female: ¡Perfecto! A ella le encanta el café. Y dime, ¿has reparado la fotocopiadora?

Male: Sí, ya he reparado la fotocopiadora. El señor Alvaredo pudo hacer sus fotocopias.

Female: Muy bien . . . ¡tienes tantas habilidades!

Male: Bueno, no fue muy difícil . . . Y ya he repartido todos los paquetes que trajo el mensajero. ¡Había muchos paquetes hoy!

Female: Sí, siempre hay muchos paquetes. ¿Y llamaste al periódico?

Male: Sí, he llamado al periódico para poner un anuncio clasificado sobre el puesto nuevo.

Female: Muy bien. Eso era importante. ¿Y qué más?

Male: Bueno, he descansado . . . porque ya cumplí con todos los quehaceres de la lista. ¿Está bien?

Female: ¡Cómo no! Eres un trabajador muy dedicado, Javier.

Male: Muchas gracias, señora Rosales. Usted es una gerente muy amable.

Track 09: Libro del estudiante, p. 215, *En voz alta*, He andado muchos caminos, de Antonio Machado (0:46)

Male Adult: He andado muchos caminos,
   he abierto muchas veredas
   he navegado en cien mares,
   y atracado en cien riberas . . .
   Y en todas partes he visto
   gentes que danzan o juegan,
   cuando pueden, y laboran
   sus cuatro palmos de tierra.
   Son buenas gentes que viven,
   laboran, pasan y sueñan,
   y un día como tantos,
   descansan bajo la tierra.

Track 10: Libro del estudiante, p. 220, *A primera vista 2*, Vocabulario y gramática en contexto (1:57)

Lee en tu libro mientras escuchas la narración.

Male Teen: ¿Has trabajado como voluntario? Ojalá lo hayas hecho, si no, nunca es tarde para ayudar a otros. Hay organizaciones en tu comunidad que buscan proteger y beneficiar a otras personas. Aquí tienes algunos lugares donde puedes colaborar como voluntario y ayudar.

MALE ADULT: Vas a escuchar cada palabra o frase dos veces. Después de la primera vez hay una pausa para que puedas pronunciar la palabra o frase, y luego vas a escuchar de nuevo la palabra o frase.

el centro de rehabilitación

el hogar de ancianos

el centro recreativo

el comedor de beneficencia

el centro de la comunidad

Track 11: Libro del estudiante, p. 220, Act. 23, *Dónde buscar ayuda* **(1:48)**

Escribe los números del 1 al 5 en una hoja. Escucha la descripción de estos lugares y escribe el nombre del lugar. Vas a oír cada frase dos veces.

1. En este lugar les dan de comer a personas pobres.

2. Aquí vienen niños y adultos a hacer ejercicio y a divertirse.

3. En este lugar hay salones para eventos de la comunidad.

4. Éste es un lugar donde atienden a los ancianos.

5. Los pacientes asisten a este lugar para sentirse mejor y hacer ejercicio.

Track 12: Libro del estudiante, p. 221, *A primera vista 2,* Vocabulario y gramática en contexto **(1:43)**

MALE ADULT: Boletín de la Comunidad

marzo-abril

Queremos dar las gracias a todos los que han colaborado como voluntarios este mes. Esperamos que ésta haya sido una buena experiencia. Éstas son algunas de las actividades que organizamos:

FEMALE ADULT: Jóvenes de la escuela La Libertad participaron en la marcha para juntar fondos (obtener dinero) para las víctimas de los huracanes del mes pasado.

MALE ADULT: Los jóvenes de la escuela Simón Bolívar participaron en una manifestación en contra de la contaminación del medio ambiente. Luego, sembraron árboles para apoyar la causa.

FEMALE ADULT: La organización Hermanos solicita suéteres y abrigos para la gente sin hogar que no tiene un lugar donde vivir.

MALE ADULT: donar

MALE TEEN: ¿Quieren ayudar a conseguir abrigos? A mí me es imposible, tengo que estudiar.

FEMALE TEEN: A mí me encantaría, me gusta ayudar a los demás.

FEMALE TEEN: Me interesaría . . . ¿Qué tengo que hacer?

Track 13: Libro del estudiante, p. 222, *A primera vista 2,* Vocabulario y gramática en contexto **(1:16)**

Lee en tu libro mientras escuchas la narración.

MALE ADULT: Se buscan voluntarios hispanohablantes para ayudar a inmigrantes.

¿No sabes qué hacer con tu tiempo libre? Ayuda a un inmigrante a hacerse ciudadano.

Buscamos voluntarios para dar clases a inmigrantes. El objetivo de las clases es educar a los inmigrantes para conseguir la ciudadanía.

¿Qué hacen los voluntarios en las clases?

Un abogado explica las leyes de inmigración y luego, los voluntarios ayudan a las personas a llenar los formularios y a estudiar para el examen de ciudadanía.

Para más información, visítanos en la avenida Roosevelt y la calle ochenta y cuatro, en Queens, Nueva York.

Track 14: Libro del estudiante, p. 222, Act. 26, *Ayuda a inmigrantes* **(2:45)**

Escucha la conversación de unos jóvenes voluntarios. Luego, completa cada frase según lo que dijeron los jóvenes.

FEMALE TEEN: Hola Luis, ¿cómo estás?

MALE TEEN: Bien, Paola, gracias. ¿Qué hay de nuevo?

FEMALE TEEN: Vengo de ayudar como voluntaria en las clases para inmigrantes. Había muchas personas.

MALE TEEN: ¡Qué interesante! ¿Qué enseñan en las clases?

FEMALE TEEN: Bueno, primero un abogado explicó las leyes de inmigración y cómo solicitar la ciudadanía. Luego, los voluntarios ayudamos a la gente a llenar los formularios. Lo que más me gustó fue ayudar a estudiar para el examen. Tuve que estudiar la historia del país otra vez.

MALE TEEN: Me parece que trabajaste mucho. Ojalá que te haya gustado.

FEMALE TEEN: Me encantó. ¿Sabes que necesitan más voluntarios? ¿No te gustaría ayudar?

MALE TEEN: Por ahora me es imposible, pues trabajo como voluntario en el centro de rehabilitación.

Track 15: Libro del estudiante, p. 223, *A primera vista 2,* Vocabulario y gramática en contexto **(2:07)**

Lee en tu libro mientras escuchas la narración.

MALE ADULT: ¿A quién va a escojer? La Sociedad de Beneficencia Manuel García.

La Sociedad es una organización que tiene un hogar de ancianos y un hospital para niños. Cada cuatro años se hace una campaña para elegir un presidente. Lee sobre los candidatos de este año y sus causas, es decir, lo que piensan que es más importante.

FEMALE ADULT: Soy María Luna de Soto. Estoy a favor de proteger los derechos de todos los niños, por eso quiero que haya más programas de servicio social. Debemos garantizar los fondos para comprar medicinas para nuestros ciudadanos más jóvenes, los niños, y buscar voluntarios que ayuden a las personas que lo necesitan. Es injusto que sólo algunas personas reciban cuidado y ayuda.

Male Adult: Soy Mauricio Gutiérrez. Pienso que ser presidente de la Sociedad de Beneficencia es una gran responsabilidad. Estoy a favor de comprar equipo médico y garantizar así una mejor atención a la salud de nuestros pacientes. También quiero construir un centro recreativo junto al hogar de ancianos. Me parece justo que los ancianos tengan un lugar donde descansar y recibir todo el cuidado que ellos necesitan.

Track 16: Libro del estudiante, p. 223, Act. 27,
¿Quién está a favor de esto? **(2:04)**

En una hoja, escribe los números del 1 al 6. Después de leer sobre los dos candidatos, escucha estas frases y escribe *Mauricio* o *María* según quién haya expresado esa idea. Vas a oír cada frase dos veces.

1. Está a favor de proteger los derechos de los niños.

2. Está a favor de comprar más equipo médico.

3. Le importan mucho los ciudadanos más jóvenes: los niños.

4. Piensa construir un nuevo centro recreativo junto al hogar de ancianos.

5. Le parece injusto que sólo algunas personas reciban cuidado y ayuda.

6. Quiere que haya más programas de servicio social.

Track 17: Libro del estudiante, p. 226, Act. 32,
Un reportaje especial **(2:08)**

Imagina que estás en Caracas, Venezuela y que escuchas este reportaje en la radio. Completa las frases siguientes con la información del reportaje. Luego, usa esta información para hacer un resumen. Vas a oír este reportaje dos veces.

Radio News Report: Caracas, Venezuela. El señor Nicolás Sepúlveda, dueño de la compañía "El Salvador," donó un millón de bolívares a la Campaña "Educar es nuestra responsabilidad." Gracias a la generosa donación va a ser posible construir una escuela para adultos, que va a beneficiar a los ancianos de esta ciudad. Al hablar de las razones para hacer esta donación, Sepúlveda dijo "siento la responsabilidad de ayudar a todos los ciudadanos."

Track 18: Writing, Audio & Video Workbook, p. 65, Audio Act. 3 (5:57)

Los miembros del Club de Voluntarios están buscando oportunidades para trabajar en su comunidad. Durante una reunión reciente, ellos escucharon por la radio una lista de cuatro trabajos voluntarios. Escucha la lista y mira el dibujo para observar las habilidades de cada persona. Escoge la persona perfecta para cada trabajo y escribe el número del trabajo al lado de esta persona. Vas a oír cada trabajo de la lista dos veces.

Adult Male: Buenos días y gracias por su interés en la lista de trabajos voluntarios de esta semana. Si les interesa una de estas oportunidades, llamen al cinco, cinco, cinco, cuatro, dos, cinco, nueve para obtener más información. Y recuerden . . . traten de donar un poco de su tiempo a la comunidad . . . es un servicio social que beneficia a todos.

Bueno, para empezar, el primer trabajo es en un centro de ancianos. No es necesario tener ninguna experiencia. Solamente se necesita tener una personalidad divertida y alegre. Como los ancianos muchas veces se sienten tristes o desanimados, es importante que los voluntarios puedan hacerlos reír un poco.

La segunda oportunidad de trabajo es para un centro de rehabilitación. No se requiere un voluntario con experiencia médica, pero es importante que sea una persona atlética y deportista. Es un trabajo voluntario muy activo ya que los pacientes necesitan ayuda para moverse y hacer varios tipos de ejercicios durante el día.

El tercer trabajo voluntario de esta semana es en un comedor de beneficencia. Se buscan personas que sepan preparar comida — alimentos básicos como sándwiches, sopas y ensaladas — para la gente sin hogar. No es necesario tener mucha experiencia, pero es importante tener conocimientos básicos acerca de la comida y las recetas.

Por último, la cuarta oportunidad de trabajo es en un centro recreativo para niños. Los voluntarios para este puesto deben saber pintar y dibujar bien. El trabajo consiste en ayudar a los niños con sus proyectos de arte y enseñarles nuevas técnicas artísticas una vez a la semana. Se solicitan personas creativas y dedicadas para este puesto.

Bueno, ésas son las oportunidades de trabajo voluntario para esta semana. Recuerden que deben llamar al cinco, cinco, cinco, cuatro, dos, cinco, nueve para pedir más detalles . . . y, como siempre, muchas gracias por su interés y participación.

Track 19: Writing, Audio & Video Workbook, p. 66, Audio Act. 4 (4:38)

Raúl y Juana trabajan en el centro de la comunidad. El centro acaba de recibir muchas donaciones de cosas usadas y ellos están organizando todo. Mira las mesas con las cosas donadas y escucha sus comentarios. Pon en un círculo cada cosa que ellos mencionan, prestando atención al uso de los adjetivos y pronombres demostrativos. Vas a oír cada comentario dos veces.

1. **Male 1:** Juana, ¿sabes quién donó ese radio?

   Female 1: Sí, creo que la señora Hernández nos dió éste. Dice que ahora sólo ve la tele porque no le gusta la música popular.

   Male 1: ¡No lo puedo creer!

2. **Female 1:** Oye, Raúl, ¿qué precio le ponemos a esos zapatos de tenis?

   Male 1: Pues, no sé. ¿Quién va a comprar estos zapatos de tenis usados?

   Female 1: Bueno, ¡yo no! Pero uno nunca sabe . . .

3. **Male 1:** Mira aquella computadora. Debe tener más de quince años.

   Female 1: Sí . . . es antigua. ¿Pedimos treinta dólares?

   Male 1: ¿Por aquélla? ¡Es demasiado!

   Female 1: ¡Pero tiene valor histórico!

4. **Female 1:** ¡Ay, Raúl! Me encanta aquella raqueta de tenis. Si es posible, voy a comprarla.

   Male 1: ¿Aquélla? Entonces, ¡voy a ponerle un precio muy alto!

   Female 1: ¡No seas tan malo!

5. **Male 1:** ¿Sabes qué? ¡Creo que esos libros son míos! Mi madre me dijo que iba a donar unas cosas al centro . . .

   Female 1: Bueno, es demasiado tarde. Si todavía quieres estos libros, ¡tienes que comprarlos otra vez!

6. **Male 1:** Tengo una idea magnífica. ¿Ves esta pelota de básquetbol? Voy a comprársela a mi hermanito para su cumpleaños.

   Female 1: ¡No me digas! Pero yo tenía la misma idea . . .

   Male 1: No te atrevas . . . ¡ésta es mía! ¡Menos mal que hay dos!

Track 20: Writing, Audio & Video Workbook, p. 67, Audio Act. 5 (7:05)

Empiezan las elecciones presidenciales para el centro de estudiantes del Colegio Central. Vas a escuchar a tres candidatos hablar sobre sus experiencias, sus cualidades personales y sus habilidades y conocimientos. Escucha los comentarios de los candidatos y, en la siguiente tabla, marca con una *X* las cosas que menciona cada uno. Vas a oír los comentarios dos veces.

1. **Male 1:** Hola, me llamo Marcos Mérida . . . Yo sé que ya todos me conocen. He venido a pedirles que voten por mí para presidente del centro de estudiantes. Como ya saben, había trabajado como mensajero en la oficina de administración, y conozco a casi todos los estudiantes. Los que me conocen saben que soy una persona muy puntual — ¡bueno, es necesario ser puntual cuando trabajas como mensajero! Siempre me ha interesado ser presidente porque creo que puedo mejorar el sistema de computadoras de la escuela. Tengo conocimientos de computación y me gustaría crear un archivo de datos de todos los estudiantes, para poder realizar reuniones estudiantiles en el futuro. Bueno, espero que les haya gustado mi presentación.

2. **Female 1:** Hola, yo soy Julia Jiménez. Soy una estudiante nueva en la escuela . . . todavía no he podido conocer a muchos de ustedes. Vine aquí de Chicago, donde había trabajado como niñera en un centro recreativo. Me gusta mucho el trabajo voluntario, porque siempre he sido una persona muy comprensiva. Y bueno, me gusta ayudar a las personas. A ver . . . ¿qué más? Pues, me encantaría ser presidenta de este centro de estudiantes, porque me gustaría organizar un programa de voluntarios en la escuela. Hay muchos niños en la comunidad que vienen de familias sin hogar

. . . me gustaría empezar un programa para educar a estos niños, que no tienen muchos recursos. Y . . . es todo. Espero contar con sus votos. Gracias.

3. **Female 2:** Buenos días, soy Susana Suárez. Tal vez me hayan conocido, ya que he trabajado en la piscina como salvavida después de las clases. Bueno, quiero ser presidenta de la clase porque creo que la educación física es muy importante, y quiero mejorar nuestros programas . . . La administración de esta escuela no dedica mucho dinero a las clases de educación física . . . pero todos sabemos que son muy importantes. Soy una persona muy responsable, así que pueden confiar en mí para cumplir con mi trabajo. Siempre he querido organizar marchas para protestar las malas condiciones de este gimnasio y de la piscina . . . y también para pedir más fondos para los instructores y las clases. Por favor, voten por mí . . . Gracias.

Track 21: Libro del estudiante, p. 234, *¿Qué me cuentas?*, En busca de empleo (4:52)

Vas a escuchar una narración en tres partes. Después de cada parte, vas a oír una o dos preguntas. Escoge la respuesta que corresponda a cada pregunta. Vas a oír cada parte de la narración dos veces.

Male Adult: Gaby quería ganar dinero para poder ir a visitar a su familia en el verano. No sabía dónde empezar a buscar trabajo. Su profesor le dijo que si quería ayudar, se presentara en el comedor de beneficencia de su barrio. Allí necesitaban juntar fondos para comprar alimentos para el hogar de ancianos. Le dijo que llevara referencias para tener una entrevista.

Female Adult:

1. ¿Adónde le dijo el profesor a Gaby que se presentara?

2. ¿Qué debía hacer con las referencias?

Male Adult: Cuando llegó al comedor de beneficencia, el gerente le preguntó si le gustaba colaborar como voluntario. Le dijo que podía trabajar a tiempo completo o a tiempo parcial. Era un trabajo de beneficencia de gran responsabilidad y debía cumplir con él, pero el horario era flexible.

Female Adult:

3. ¿Qué le preguntó el gerente?

4. ¿Cómo dijo el gerente que era el trabajo?

Male Adult: Cuando terminó la entrevista, el gerente le dio el puesto a Gaby.

—¡Felicitaciones! —le dijo a Gaby su profesor.

—¡Ay!, me olvidé de preguntar cuál va a ser mi salario. El gerente sólo me preguntó si me gusta colaborar como voluntario.

—Pero tú no me dijiste que querías ganar dinero. ¡Allí no pagan!

Female Adult:

5. ¿Qué se olvidó de preguntar Gaby?

Track 22: Libro del estudiante, p. 242, *Repaso del capítulo,* Vocabulario **(5:33)**

Escucha las palabras y expresiones que has aprendido en este capítulo.

en el trabajo

el anuncio clasificado	la fecha de nacimiento
los beneficios	el gerente
el cliente	la gerente
la cliente	el puesto
la compañía	el salario (o el sueldo)
el dueño	la solicitud de empleo
la dueña	

los trabajos

la computación	el repartidor
el consejero	la repartidora
la consejera	el recepcionista
el mensajero	la recepcionista
la mensajera	el salvavida
el niñero	la salvavida
la niñera	

cualidades y características

agradable	dedicado
amable	dedicada
flexible	justa
injusto	puntual
injusta	la responsabilidad
justo	responsable

para la entrevista

los conocimientos	la referencia
la entrevista	el requisito
la habilidad	

el trabajo

a tiempo completo	a tiempo parcial

actividades

atender	reparar
construir	repartir
cumplir con	seguir
donar	sembrar
encargarse	soler
juntar fondos	solicitar
presentarse	

la comunidad

la campaña	la gente sin hogar
el centro de la comunidad	el hogar de ancianos
el centro de rehabilitación	la ley
el centro recreativo	la manifestación
la ciudadanía	la marcha
el ciudadano	el medio ambiente
la ciudadana	el servicio social
el comedor de beneficencia	la sociedad
los derechos	

acciones

beneficiar	organizar
educar	proteger
garantizar	

expresiones

a favor de	me encantaría
en contra	me interesaría
me es imposible	

Track 23: Libro del estudiante, p. 245, *Preparación para el examen,* Escuchar **(3:34)**

Escucha lo que dicen estos estudiantes en sus entrevistas de trabajo. Presta atención a lo que dicen, y di a qué empleo se presentaron Verónica, Ariel, José y Patricia. Vas a oír cada entrevista dos veces.

ENTREVISTA DE VERÓNICA:

MALE ADULT: ¿Y puedes bañar a los perritos, si es necesario?

FEMALE TEEN 1: ¡Sí! Y me gustaría trabajar aquí porque me encantan los perros y los gatos y tengo experiencia con animales. He trabajado con un veterinario y antes había atendido al gatito de mi vecina.

ENTREVISTA DE ARIEL:

MALE TEEN 1: Me gusta mucho ayudar, señora López. Puedo leerles el periódico a los ancianos y ayudar a servir la comida. Puedo trabajar de voluntario a tiempo parcial, desde las cinco hasta las ocho.

ENTREVISTA DE JOSÉ:

MALE TEEN 2: He trabajado de salvavida el verano pasado en otro club deportivo, y antes había hecho varios cursos de natación. Me interesaría el trabajo porque el club está cerca de mi casa.

ENTREVISTA DE PATRICIA:

FEMALE TEEN 2: He trabajado atendiendo el teléfono. También sé usar computadoras y hacer todas las tareas de oficina.

Video Script

Un voluntario en la comunidad

(4:10)

NARRADOR: Para muchos jóvenes el verano es el tiempo de jugar. Pero Rubén Mejía ha pasado su verano trabajando tiempo completo. Rubén es dominicano y tiene 16 años. Todas las mañanas, él se presenta en Villa Tech. Allí, se encarga de reparar computadoras para la comunidad de Villa Victoria. Villa Victoria es una de las muchas comunidades de los Estados Unidos donde viven inmigrantes que buscan una vida mejor. Los residentes de Villa Victoria fundaron Villa Tech, un centro de computación, para beneficiar a la comunidad.

RUBÉN MEJÍA: Aquí yo ayudo a los residentes de Villa Victoria con algunos problemas que ellos tengan con la computadora. Por ejemplo, conexión a la red, problemas enviando correo electrónico. Yo les enseño cómo empezar un correo electrónico, cómo mandarlo, cómo chequearlo. Yo les enseño cómo chequearlo para que en el futuro ellos no tengan que llamarnos, para que ellos mismos lo hagan y ellos mismos se sientan orgullosos de que ellos hicieron algo.

SACMITE ASTORGA: Nuestra filosofía más grande en Villa Tech es darle poder a la comunidad, poder con tecnología, porque es ahorita lo más grande. Para nosotros lo más importante era darle esa oportunidad a nuestra comunidad para que ellos vean que la tecnología está aquí y no se va a ir. Es lo presente.

NARRADOR: Sacmite le inspira a Rubén a cumplir con sus responsabilidades para su comunidad. Además de trabajar en Villa Tech, Rubén sirve como voluntario en la escuelita Borinquen de Villa Victoria. A Rubén le fascinan los niños.

RUBÉN: En la escuelita Borinquen, a mí me encanta leerles historias, verles sus caritas cuando sólo les estoy leyendo, que ellos estén interesados en lo que yo les voy a decir, les voy a leer. A mí me encanta eso.

NARRADOR: Y Rubén también se dedica a una actividad que es parte integral de la comunidad dominicana, el béisbol. Rubén cree que el béisbol es una buena influencia para los muchachos de la comunidad.

RUBÉN: También en el equipo mío de béisbol a mí me gusta traer más personas, más muchachos, para que ellos también jueguen y vean lo divertido que es; que ellos vean que pueden estar haciendo eso que es productivo, en vez de estar haciendo algo que no sea tan bueno.

NARRADOR: Con su entusiasmo para el trabajo y su interés en la comunidad, Rubén se está preparando para el futuro. Él quiere asistir a la universidad y estudiar leyes. Aunque Rubén es solamente una persona, su dedicación al servicio social tiene un gran impacto en el futuro de su comunidad.

Realidades 3

Capítulo 5

Nombre _____

Fecha _____

Communicative Pair Activity **5-1**

Estudiante **A**

Imagínate que estás ayudando a tu compañero(a) a encontrar trabajo. Hazle las siguientes preguntas para decidir qué tipo de trabajo le conviene. Escribe sus respuestas en los espacios en blanco. Luego, lee los anuncios clasificados que siguen y escoge un trabajo para tu compañero(a). Leéle el anuncio. ¿Le gusta el trabajo que escogiste?

1. ¿Quieres un trabajo a tiempo completo o a tiempo parcial?

_____

2. ¿Prefieres trabajar al aire libre, en una tienda o en una oficina?

_____

3. ¿Qué habilidades y conocimientos tienes?

_____

4. ¿Qué otras cualidades tienes? ¿Cómo eres?

_____

5. ¿Qué salario quieres?

_____

6. ¿Qué referencias tienes?

_____

Te recomiendo que trabajes como _____

_____

ANUNCIOS CLASIFICADOS

- Niñero(a) con experiencia. Se necesita persona agradable y responsable para cuidar niños. Horario: martes a viernes, de 6 pm a 10 pm. Favor llamar al 555-5433 para una entrevista.

- Se busca salvavida para piscina del club deportivo. Experiencia necesaria. Trabajo de lunes a viernes, de 8 am a 6 pm. Requisitos: puntual, dedicado, responsable. No aceptamos solicitudes de empleo sin referencias.

- Gerente. Buscamos una persona para el puesto de gerente en nuestra compañía. Necesitamos a alguien con conocimientos de computación. Ofrecemos buen sueldo y excelentes beneficios.

- Solicitamos repartidor(a) para nuestro edificio. Debe encargarse de repartir paquetes entre las oficinas. No hace falta experiencia. Horario flexible.

Ahora tu compañero(a) te está ayudando a conseguir un trabajo. Responde las preguntas de tu compañero(a). Inventa las respuestas.

Realidades ③

Capítulo 5

Nombre _____

Fecha _____

Communicative Pair Activity **5-1**

Estudiante **B**

Tu compañero(a) te está ayudando a conseguir un trabajo. Responde las preguntas de tu compañero(a). Inventa las respuestas.

Imagínate que estás ayudando a tu compañero(a) a encontrar trabajo. Hazle las siguientes preguntas para decidir qué tipo de trabajo le conviene. Escribe sus respuestas en los espacios en blanco. Luego, lee los anuncios clasificados que siguen y escoge un trabajo para tu compañero(a). Léele el anuncio. ¿Le gusta el trabajo que escogiste?

1. ¿Quieres un trabajo a tiempo completo o a tiempo parcial?

_____

2. ¿Prefieres trabajar al aire libre, en una tienda o en una oficina?

_____

3. ¿Qué habilidades y conocimientos tienes?

_____

4. ¿Qué otras cualidades tienes? ¿Cómo eres?

_____

5. ¿Qué salario quieres?

_____

6. ¿Qué referencias tienes?

_____

Te recomiendo que trabajes como

_____

ANUNCIOS CLASIFICADOS

- Se busca recepcionista para atender el teléfono en nuestra compañía. Debe ser puntual y poder trabajar en un horario flexible. No hace falta experiencia. Favor llenar solicitud de empleo en nuestra oficina.

- Solicitamos mensajero(a) para repartir el correo. Debe trabajar de lunes a sábado de 7 am a 3 pm. Requisitos: experiencia de un año. Ofrecemos buenos beneficios.

- Gran oportunidad para trabajar como consejero(a) de un campamento en la montaña. Debe ser amable y responsable y poder trabajar todo el verano. Debe encargarse de las actividades con los niños. Favor traer referencias.

- Se busca persona con conocimientos de computación. Debe atender a los clientes de nuestra oficina a través de nuestro servicio de Internet. Ofrecemos un sueldo excelente. Favor llamar al 555-4202.

Realidades ③

Capítulo 5

Nombre

Fecha

Communicative Pair Activity **5-2**

Estudiante **A**

¿Qué han hecho? Usa los dibujos y las palabras del recuadro para responder las preguntas de tu compañero(a) y decirle qué han hecho las siguientes personas.

| **Berta** | **Martín y Alejandro** | **mi amiga** | **los empleados** | **yo** |

| reparar | obtener | comer | jugar | escalar |

Ahora, hazle las siguientes preguntas a tu compañero(a). Escribe sus respuestas.

1. ¿Qué han hecho el Sr. y la Sra. Jiménez?

_____

2. ¿Qué ha hecho Nicolás?

_____

3. ¿Qué ha hecho tu primo?

_____

4. ¿Qué ha hecho Andrea?

_____

5. ¿Qué has hecho tú?

_____

Realidades 3

Capítulo 5

Nombre

Fecha

Communicative Pair Activity 5-2

Estudiante B

¿Qué han hecho las siguientes personas? Hazle las siguientes preguntas a tu compañero(a) para saberlo. Escribe sus respuestas.

1. ¿Qué ha hecho Berta?

_____

2. ¿Qué han hecho Martín y Alejandro?

_____

3. ¿Qué ha hecho tu amiga?

_____

4. ¿Qué han hecho los empleados?

_____

5. ¿Qué has hecho tú?

_____

Ahora, usa los dibujos y las palabras del recuadro para responder las preguntas de tu compañero(a) y decirle qué han hecho las siguientes personas.

el Sr. y la Sra. Jiménez	Nicolás	tu primo	Andrea	yo

traer	leer	reunirse	hablar	bailar

En tu escuela les piden a los estudiantes que participen en actividades de la comunidad. Estás preparando un horario para la semana. Pregúntale a tu compañero(a) quién o quiénes hacen las siguientes actividades y cuándo las hacen. Luego completa el calendario con la información necesaria (la actividad y el nombre del estudiante) para cada día de la semana.

1. ¿Quién trabaja en el centro comunitario? ¿Qué días lo hace?

2. ¿Quién participa en la marcha? ¿Qué días lo hace?

3. ¿Quién va al centro de rehabilitación? ¿Qué días lo hace?

4. ¿Quién siembra en el jardín comunitario? ¿Qué días lo hace?

5. ¿Quién dona ropa? ¿Qué días lo hace?

lunes	martes	miércoles	jueves	viernes

Ahora, responde las preguntas de tu compañero(a) según la información que ves.

lunes	martes	miércoles	jueves	viernes
Carlos	Marisol	Hernán	Fernando	Pedro
Beatriz		Mercedes	Sofía	

Realidades 3

Capítulo 5

Nombre _____

Fecha _____

Communicative Pair Activity **5-3**

Estudiante **B**

En tu escuela les piden a los estudiantes que participen en actividades de la comunidad. Tu compañero(a) está preparando un calendario. Responde sus preguntas según la información que ves.

lunes	martes	miércoles	jueves	viernes
Andrea	Marcos	Jorge	Marta	Víctor
	Carmen	Graciela		Luis

Ahora tú vas a preparar el horario para la semana. Pregúntale a tu compañero(a) quién o quiénes hacen las siguientes actividades y cuándo las hacen. Luego completa el calendario con la información necesaria (la actividad y el nombre del estudiante) para cada día de la semana.

1. ¿Quién colabora en el comedor de beneficiencia? ¿Qué días lo hace?

2. ¿Quién trabaja en el centro recreativo? ¿Qué días lo hace?

3. ¿Quién va al hogar de ancianos? ¿Qué días lo hace?

4. ¿Quién ayuda a construir el nuevo centro? ¿Qué días lo hace?

5. ¿Quién junta fondos? ¿Qué días lo hace?

lunes	martes	miércoles	jueves	viernes

Realidades **3**

Nombre _____

Capítulo 5

Fecha _____

Communicative Pair Activity **5-4**

Estudiante **A**

Tú tienes que hacer algunas cosas, pero tienes muchas dudas. Tu compañero(a) te va a ayudar. Hazle las siguientes preguntas y escribe sus respuestas.

—¿Debo hablar con esta recepcionista?
—Sí, debes hablar con ésta. (o)
—No, debes hablar con aquélla.

1. ¿Debo ir a ese hogar de ancianos?

_____

2. ¿Debo darle la carta a aquel mensajero?

_____

3. ¿Debo construir esta casa?

_____

4. ¿Debo trabajar en aquel centro recreativo?

_____

Ahora tu compañero(a) tiene que hacer algunas cosas, pero también tiene dudas. Responde sus preguntas, según los dibujos.

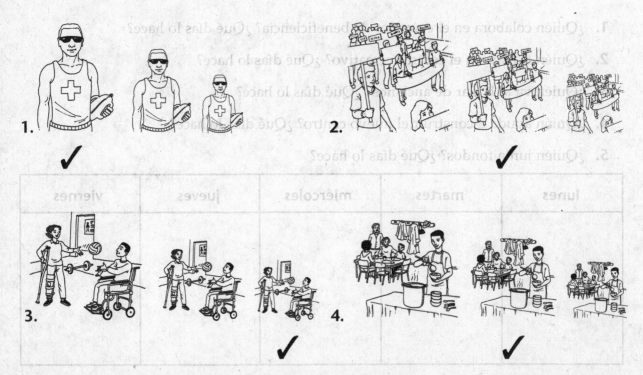

1.

2.

3.

4.

Talk!

Realidades 3

Nombre _____

Capítulo 5

Fecha _____

Communicative Pair Activity 5-4
Estudiante B

Tu compañero(a) tiene que hacer algunas cosas, pero tiene muchas dudas. Responde sus preguntas, según los dibujos.

1.

2.

3.

4.

Ahora tú tienes que hacer algunas cosas, pero también tienes dudas. Tu compañero(a) te va a ayudar. Hazle las siguientes preguntas y escribe sus respuestas.

—¿*Debo hablar con esta recepcionista?*
—*Sí, debes hablar con ésta.* (o)
—*No, debes hablar con aquélla.*

1. ¿Debo hablar con este salvavida?

   _____

2. ¿Debo participar en aquella marcha?

   _____

3. ¿Debo ir a ese centro de rehabilitación?

   _____

4. ¿Debo ayudar en este comedor de beneficencia?

   _____

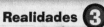

Situation Cards

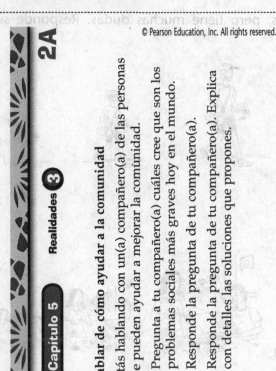

2A

Capítulo 5 | Realidades 3

Hablar de cómo ayudar a la comunidad

Estás hablando con un(a) compañero(a) de las personas que pueden ayudar a mejorar la comunidad.

— Pregunta a tu compañero(a) cuáles cree que son los problemas sociales más graves hoy en el mundo.
— Responde la pregunta de tu compañero(a).
— Responde la pregunta de tu compañero(a). Explica con detalles las soluciones que propones.

2B

Capítulo 5 | Realidades 3

Hablar de cómo ayudar a la comunidad

Estás hablando con un(a) compañero(a) de las personas que pueden ayudar a mejorar la comunidad.

— Responde la pregunta de tu compañero(a) y luego hazle la misma pregunta.
— Da tu opinión sobre la respuesta de tu compañero(a). Después, pregúntale qué propone para solucionar esos problemas.
— Opina sobre la respuesta de tu compañero(a) y explica por qué piensas así.

1A

Capítulo 5 | Realidades 3

Hablar de los trabajos que nos gustan

Estás hablando con un(a) compañero(a) sobre los trabajos que te interesan.

— Pregúntale a tu compañero(a) qué trabajo quiere hacer durante el verano.
— Responde la pregunta de tu compañero(a).
— Después, pregúntale qué habilidades y conocimientos debe tener para hacer ese trabajo.
— Da tu opinión sobre los comentarios de tu compañero(a).

1B

Capítulo 5 | Realidades 3

Hablar de los trabajos que nos gustan

Estás hablando con un(a) amigo(a) sobre los trabajos que te interesan.

— Responde la pregunta de tu compañero(a). Luego, hazle la misma pregunta.
— Responde la pregunta de tu compañero(a).

Vocabulary Clip Art

Vocabulary Clip Art

a tiempo parcial

agradable

atender

beneficiar

los beneficios

la campaña

el centro de la comunidad

la ciudadanía

el / la ciudadano(a)

Vocabulary Clip Art

la compañía

la computación

los conocimientos

el / la consejero(a)

cumplir con

dedicado, -a

los derechos

educar

en contra (de)

Vocabulary Clip Art

encargarse (de)	la entrevista	la fecha de nacimiento
flexible	garantizar	la gente sin hogar
el / la gerente	la habilidad	injusto, -a

juntar fondos	justo, -a	la ley
la manifestación	el medio ambiente	me encantaría
me es imposible	me interesaría	organizar

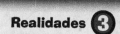
Vocabulary Clip Art

presentarse

proteger

el puesto

puntual

la referencia

reparar

repartir

la responsabilidad

responsable

Vocabulary Clip Art

el requisito

el salario

seguir

el servicio social

la sociedad

soler

solicitar

la solicitud de empleo

Core Practice Answers

5-1

1. El (La) fotógrafo(a) está sacando fotos.

2. El (La) bombero(a) está apagando el incendio.

3. El (La) detective está investigando el crimen.

4. El (La) camarero(a) está sirviendo comida en el restaurante.

5. El (La) agente de viajes me está ayudando a planear un viaje.

6. El (La) entrenador(a) le está diciendo al atleta lo que tiene que hacer.

7. El (La) locutor(a) está hablando en el programa de radio.

8. El (La) dentista me está limpiando los dientes.

5-2

A.

1. Ya lo estamos lavando. / Ya estamos lavándolo.

2. Ya los estoy limpiando. / Ya estoy limpiándolos.

3. Ya lo estamos paseando. / Ya estamos paseándolo.

4. Ya la estoy pasando. / Ya estoy pasándola.

B.

1. Llámenla.

2. Comiéncenla en el laboratorio.

3. No lo abran.

4. No lo apaguen.

5-3

1. Margarita tiene el puesto de recepcionista en la compañía.

2. José tiene los anuncios clasificados en la mano.

3. La Sra. Gómez es la gerente.

4. Pedro es mensajero.

5. Carlos trabaja en computación.

6. Creo que José va a tener una entrevista de trabajo.

5-4

1. niñero(a) a tiempo parcial.

2. consejero(a) que sea flexible.

3. salvavida a tiempo completo.

4. repartidor(a) puntual.

5. recepcionista con referencias.

6. cocinero(a) con conocimientos.

5-5

1. nos hemos llevado bien.

2. los he repartido antes.

3. los he atendido.

4. los he tenido.

5. lo he solicitado.

6. los he escrito.

7. lo he sido.

8. la he llenado.

5-6

1. había conseguido

2. había querido

3. había dicho

4. había empezado

5. había escrito

6. había leído

7. había hecho

8. habían dado

9. habíamos hablado

10. había dejado

5-7

1. —¿Tú has abierto las cartas?

—No, la secretaria ya las había abierto.

2. —¿Uds. han escrito el horario de hoy?

—No, el gerente ya lo había escrito.

3. —¿El dueño ha atendido a los clientes?

—No, la recepcionista ya los había atendido.

4. —¿Tú has leído las cartas de recomendación?

—No, el jefe ya las había leído.

5. —¿El agente ha puesto el correo en la mesa?

—No, yo ya lo había puesto en la mesa.

6. —¿El repartidor ha traído el almuerzo?

—No, el secretario ya lo había traído.

7. —¿Ellos han terminado el informe?

—No, Juan ya lo había terminado.

5-8

1. Debes ir al centro de la comunidad.

2. Debes ir al hogar de ancianos.

3. Debes ir al comedor de beneficencia.

4. Debes ir al centro de rehabilitación.

5. Debes ir al centro recreativo.

5-9

1. Nosotros estamos en contra de que cierren el centro de la comunidad.

2. Ellos están a favor de que lo cierren.

3. Los maestros deben educar a los niños.

4. Estos jóvenes están tratando de juntar fondos para la campaña.

5. Creo que el centro recreativo va a beneficiar a la comunidad.

6. Yo no entiendo las leyes de inmigración.

7. Me es imposible ir al hogar de ancianos hoy.

8. Quiero donar comida para el comedor de beneficencia.

9. Me encantaría ayudar a la gente pobre.

5-10

2. Él dice que es excelente que se haya abierto un comedor de beneficencia.

3. Ella dice que es una lástima que haya tanta gente pobre.

4. Él dice que se alegra de que la comunidad haya cambiado las leyes.

5. Él dice que es bueno que no haya cerrado el hogar para ancianos.

6. Ella dice que lo bueno es que los ancianos se hayan podido quedar allí.

5-11

1. esas / —No, ésas no. Éstas.

2. aquella / —No, para aquélla no. Para ésa.

3. esta / —No, en ésta no. En ésa.

4. ese / —No, a ése no. A aquél.

5. aquellos / —No, aquéllos no. Ésos.

5-12

1. Nos sorprende que esas jóvenes hayan participado en la campaña.

2. Es una lástima que aquellos jóvenes no hayan juntado los fondos.

3. Nos alegra que esos jóvenes hayan sembrado los árboles.

4. Estamos orgullosos de que éstas jóvenes hayan donado la ropa.

5. Es triste que aquellas jóvenes no hayan protegido el medio ambiente.

6. Es bueno que esos jóvenes hayan asistido a la marcha.

5-13

Answers will vary.

5-14

1. To form the present perfect tense, combine the present tense of the verb *haber* with a past participle.

2. To form the pluperfect tense, combine the imperfect tense of the verb *haber* with a past participle.

3. To form the present perfect subjunctive, use the present subjunctive of the verb *haber* with a past participle.

4.

había cantado	habíamos cantado
habías cantado	habíais cantado
había cantado	habían cantado

haya escrito	hayamos escrito
hayas escrito	hayáis escrito
haya escrito	hayan escrito

5.

este	estos
esta	estas
ese	esos
esa	esas
aquel	aquellos
aquella	aquellas
éste	éstos
ésta	éstas
ése	ésos
ésa	ésas
aquél	aquéllos
aquélla	aquéllas

6. Esto, eso, aquello

El participio presente (p. 201)

- The present participle is used to talk about actions that are in progress at the moment of speaking. To form the present participle of -ar verbs, add -ando to the stem. For -er and -ir verbs, add -iendo to the stem.

  cantar: cantando   insistir: insistiendo   tener: teniendo

- The present participle is frequently combined with the present tense of estar to talk about what someone is doing, or with the imperfect of estar to talk about what someone was doing.

  Estoy cortando el césped.   I am mowing the lawn.

  Los niños estaban haciendo sus quehaceres.   The kids were doing their chores.

A. Write the ending of the present participle for each of the following verbs to say what the following people are doing while you're at school. Follow the model.

Modelo (sacar) El fotógrafo está sacando fotos.

1. (trabajar) El agente de viajes está trabajando en su oficina.
2. (beber) El entrenador está bebiendo agua.
3. (hacer) El científico está haciendo un experimento.
4. (escribir) El reportero está escribiendo un artículo.

- Only -ir stem-changing verbs change in the present participle. In the present participle, the e changes to i and the o changes to u.

  servir: sirviendo   dormir: durmiendo   despedir: despidiendo

B. Write the present participles of the verbs in the chart below. The first row has been done for you. Remember that -ar and -er stem-changing verbs have no stem changes in the present participle.

-ar, -er	present participle	-ir	present participle
jugar	jugando	divertir	divirtiendo
sentar	1. sentando	sentir	5. sintiendo
contar	2. contando	morir	6. muriendo
volver	3. volviendo	preferir	7. prefiriendo
perder	4. perdiendo	dormir	8. durmiendo

realidades.com
• Web Code: jed-0501

C. Complete the sentences with the present progressive of the verb given (+ present participle) to say what the following people are doing. Follow the model.

Modelo (decir) Yo estoy diciendo la verdad.

1. (dormir) Tú no estás durmiendo.
2. (pedir) Ellos no están pidiendo una pizza.
3. (contar) Nosotros estamos contando chistes.
4. (resolver) Yo estoy resolviendo problemas de matemáticas.

- A spelling change occurs in the present participle of the verbs ir, oír, and verbs ending in -aer, -eer, and -uir. The ending becomes -yendo.

  creer: creyendo   oír: oyendo   caer: cayendo
  construir: construyendo   ir: yendo

D. Complete the following sentences with the present progressive. Remember to use the verb estar along with the verb provided. Follow the model.

Modelo Mis padres están trayendo (traer) el perro al veterinario.

1. El asistente está oyendo (oír) las instrucciones del dentista.
2. La reportera dice que está cayendo (caer) granizo y que está destruyendo (destruir) los coches de muchas personas.
3. Las vendedoras están leyendo (leer) las etiquetas de la ropa.
4. Nadie está creyendo (creer) lo que dice el atleta egoísta.

- In the progressive tenses, reflexive or object pronouns can be placed before the verb estar, or they can be attached to the end of the present participle. If they are attached to the present participle, a written accent is needed to maintain stress (usually over the third-to-last vowel).

  El bombero está ayudándome.   or   El bombero me está ayudando.

E. The sentences below each have a phrase using the present progressive tense and a pronoun. Each phrase is underlined. In the space provided, write the phrase in a different way, using what you learned about placement of pronouns. Follow the model.

Modelo No puedo hablar porque me estoy cepillando los dientes. estoy cepillándome

1. Mis abuelos nos están felicitando por la graduación. están felicitándonos
2. A Juan no le gusta el postre, pero está comiéndolo. lo está comiendo
3. Mi hermano está en el baño. Está lavándose las manos. Se está lavando
4. Mi profesora me está dando este libro para estudiar. está dándome

realidades.com
• Web Code: jed-0501

Dónde van los pronombres reflexivos y de complemento (p. 203)

- Deciding where to put object and reflexive pronouns can sometimes be confusing. Here is a summary of some of these rules.
- When a sentence contains two verbs in a row, as with a present participle or infinitive, the pronoun may be placed either in front of the first verb or be attached to the second verb. Note that the second example is negative.

  Nos vamos a duchar.   or   *Vamos a ducharnos.*

  No *nos* vamos a duchar.   or   *No vamos a ducharnos.*

- Adding a pronoun to the end of a present participle requires a written accent mark, while adding a pronoun to the end of an infinitive does not.

  Estoy pagándole.   *Voy a pagarle.*

A. Rewrite each phrase using the pronoun in parentheses in two different ways. In column A, place the pronouns before the first verb. In column B, attach them to the second verb. Remember, if you add a pronoun to the end of a present participle, you need to include an accent mark. Follow the model.

	A	B
Modelo van a regalar (me)	*me van a regalar*	*van a regalarme*
1. vamos a dar (le)	*le vamos a dar*	*vamos a darle*
2. debo encontrar (lo)	*lo debo encontrar*	*debo encontrarlo*
3. estamos registrando (nos)	*nos estamos registrando*	*estamos registrándonos*
4. van a dormir (se)	*se van a dormir*	*van a dormirse*

- When you give an affirmative command, you must attach any pronouns to the end of the verb and add an accent mark if the verb has two or more syllables.

  Permítelo.   *Ganémoslas.*

  In negative commands, place the pronoun between **no** and the verb. No written accent mark is needed.

  No lo hagan.   **No te laves el pelo ahora.**

B. Combine the following affirmative commands and pronouns. Remember to write an accent mark on the stressed syllable. Follow the model.

Modelo lava + te = _____*lávate*_____

1. ponga + se = _____*póngase*_____
2. vean + los = _____*véanlos*_____
3. despierten + se = _____*despiértense*_____
4. ayuden + me = _____*ayúdenme*_____
5. consigamos + la = _____*consigámosla*_____

realidades.com
• Web Code: jed-0501

C. For each question, write an answer using one of the affirmative **tú** commands with the correct direct object pronoun (lo, la, los, las). Use the word bank to help you choose the correct forms. Add accents as needed. Follow the model.

haz	pide	cocina	enciende	trae	pon

Modelo ¿Cocino el pavo? Sí, _____*cocínalo*_____ .

1. ¿Enciendo las velas? Sí, _____*enciéndelas*_____ .
2. ¿Pido unas flores? Sí, _____*pídelas*_____ .
3. ¿Hago el menú? Sí, _____*hazlo*_____ .
4. ¿Pongo la mesa? Sí, _____*ponla*_____ .
5. ¿Traigo una botella de vino? Sí, _____*tráela*_____ .

D. Write the negative command that corresponds to each affirmative command below. Follow the model.

Modelo Córtense las uñas. No __se__ __corten__ el pelo.

1. Vístanse con la ropa suya. No __se__ __vistan__ con la ropa de sus amigos.
2. Pónganse las chaquetas. No __se__ __pongan__ las joyas.
3. Báñense por la tarde. No __se__ __bañen__ por la mañana.
4. Levántense a las ocho. No __se__ __levanten__ tarde.
5. Cepíllense los dientes. No __se__ __cepillen__ los dedos.

realidades.com
• Web Code: jed-0501

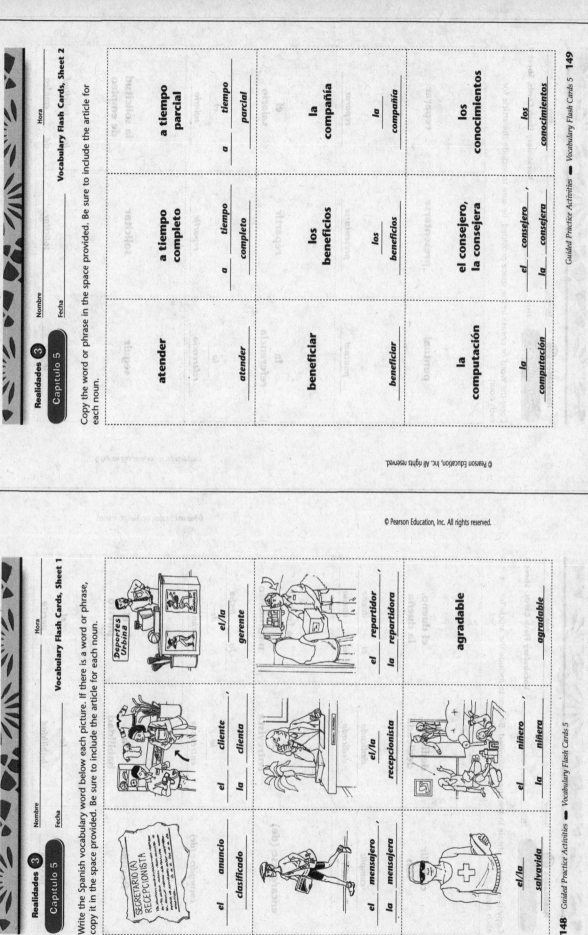

Copy the word or phrase in the space provided. Be sure to include the article for each noun.

atender	a tiempo completo	a tiempo parcial
atender	_a_ _tiempo_ _completo_	_a_ _tiempo_ _parcial_

beneficiar	los beneficios	la compañía
beneficiar	_los_ _beneficios_	_la_ _compañía_

la computación	el consejero, la consejera	los conocimientos
_la_ _computación_	_el_ _consejero_ , _la_ _consejera_	_los_ _conocimientos_

Write the Spanish vocabulary word below each picture. If there is a word or phrase, copy it in the space provided. Be sure to include the article for each noun.

el anuncio clasificado	el cliente, la clienta	el/la gerente
_el_ _anuncio_ _clasificado_	_el_ _cliente_ , _la_ _clienta_	_el/la_ _gerente_

el mensajero, la mensajera	el/la recepcionista	el repartidor, la repartidora
_el_ _mensajero_ , _la_ _mensajera_	_el/la_ _recepcionista_	_el_ _repartidor_ , _la_ _repartidora_

el/la salvavida	el niñero, la niñera	agradable
_el/la_ _salvavida_	_el_ _niñero_ , _la_ _niñera_	_agradable_

Realidades 3

Capítulo 5

Nombre _____

Fecha _____

Hora _____

Vocabulary Flash Cards, Sheet 4

Copy the word or phrase in the space provided. Be sure to include the article for each noun.

puntual	presentarse	reparar
puntual	presentarse	reparar
la referencia	repartir	el salario
la referencia	repartir	el salario
seguir	solicitar	la solicitud de empleo
seguir	solicitar	la solicitud de empleo

Realidades 3

Capítulo 5

Nombre _____

Fecha _____

Hora _____

Vocabulary Flash Cards, Sheet 3

Copy the word or phrase in the space provided. Be sure to include the article for each noun.

cumplir con	dedicado, dedicada	el dueño, la dueña
cumplir con	dedicado, dedicada	el dueño, la dueña
encargarse (de)	la entrevista	la fecha de nacimiento
encargarse (de)	la entrevista	la fecha de nacimiento
flexible	la habilidad	el puesto
flexible	la habilidad	el puesto

Realidades 3

Nombre _____

Hora _____

Capítulo 5

Fecha _____

Vocabulary Check, Sheet 1

Tear out this page. Write the English words on the lines. Fold the paper along the dotted line to see the correct answers so you can check your work.

a tiempo completo	*full time*
a tiempo parcial	*part time*
agradable	*pleasant*
el anuncio clasificado	*classified ad*
atender	*to help, assist*
los beneficios	*benefits*
el cliente, la clienta	*client*
la compañía	*firm/company*
el consejero, la consejera	*counselor*
los conocimientos	*knowledge*
cumplir con	*to carry out, to perform*
dedicado, dedicada	*dedicated*
el dueño, la dueña	*owner*
encargarse (de)	*to be in charge (of)*
la entrevista	*interview*
la fecha de nacimiento	*date of birth*
el/la gerente	*manager*
la habilidad	*skill*

Fold In ↓

Realidades 3

Nombre _____

Hora _____

Capítulo 5

Fecha _____

Vocabulary Flash Cards, Sheet 5

These blank cards can be used to write and practice other Spanish vocabulary for the chapter.

Sheet 2 (left page)

Tear out this page. Write the Spanish words on the lines. Fold the paper along the dotted line to see the correct answers so you can check your work.

full time	a tiempo completo
part time	a tiempo parcial
pleasant	agradable
classified ad	el anuncio clasificado
to help, assist	atender
benefits	los beneficios
client	el cliente, la clienta
firm/company	la compañía
counselor	el consejero, la consejera
knowledge	los conocimientos
to carry out, to perform	cumplir con
dedicated	dedicado, dedicada
owner	el dueño, la dueña
to be in charge (of)	encargarse (de)
interview	la entrevista
date of birth	la fecha de nacimiento
manager	el/la gerente
skill	la habilidad

Fold In ↓

Sheet 3 (right page)

Tear out this page. Write the English words on the lines. Fold the paper along the dotted line to see the correct answers so you can check your work.

el mensajero, la mensajera	messenger
el niñero, la niñera	babysitter
presentarse	to apply for a job
repartir	to deliver
el puesto	position
puntual	punctual
el/la recepcionista	receptionist
reparar	to repair
el repartidor, la repartidora	delivery person
el requisito	requirement
la responsabilidad	responsibility
el salario	salary
el/la salvavida	lifeguard
seguir (+ gerund)	to keep on (doing)
soler (o→ue)	to usually do something
la solicitud de empleo	job application
solicitar	to request

Fold In ↓

El presente perfecto (p. 214)

- In Spanish, the *present perfect* tense is used to talk about what someone *has done* in the past without necessarily telling the time when they did it.

  Yo he trabajado en una tienda de bicicletas. *I have worked at a bicycle store.*

- The present perfect is formed by using the present tense forms of the irregular verb **haber** plus the *past participle* of another verb. Remember that the past participle is formed by adding **-ado** to the stem of an **-ar** verb or **-ido** to the stem of an **-er** or **-ir** verb. Below is the verb **cantar** conjugated in the present perfect.

cantar	
he cantado	hemos cantado
has cantado	habéis cantado
ha cantado	han cantado

Notice that each conjugation has two parts, and that the second part (in this case, **cantado**) is the same in all forms.

- Remember that direct and indirect object pronouns, reflexive pronouns, and negative words are placed before the first part of the conjugation.

  Me he encargado del trabajo. or **No se ha afeitado todavía.**

A. Complete the sentences with the correct form of the verb **haber**. The first one has been done for you.

1. Yo _**he**_ comido.
2. Ellas _**han**_ trabajado.
3. Nosotros _**hemos**_ permitido.
4. José _**ha**_ aprendido.
5. Tú te _**has**_ dormido.
6. Yo me _**he**_ lavado.
7. María no se _**ha**_ presentado.
8. Nosotros no lo _**hemos**_ repartido.

B. Complete each sentence with the correct present perfect form of the verb. Follow the model. Note that the past participle always ends in **-o**.

Modelo Margarita Arroyo _ha_ _repartido_ pizzas. (repartir)

1. El Sr. Flores _**ha**_ _**cuidado**_ a los niños de sus vecinos. (cuidar)
2. Las empleadas _**han**_ _**tenido**_ experiencia con la computación. (tener)
3. Marisol y yo _**hemos**_ _**tomado**_ muchas clases de arte. (tomar)
4. ¿Uds. _**han**_ _**solicitado**_ un trabajo? (solicitar)
5. Yo _**he**_ _**reparado**_ computadoras. (reparar)
6. Y tú, ¿ _**has**_ _**cumplido**_ con tu trabajo? (cumplir)

realidades.com
• Web Code: jed-0503

Tear out this page. Write the Spanish words on the lines. Fold the paper along the dotted line to see the correct answers so you can check your work.

messenger	_el mensajero,_
	la mensajera
babysitter	_el niñero, la niñera_
to apply for a job	_presentarse_
to deliver	_repartir_
position	_el puesto_
punctual	_puntual_
receptionist	_el/la recepcionista_
to repair	_reparar_
delivery person	_el repartidor,_
	la repartidora
requirement	_el requisito_
responsibility	_la responsabilidad_
salary	_el salario_
lifeguard	_el/la salvavida_
to keep on (doing)	_seguir (+ gerund)_
to usually do something	_soler (o→ue)_
job application	_la solicitud de empleo_
to request	_solicitar_

Fold In ↓

realidades.com
• Web Code: jed-0502

Capítulo 5 — *Guided Practice Answers* **43**

Nombre _____ Hora _____

Fecha _____

El presente perfecto (continued)

• Verbs that end in -aer, -eer, and -eir, as well as the verb oir, have a written accent mark on the i in the past participle.

leer: leído   oír: oído
sonreír: sonreído   caer: caído

Verbs that end in -uir do not get a written accent mark in the past participle.

C. Complete the following sentences with the present perfect of the verb. ¡Cuidado! Remember that verbs that end in -uir, do not require an accent mark. Follow the model.

Modelo (Yo) **he** **leído** los anuncios clasificados. (leer)

1. Tú **has** **oído** que esta compañía es buena. (oír)
2. Mateo Ortega se **ha** **caído** de su bicicleta. (caer)
3. La jefa **ha** **incluido** dos cartas de recomendación. (incluir)
4. Los hermanos García **han** **construido** una casa. (construir)

• Remember that several Spanish verbs have irregular past participles.

decir: **dicho**   hacer: **hecho**
poner: **puesto**   ver: **visto**
escribir: **escrito**   morir: **muerto**
abrir: **abierto**   ser: **sido**
resolver: **resuelto** romper: **roto**
volver: **vuelto**

D. Tell what the following job candidates have done by writing the irregular present perfect of the verb given. Follow the model.

Modelo (escribir) Verónica Sánchez **ha** **escrito** una descripción de todos sus trabajos.

1. Héctor Pérez y Miguel Díaz **han** **dicho** que son muy puntuales. (decir)
2. Juanita Sánchez y Lidia Rivera **han** **puesto** mucha información en sus solicitudes de empleo. (poner)
3. Raúl Ramírez y yo **hemos** **roto** un vaso en la oficina. (romper)
4. Marcos Ortiz **ha** **abierto** su carta de recomendación. (abrir)
5. Ud. **ha** **resuelto** un problema importante con su horario. (resolver)

realidades.com
• Web Code: jed-0503

Nombre _____ Hora _____

Fecha _____

El pluscuamperfecto (p. 217)

• In Spanish, the *pluperfect* tense is used to tell about an action in the past that happened *before* another action in the past. It can generally be translated with the words "had done" in English.

Cuando los empleados llegaron a la oficina, su jefe ya había empezado a trabajar.
When the employees arrived at the office, their boss had already started to work.

• You form the pluperfect tense by combining the imperfect forms of the verb **haber** with the past participle of another verb. Here are the pluperfect forms of the verb **repartir**:

había repartido   habíamos repartido
habías repartido   habíais repartido
había repartido   habían repartido

A. What had everyone done prior to their job interviews? Complete the sentences with the correct imperfect form of the verb **haber**. Follow the model.

Modelo El gerente **había** leído las solicitudes de empleo.

1. El dueño **había** hecho una lista de requisitos.
2. Las recepcionistas **habían** copiado las solicitudes de empleo.
3. Elena y yo **habíamos** traído una lista de referencias.
4. (Yo) **Había** practicado unas preguntas con mi mamá.
5. Y tú, ¿te **habías** preparado antes de la entrevista?

B. Why was Mr. Gutiérrez so nervous before beginning his first day at his new job? Complete each sentence with the correct regular past participles. Follow the model.

Modelo Había **mentido** en su solicitud de empleo. (mentir)

1. No había **conocido** a los otros empleados. (conocer)
2. No había **preguntado** si había una cafetería en el edificio. (preguntar)
3. Había **dado** la dirección incorrecta en su solicitud. (dar)
4. No había **dormido** mucho. (dormir)
5. Había **olvidado** sus cartas de recomendación. (olvidar)

realidades.com
• Web Code: jed-0504

Write the Spanish vocabulary word below each picture. If there is a word or phrase, copy it in the space provided. Be sure to include the article for each noun.

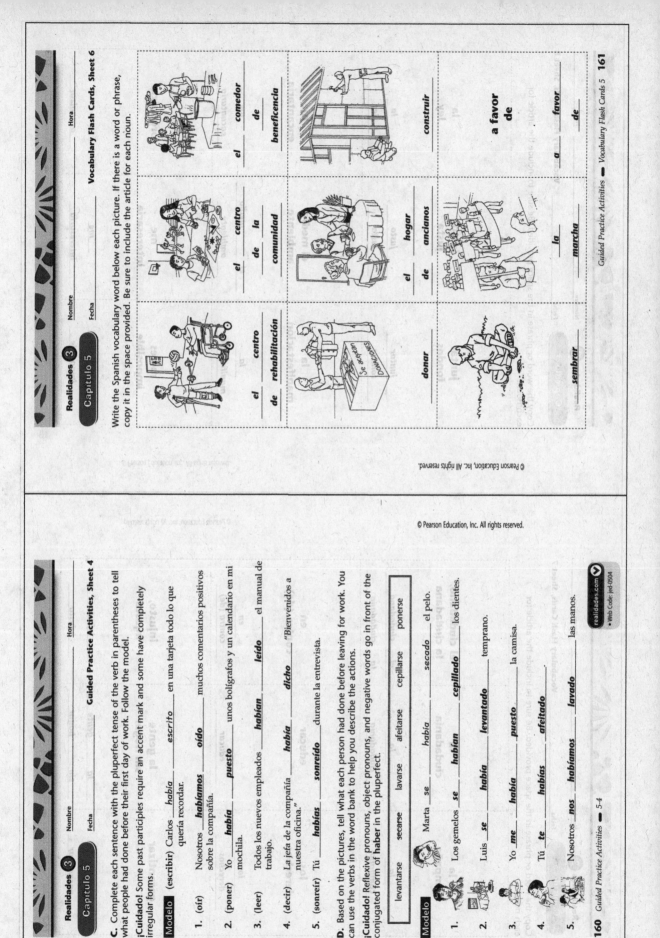

el _comedor_ de _beneficencia_

el _centro_ de _la_ _comunidad_

el _centro_ de _rehabilitación_

construir

el _hogar_ de _ancianos_

donar

a favor de

la _marcha_

sembrar

a _favor_ de

C. Complete each sentence with the pluperfect tense of the verb in parentheses to tell what people had done before their first day of work. Follow the model.

¡Cuidado! Some past participles require an accent mark and some have completely irregular forms.

Modelo (escribir) Carlos _había_ _escrito_ en una tarjeta todo lo que quería recordar.

1. (oír) Nosotros _habíamos_ _oído_ muchos comentarios positivos sobre la compañía.

2. (poner) Yo _había_ _puesto_ unos bolígrafos y un calendario en mi mochila.

3. (leer) Todos los nuevos empleados _habían_ _leído_ el manual de trabajo.

4. (decir) La jefa de la compañía _había_ _dicho_ "Bienvenidos a nuestra oficina."

5. (sonreír) Tú _habías_ _sonreído_ durante la entrevista.

D. Based on the pictures, tell what each person had done before leaving for work. You can use the verbs in the word bank to help you describe the actions.

¡Cuidado! Reflexive pronouns, object pronouns, and negative words go in front of the conjugated form of **haber** in the pluperfect.

levantarse	secarse	lavarse	afeitarse	cepillarse	ponerse

Modelo Marta _se_ había _secado_ el pelo.

1. Los gemelos _se_ _habían_ _cepillado_ los dientes.

2. Luis _se_ había _levantado_ temprano.

3. Yo _me_ había _puesto_ la camisa.

4. Tú _te_ habías _afeitado_.

5. Nosotros _nos_ _habíamos_ _lavado_ las manos.

realidades.com
• Web Code: jed-0504

Copy the word or phrase in the space provided. Be sure to include the article for each noun.

juntar fondos	justo, justa	la ley
juntar	justo ,	la
fondos	justa	ley

la manifestación	el medio ambiente	me encantaría
la	el medio	me
manifestación	ambiente	encantaría

me es imposible	me interesaría	organizar
me es	me	organizar
imposible	interesaría	

Copy the word or phrase in the space provided. Be sure to include the article for each noun.

la campaña	el ciudadano, la ciudadana	
la	el ciudadano ,	
campaña	la ciudadana	

los derechos	en contra (de)	educar
los	en	educar
derechos	contra (de)	

garantizar	la gente sin hogar	injusto, injusta
garantizar	la gente	injusto ,
	sin hogar	injusta

Tear out this page. Write the English words on the lines. Fold the paper along the dotted line so you can check your work.

a favor de	*in favor of*
la campaña	*campaign*
el centro de la comunidad	*community center*
el centro de rehabilitación	*rehabilitation center*
el centro recreativo	*recreation center*
la ciudadanía	*citizenship*
el ciudadano, la ciudadana	*citizen*
el comedor de beneficencia	*soup kitchen*
construir (i→y)	*to build*
los derechos	*rights*
donar	*to donate*
educar	*to educate*
en contra (de)	*against*
garantizar	*to guarantee*
la gente sin hogar	*homeless people*

Fold In ↓

Copy the word or phrase in the space provided. Be sure to include the article for each noun. The blank cards can be used to write and practice other Spanish vocabulary for the chapter.

proteger	responsable	la responsabilidad
_____ proteger _____	_____ responsable _____	la _____ responsabilidad _____
el requisito	el servicio social	la sociedad
el _____ requisito _____	el _____ servicio _____ social _____	la _____ sociedad _____
	soler	
	_____ soler _____	

Realidades 3

Capítulo 5

Nombre _____ Hora _____

Fecha _____

Vocabulary Check, Sheet 6

Tear out this page. Write the Spanish words on the lines. Fold the paper along the dotted line to see the correct answers so you can check your work.

in favor of	*a favor de*
campaign	*la campaña*
community center	*el centro de la comunidad*
rehabilitation center	*el centro de rehabilitación*
recreation center	*el centro recreativo*
citizenship	*la ciudadanía*
citizen	*el ciudadano, la ciudadana*
soup kitchen	*el comedor de beneficencia*
to build	*construir (i→y)*
rights	*los derechos*
to donate	*donar*
to educate	*educar*
against	*en contra (de)*
to guarantee	*garantizar*
homeless people	*la gente sin hogar*

Fold In ↓

Realidades 3

Capítulo 5

Nombre _____ Hora _____

Fecha _____

Vocabulary Check, Sheet 7

Tear out this page. Write the English words on the lines. Fold the paper along the dotted line to see the correct answers so you can check your work.

el hogar de ancianos	*home for the elderly*
injusto, injusta	*unfair*
juntar fondos	*to fundraise*
justo, justa	*fair*
la ley	*law*
la manifestación	*demonstration*
la marcha	*march*
el medio ambiente	*environment*
me es imposible	*It is impossible for me...*
me encantaría	*I would love to...*
me interesaría	*I would be interested...*
organizar	*to organize*
proteger	*to protect*
sembrar (e→ie)	*to plant*
el servicio social	*social service*
la sociedad	*society*

Fold In ↓

El presente perfecto del subjuntivo (p. 227)

- The present perfect subjunctive is used to talk about actions or situations that may have occurred before the action of the main verb. The present perfect subjunctive often follows expressions of emotion like those you used for the present subjunctive. To review present subjunctive with emotions, see pages 168–170 of your textbook.

   Es bueno que tú *hayas ayudado* en el comedor de beneficencia.
   It is good that you have helped out at the soup kitchen.

- You form the present perfect subjunctive by combining the present subjunctive of the verb **haber** with the past participle of another verb. The verb **educar** has been conjugated as an example below.

haya educado	hayamos educado
hayas educado	hayáis educado
haya educado	hayan educado

A. Read each sentence and underline the expression of emotion that indicates the subjunctive should be used. Then, circle the correct form of **haber** that is used in the present perfect subjunctive. Follow the model.

Modelo <u>Me alegro</u> de que muchos (han / **hayan**) participado en la manifestación.

1. <u>Es bueno</u> que estos programas (han / **hayan**) ayudado a tantas personas.
2. <u>Me sorprende</u> que los estudiantes (hayas / **hayan**) trabajado en el hogar de ancianos.
3. <u>Siento</u> que tú no (haya / **hayas**) recibido ayuda.
4. <u>Es interesante</u> que el presidente (hayan / **haya**) protegido los derechos de los niños.
5. <u>A mí me gusta</u> que nosotros (**hayamos** / hayan) sembrado árboles hoy.

B. Complete each sentence about what volunteers have done, using the present perfect of the subjunctive of the verb. Follow the model.

Modelo Es maravilloso que muchos **hayan** **trabajado** en el comedor de beneficencia. (trabajar)

1. Estamos orgullosos de que los jóvenes **hayan** **participado** en la marcha. (participar)
2. Es una lástima que ese político no **haya** **apoyado** el movimiento por los derechos de los ancianos. (apoyar)
3. Ojalá que nosotros **hayamos** **cumplido** con nuestras responsabilidades. (cumplir)
4. Estamos contentos de que esta organización **haya** **decidido** construir un centro recreativo nuevo. (decidir)

realidades.com
● Web Code: jed-0507

Tear out this page. Write the Spanish words on the lines. Fold the paper along the dotted line to see the correct answers so you can check your work.

home for the elderly	**el hogar de ancianos**
unfair	**injusto, injusta**
to fundraise	**juntar fondos**
fair	**justo, justa**
law	**la ley**
demonstration	**la manifestación**
march	**la marcha**
environment	**el medio ambiente**
It is impossible for me...	**me es imposible**
I would love to...	**me encantaría**
I would be interested...	**me interesaría**
to organize	**organizar**
to protect	**proteger**
to plant	**sembrar (e→ie)**
social service	**el servicio social**
society	**la sociedad**

Fold In ↓

realidades.com
● Web Code: jed-0506

Left page — Sheet 6

C. Complete each sentence with the present perfect subjunctive. Follow the model.

¡Recuerda! Some past participles require an accent mark and some have completely irregular forms. Look back at page 61 of your workbook for a reminder of these verbs.

¡Cuidado! The past participles used are irregular.

Modelo (abrir) Me alegro de que Uds. les **hayan** **abierto** las puertas a esas personas.

1. (escribir) Es excelente que tú **hayas** **escrito** una composición sobre los derechos humanos.

2. (hacer) Nos gusta que los enemigos **hayan** **hecho** las paces.

3. (ver) Espero que José **haya** **visto** el nuevo centro de la comunidad.

4. (resolver) Me preocupa que el gobierno no **haya** **resuelto** los problemas de la contaminación del medio ambiente.

5. (decir) Es triste que el presidente **haya** **dicho** que hay tanta gente sin hogar en nuestro país.

D. Create complete sentences by conjugating the verbs in the present perfect subjunctive. Follow the model.

Modelo Es una lástima / que / los estudiantes / no (donar) / mucha comida / a la gente pobre
Es una lástima que los estudiantes no hayan donado mucha comida a la gente pobre.

1. Es mejor / que / mi amigo / (aprender) / más / sobre la campaña
Es mejor que mi amigo haya aprendido más sobre la campaña.

2. Es terrible / que / la comunidad / (eliminar) / los servicios sociales
Es terrible que la comunidad haya eliminado los servicios sociales.

3. Nos sorprende / que / nadie / (escribir) / cartas / para apoyar / a los inmigrantes
Nos sorprende que nadie haya escrito cartas para apoyar a los inmigrantes.

4. Esperamos / que / los estudiantes / (hacer) / proyectos / para beneficiar / a la comunidad
Esperamos que los estudiantes hayan hecho proyectos para beneficiar a la comunidad.

5. El director de escuela / se alegra de / que / nosotros / (ir) / al centro recreativo
El director de escuela se alegra de que nosotros hayamos ido al centro recreativo.

realidades.com • Web Code: jed-0507

Right page — Sheet 7

Los adjetivos y los pronombres posesivos (p. 229)

• In Spanish, demonstrative adjectives are used to indicate things that are near or far from the speaker. Demonstrative adjectives are placed in front of a noun and agree with the noun in gender and number.

Este árbol es muy alto.   *This tree is very tall.*

Below is a list of the forms of demonstrative adjectives used to say *this/these (near you)*, *that/those (near the person you're speaking with)*, and *that/those (far away)*.

this: **este, esta**   these: **estos, estas**
that (near): **ese, esa**   those (near): **esos, esas**
that (far): **aquel, aquella** those (far): **aquellos, aquellas**

A. Your friend is telling you about several of the students below and their accomplishments. Decide which pair of students she is talking about.

1. **A** Estos estudiantes han construido un centro de donaciones en su escuela.
2. **C** Aquellos jóvenes han hecho mucho trabajo para el centro recreativo.
3. **B** Sé que esos muchachos juntan fondos para el medio ambiente todos los años.
4. **C** Aquellos chicos suelen participar en muchas marchas.
5. **A** ¿Han cumplido estos jóvenes con sus responsabilidades como voluntarios?

B. Circle the demonstrative adjective needed to complete each sentence.

Modelo (**Esos**/ Esas) donaciones son para el centro de la comunidad.

1. ¿Adónde vas con (estos /**estas**) cajas de ropa?
2. (**Aquellas**/ Aquellos) chicas tienen que solicitar más donaciones.
3. Queremos felicitar a (ese /**esos**) voluntarios.
4. Necesitan proteger (**esta**/ estas) leyes.

realidades.com • Web Code: jed-0508

- Demonstrative pronouns take the place of nouns. The pronouns must agree in gender and number with the nouns they replace.
  No quiero este documento. Quiero ése.
- Demonstrative pronouns all have written accent marks. Look at the list below:

  this; these: **éste, ésta; éstos, éstas**
  that; those (near the person you're speaking with): **ése, ésa; ésos, ésas**
  that; those (far away): **aquél, aquélla; aquéllos, aquéllas**

C. Underline the correct demonstrative pronoun based on the questions asked. Follow the model.

Modelo A: ¿Qué libro prefieres?   B: Prefiero (_ése_ / ésos) porque es para niños.

1. A: ¿Quieres una de las camisas?   B: Sí, quiero (éste / _ésta_).
2. A: ¿Con qué grupo voy a trabajar?   B: Vas a trabajar con (_aquél_ / aquella).
3. A: ¿Qué casas vamos a reparar?   B: Vamos a reparar (_aquéllas_ / aquél).
4. A: ¿Cuál es el documento que vamos a entregar?   B: Es (_ése_ / ésa).

D. Identify the noun in the first part of the sentence that is being omitted in the second part. Circle the noun. Then, write the correct form of the demonstrative pronoun.

Modelo Me gusta esta (camisa) pero no me gusta _____ **ésa** _____ *(that one)*.

1. No voy a comer esas (fresas) pero sí voy a comer _____ **éstas** _____ *(these)*.
2. No pensamos comprar estos (libros) pero nos interesan mucho _____ **aquéllos** _____ *(those over there)*.
3. Ellas no quieren marchar por estas (calles) sino por _____ **ésas** _____ *(those)*.
4. Mis amigos van a llenar esos (documentos) y yo voy a llenar _____ **éste** _____ *(this one)*.

- There are also three "neutral" demonstrative pronouns that do not have a gender or number. They refer to an idea or to something that has not yet been mentioned.

  ¿Qué es eso?   *What is that?*
  Esto es un desastre.   *This is a disaster.*
  ¿Aquello es un centro recreativo?   *Is that (thing over there) a rec center?*

  These do not have accent marks and never appear immediately before a noun.

E. Choose whether the demonstrative adjective or the demonstrative pronoun would be used in each of the following situations. Circle your choice.

1. ¿Qué es (este / **esto**)?   3. Traigamos (**aquel** / aquello) libro al centro recreativo.
2. Discutamos (ese / **eso**) más.   4. ¿Quién ha donado (**esa** / eso) computadora?

realidades.com • Web Code: jed-0508

Puente a la cultura (pp. 232–233)

A. There are photos of various people mentioned in the reading in your textbook. Match the names of the people with the area of society with which they are paired.

1. _B_ Ken Salazar   A. los negocios
2. _B_ Sonia Sotomayor   B. la política
3. _A_ Linda Alvarado   C. las ciencias
4. _C_ Mario Molina
5. _B_ Hilda Solís

B. Read the section titled **La población** on page 232 of your textbook. Say whether the following statements are true (**cierto**) or false (**falso**).

1. Más de 50 por ciento de la población de los Estados Unidos es hispano.   cierto (**falso**)
2. Hay casi 28 millones de hispanohablantes en los Estados Unidos.   (**cierto**) falso
3. Un diez por ciento de los ciudadanos de los Estados Unidos habla español.   cierto (**falso**)
4. Hay más hispanohablantes en los Estados Unidos que personas que hablan inglés.   cierto (**falso**)
5. El español influye en muchos campos de los Estados Unidos.   (**cierto**) falso

C. Match the three Hispanic women discussed in the sections titled **La política, Los negocios,** and **Las ciencias** with the reason for which they are considered successful.

_C_ Sonia Sotomayor   A. primera mujer hispana que trabajó para el Senado de California y para el gobierno de Obama

_A_ Hilda Solís   B. presidenta de su propia compañía y cinco compañías más

_B_ Linda G. Alvarado   C. primera jueza hispana de la Corte Suprema

realidades.com • Web Code: jed-0510

Lectura (pp. 238–241)

A. Look at the title of the reading and the four drawings on pages 238 to 240 in order to make predictions about what you will read. Then, place a checkmark next to the type of reading you think this will be. *Answers may vary, but most students should choose the second option. If they choose the first, ask them to explain their reasoning.*

_____ una biografía realista

_____ una leyenda imaginativa

B. Several key words to understanding the story appear on the first page. Read the excerpts below to help you determine which of the meanings is correct for each highlighted phrase.

═══════════════════════════════

Lo que le molestaba a la viejita es que a aquel que vela el fruto **le daban ganas de** *comérselo y sin pedirle permiso se subía a la mata y se anolaba las huayas (ate the guavas).*

═══════════════════════════════

1. "le daban ganas de"   (a.) querían   b. sabían

2. "mata"   (a.) árbol   b. muerte

═══════════════════════════════

... un viejito pedía **limosna**, *pedía aunque sea le dieran algo para comer en vez de monedas, pero nadie lo* **tomaba en cuenta**.

═══════════════════════════════

3. "limosna"   (a.) dinero donado   b. bebida de frutas

4. "tomaba en cuenta"   (a.) prestaba atención   b. conocía

C. In this chapter, you learned about demonstrative pronouns. Look at the following sentence from the reading and circle the demonstrative pronoun. Then, underline the word in the sentence that the demonstrative pronoun replaces.

═══════════════════════════════

En la puerta de su casa había sembrado una mata de huaya, y (ésto) *le daba frutos todo el año.*

D. As you read the story, use the drawings to help you understand what is happening. Circle the letter of the sentence which best describes each drawing.

Dibujo #1 (p. 238)

a. La viejita tiene muchos hijos que la hacen muy feliz.

(b.) La viejita se preocupa porque unas personas se suben a su árbol para comer las frutas sin permiso.

Dibujo #2 (p. 239)

a. La Muerte quiere matar al árbol de la viejita porque es un árbol viejo.

(b.) La Muerte viene a matar a la viejita, pero no puede bajarse del árbol.

Dibujo #3 (p. 240)

(a.) La Muerte no mata a la Pobreza porque ella le permite bajarse del árbol.

b. La Muerte mata a la Pobreza, eliminándola del mundo.

E. This story has four main characters, which are listed in the word bank below. Complete the following lines from the reading in your textbook with one of the character's names.

┌───┐
│ la viejita (la Pobreza)   el viejito   la Muerte   el doctor │
└───┘

1. —¡Que se cumpla lo que pides! —contestó __*el viejito*__ y se fue satisfecho.

2. Así pasaron muchos años y __*la Muerte*__ no llegaba a nadie...

3. Un día, uno de los doctores fue a casa de __*la viejita*__ y lo primero que vio fue la mata llena de frutos.

4. —Entonces, a eso se debe que no mueran las personas —dijo __*el doctor*__

5. Entonces la gente acordó cortar el árbol para que bajaran __*el doctor*__ y __*la Muerte*__

6. Se fue el señor de __*la Muerte*__ y __*la Pobreza*__ se quedó en la tierra.

Nombre _____ Hora _____

Capítulo 5

Fecha _____

AUDIO

Actividad 3

Los miembros del Club de Voluntarios están buscando oportunidades para trabajar en su comunidad. Durante una reunión reciente, ellos escucharon por la radio una lista de cuatro trabajos voluntarios. Escucha la lista y mira el dibujo para observar las habilidades de cada persona. Escoge la persona perfecta para cada trabajo y escribe el número del trabajo al lado de esta persona. Vas a oír cada trabajo de la lista dos veces.

Nombre _____ Hora _____

Capítulo 5

Fecha _____

AUDIO

Actividad 1

Escucha los comentarios de seis personas que describen su empleo. Decide cuál es el trabajo de cada persona y escribe el número del comentario al lado del trabajo en la tabla. Solamente vas a escribir *cinco* de los seis números. Vas a oír cada comentario dos veces.

Trabajo	Número de comentario
el (la) cliente(a)	5
el (la) mensajero(a)	1
el (la) recepcionista	2
el (la) dueño(a)	6
el (la) salvavida	3

Actividad 2

Javier acaba de conseguir un trabajo nuevo y está un poco nervioso. Quiere cumplir con todas sus responsabilidades rápida y eficazmente. Escucha mientras Javier contesta las preguntas de su supervisora sobre lo que ha hecho esta mañana. Mientras escuchas, escribe los números del uno al cinco al lado de los dibujos para indicar el orden de las actividades. Vas a oír la conversación dos veces.

Actividad 5

Empiezan las elecciones presidenciales para el centro de estudiantes del Colegio Central. Vas a escuchar a tres candidatos hablar sobre sus experiencias, sus cualidades personales y sus habilidades y conocimientos. Escucha los comentarios de los candidatos y, en la siguiente tabla, marca con una X las cosas que menciona cada uno. Vas a oír los comentarios dos veces.

Candidato(a)	Experiencias	Cualidades personales	Habilidades y conocimientos
Marcos Mérida	___ repartidor ___ niñero X mensajero	___ dedicado X puntual ___ responsable	X computación ___ juntar fondos ___ construir casas
Julia Jiménez	___ recepcionista X niñera ___ gerente	___ justa ___ dedicada X comprensiva	___ solicitar donaciones ___ sembrar nuevas ideas X educar a los niños sin hogar
Susana Suárez	X salvavida ___ voluntaria ___ consejera	___ flexible X responsable ___ amable	X organizar marchas ___ hacer una entrevista ___ encargarse de una campaña electoral

---

Actividad 4

Raúl y Juana trabajan en el centro de la comunidad. El centro acaba de recibir muchas donaciones de cosas usadas y ellos están organizando todo. Mira las mesas con las cosas donadas y escucha sus comentarios. Pon un círculo en cada cosa que ellos mencionan, prestando atención al uso de los adjetivos y pronombres demostrativos. Vas a oír cada comentario dos veces.

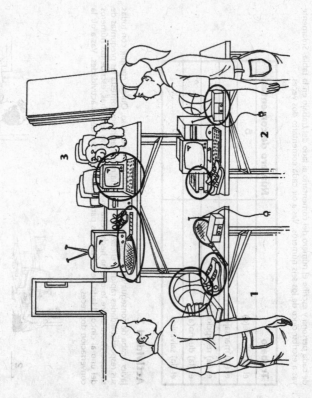

Actividad 6

A. ¿Tienes las cualidades necesarias para ser un(a) buen(a) empleado(a)? Lee las pistas para completar las palabras.

1. Una persona con quien la gente se lleva bien es
A G R A D A B L E .
7   9

2. Alguien que siempre llega a tiempo es P U N T U A L .
5   4

3. Una persona que se adapta fácilmente es F L E X I B L E .

4. Alguien que trabaja mucho y se interesa por su trabajo es
D E D I C A D O .
10

5. Una persona que trata bien a los demás es A M A B L E .
2   1

6. Alguien que trabaja seriamente y con dedicación es
R E S P O N S A B L E .
6   3   8

B. Ahora, ordena las letras numeradas para hallar la frase secreta.

Frase secreta
A M A T U T R A B A J O
1   2   3   4   5   4   6   7   8   9   10

C. Finalmente, escribe un párrafo corto, explicando cuáles son las tres cualidades más importantes de un buen empleado y por qué.

Answers will vary.

Actividad 7

Imagina que trabajas en una agencia de empleo. Mira las ilustraciones y escribe dos frases para decir qué han hecho anteriormente *(previously)* cada una de las siguientes personas.
Answers will vary.

Modelo   Mario   *Mario ha sido salvavida.*
Él cuidaba a la gente en la piscina.

1. Jorge y Ana _____

2. Trini _____

3. tú _____

4. ustedes _____

5. yo _____

6. todos _____

Nombre _____ Hora _____

Fecha _____

WRITING

Actividad 9

Quieres obtener el trabajo de tus sueños. Lo has visto anunciado en el periódico. Ahora tienes que escribir una carta para describir tus cualidades y habilidades. Lee y responde las siguientes preguntas. Luego, usa tus respuestas para escribir la carta. **Answers will vary.**

¿Cómo eres personalmente? _____

¿Qué trabajos has tenido? _____

¿Cuál es el trabajo de tus sueños? _____

¿Qué cualidades necesarias tienes para este trabajo? _____

Estimados señores:

Answers will vary.

○ _____

○ _____

○ _____

Cordialmente,

_____

Nombre _____ Hora _____

Fecha _____

WRITING

Actividad 8

El director de la agencia de empleo te pregunta lo que habían hecho cuatro de tus amigos antes de venir a la agencia. Haz una lista de cuatro amigos. Debajo de cada nombre, escribe algunas cosas que les gusta hacer o algún trabajo que hayan tenido. Luego escribe dos o tres frases para describir lo que hacían. **Answers will vary.**

Modelo _Lola._
        Fue salvavida.
        Lola había trabajado como salvavida durante dos años. Ella se había
        encargado de cuidar a los niños mientras nadaban en la piscina.

1. Nombre: _____

   _____

   _____

2. Nombre: _____

   _____

   _____

3. Nombre: _____

   _____

   _____

4. Nombre: _____

   _____

   _____

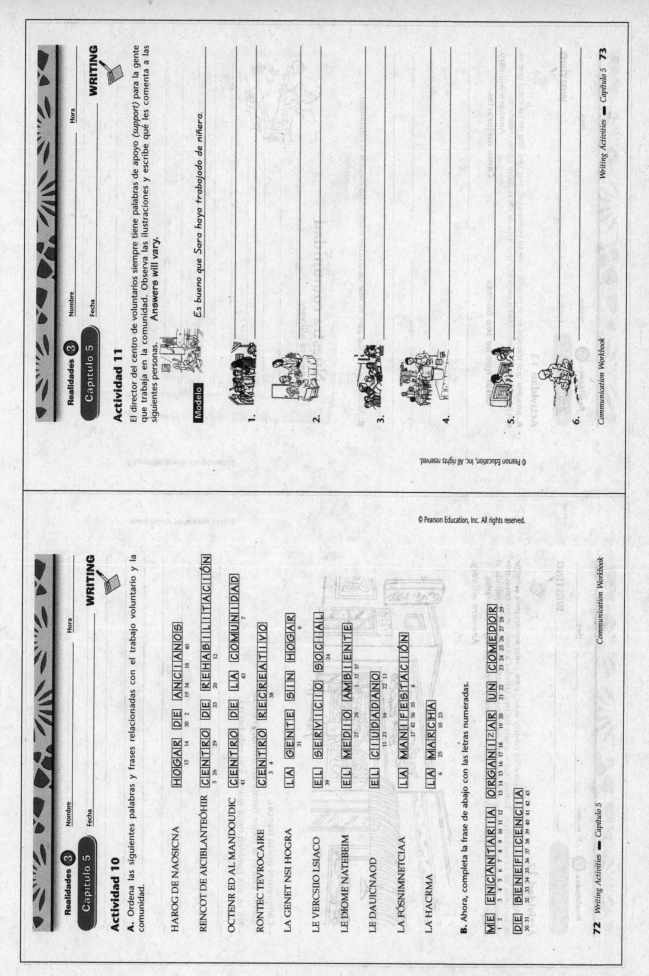

Actividad 11 (page 73)

Actividad 11

El director del centro de voluntarios siempre tiene palabras de apoyo (support) para la gente que trabaja en la comunidad. Observa las ilustraciones y escribe qué les comenta a las siguientes personas. **Answers will vary.**

Modelo *Es bueno que Sara haya trabajado de niñera.*

1.

2.

3.

4.

5.

6.

Actividad 10 (page 72)

Actividad 10

A. Ordena las siguientes palabras y frases relacionadas con el trabajo voluntario y la comunidad.

HAROG DE NAOSICNA → HOGAR DE ANCIANOS
15 14 30 2 19 34 18 40

RENCOT DE AICBLANTEÓHIR → CENTRO DE REHABILITACIÓN
5 26 29 33 20 12 43

OCTENR ED AL MANDOUDIC → CENTRO DE LA COMUNIDAD
41 7

RONTEC TEVROCAIRE → CENTRO RECREATIVO
3 4 38

LA GENET NSI HOGRA → LA GENTE SIN HOGAR
31 9

LE VERCSIIO LSIACO → EL SERVICIO SOCIAL
39 24

LE DIOME NATBEIM → EL MEDIO AMBIENTE
27 28 1 32 37

LE DAUICNAOD → EL CIUDADANO
11 21 16 22 13

LA FÓSNIMNETCIAA → LA MANIFESTACIÓN
17 42 36 35 8

LA HACRMA → LA MARCHA
6 25 10 23

B. Ahora, completa la frase de abajo con las letras numeradas.

ME ENCANTARIA ORGANIZAR UN COMEDOR
1 2 3 4 5 6 7 8 9 10 11 12 13 14 15 16 17 18 19 20 21 22 23 24 25 26 27 28 29

DE BENEFICIENCIA
30 31 32 33 34 35 36 37 38 39 40 41 42 43

Actividad 13

A. Imagina que trabajas en el periódico de tu comunidad. Haz una lista de las cosas que no son buenas en tu comunidad. Luego haz una lista de ideas sobre cómo mejorarlas.

Answers will vary.

Cosas que no son buenas	Cómo mejorarlas

B. Ahora, usa las listas para escribir un artículo sobre cómo mejorar la comunidad.

Nuestra comunidad

Answers will vary.

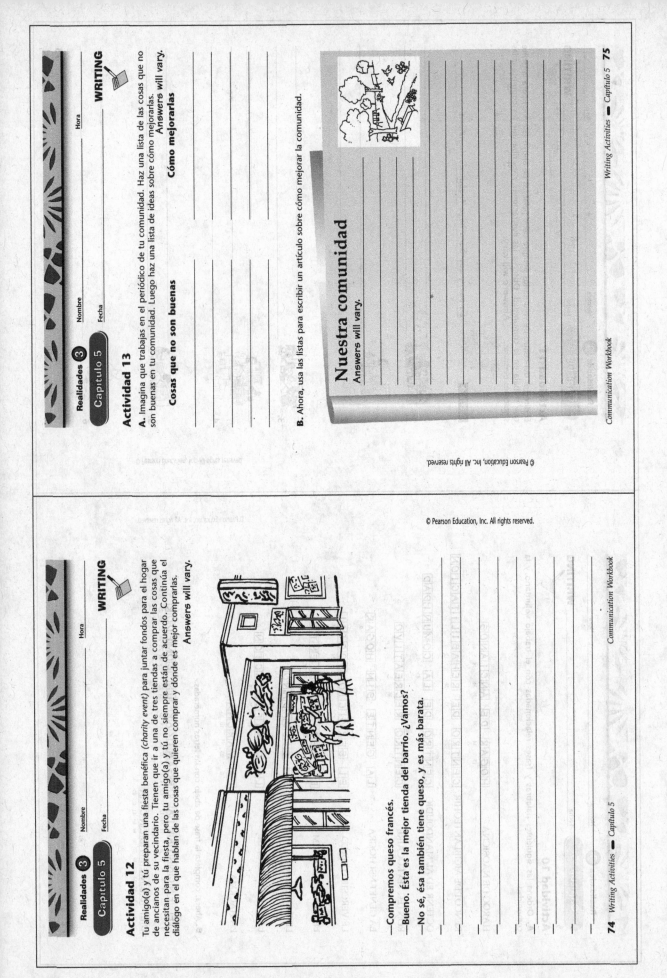

Actividad 12

Tu amigo(a) y tú preparan una fiesta benéfica (charity event) para juntar fondos para el hogar de ancianos de su vecindario. Tienen que ir a una de tres tiendas a comprar las cosas que necesitan para la fiesta, pero tu amigo(a) y tú no siempre están de acuerdo. Continúa el diálogo en el que hablan de las cosas que quieren comprar y dónde es mejor comprarlas.

Answers will vary.

—Compremos queso francés.

—Bueno. Ésta es la mejor tienda del barrio. ¿Vamos?

—No sé, ésa también tiene queso, y es más barata.

Antes de ver el video

Actividad 14

Menciona cinco actividades que puedes hacer como voluntario en tu comunidad.

Answers will vary.

1. _____
2. _____
3. _____
4. _____
5. _____

¿Comprendes?

Actividad 15

Rubén Mejía, el joven dominicano que conociste en el video, trabaja durante el verano para mejorar su comunidad. Identifica tres lugares donde participa como voluntario y menciona qué hace él para contribuir en cada lugar.

Actividad 1: Villa Tech: ayudan a los residentes con sus problemas con la computadora.

Actividad 2: Escuelita Boricua: trabajar con los niños.

Actividad 3: Equipo de béisbol: jugar

Communication Workbook

Actividad 16

Contesta las siguientes preguntas, según la información del video.

1. ¿En qué país queda la comunidad de Villa Victoria?
Estados Unidos

2. ¿Cuál es el propósito de Villa Tech?
Es un centro de computación.

3. ¿Por qué le encanta a Rubén leer cuentos a los niños de Escuelita Boricén?
Le fascinan los niños.

4. ¿Qué quiere estudiar Rubén en la universidad?
leyes

5. ¿Cómo piensas tú que la dedicación de Rubén al servicio social lo está preparando para su futuro?
Answers will vary.

Y, ¿qué más?

Actividad 17 Answers will vary.

1. ¿Alguna vez trabajaste como voluntario?

2. ¿Qué actividad como voluntario te gustaría hacer en tu comunidad?

3. Menciona alguna de las cosas que haces para ayudar en tu comunidad.

4. Escribe un breve párrafo diciendo las cosas que necesitan mejorarse en tu comunidad.

Communication Workbook   Video Activities — Capítulo 5   77

Test Preparation Answers

Reading Skills

p. 189   2. **C**

p. 190   2. **B**

Integrated Performance Assessment

p. 191

Answers will vary.

Practice Test: Organizaciones de voluntarios

p. 193

1. D

2. H

3. B

4. F

5. C

6. Las respuestas variarán pero pueden incluir: porque tuvo que adaptarse a una nueva cultura y también a un nuevo idioma; porque tuvo que establecer nuevos programas; porque trabajó en diferentes lugares haciendo diferentes tipos de trabajos.

7. Las respuestas variarán, pero asegúrese de que los estudiantes den razones que apoyen su respuesta.

Table of Contents

Capítulo 6: ¿Qué nos traerá el futuro?

Chapter Project

La evolución de los inventos

Overview:

You will create a Web page featuring items that have evolved throughout time and will continue to change in the future. You should show when each item was invented, what it looked like then, what it looks like now, and what it is going to look like in the future. Insert a brief description of each change in the history of each product. You will present your Web page to the class, describing all the information featured on the page.

Resources:

digital or print photos, image editing and page layout software, and/or poster board, magazines, colored pencils, markers, glue, scissors, bilingual dictionary

Sequence:

STEP 1. Review the instructions with your teacher.

STEP 2. Submit a rough draft of your Web page. Incorporate your teacher's suggestions into your draft. Work with a partner and present your drafts to each other.

STEP 3. Create layouts. Try different arrangements before writing descriptions. Use a bilingual dictionary for any words you would like to use, but do not yet know.

STEP 4. Submit a draft of your descriptions.

STEP 5. Complete and present your Web page to the class. Describe all the information featured on the page.

Assessment:

Your teacher will provide you with a rubric to assess this project.

Chapter 6 Project: La evolución de los inventos

Project Assessment Rubric

RUBRIC	Score 1	Score 3	Score 5
Your evidence of planning	You provide no written draft or page layout.	Your draft was written and layout created, but not corrected.	You show evidence of corrected draft and layout.
Your use of illustrations	You include photos or visuals.	Your photos or visuals were included, but the layout was unorganized.	Your Web page was easy to read, complete, and accurate.
Your presentation	You include little of the information required.	You include most of the required information.	You include all of the required information.

21st Century Skills Rubric: Creativity and Innovation

RUBRIC	Score 1	Score 3	Score 5
Curiosity, inquisitiveness, and openness	Uninterested in looking for ways to present ideas.	Interested in looking for new ways but does not explore any new solutions.	Motivated to find new ideas and explores new solutions.
Flexibility and adaptability	Lacks flexibility, stubbornly maintains positions and points of view.	Somewhat inflexible, but can be guided to reconsider new positions and points of view.	Flexible, can independently monitor and adjust positions and points of view in response to change.
Risk-taking	Unwilling to take a risk that might result in mistakes or failure.	Hesitant to take a risk; considers carefully the odds of failure before taking on challenge.	Willing to take risks and tackle challenges without obvious solutions; sees mistakes as learning opportunity.

School-to-Home Connection

Dear Parent or Guardian,

This chapter is called *¿Qué nos traerá el futuro?* (What Will the Future Bring?).

Upon completion of this chapter, your child will be able to:

- talk about various professions
- discuss plans for the future
- talk about developments in technology
- discuss the impact of technology in our lives

Also, your child will explore:

- the future and future perfect tenses
- expressions of probability and certainty that use the future tense
- referring to things and people with direct and indirect object pronouns

Realidades helps with the development of reading, writing, and speaking skills through the use of strategies, process speaking, and process writing. In this chapter, students will:

- read about current and future architecture
- give an oral description of their school ten years from now
- write an essay comparing the present day to the 19th century

To reinforce and enhance learning, students can access a wide range of online resources on **realidades.com,** the personalized learning management system that accompanies the print and online Student Edition. Resources include the eText, textbook and workbook activities, audio files, videos, animations, songs, self-study tools, interactive maps, voice recording (RealTalk!), assessments, and other digital resources. Many learning tools can be accessed through the student Home Page on **realidades.com.** Other activities, specifically those that require grading, are assigned by the teacher and linked on the student Home Page within the calendar or the Assignments tab.

You will find specifications and guidelines for accessing **realidades.com** on home computers and mobile devices on MyPearsonTraining.com under the SuccessNet Plus tab.

For: Tips to Parents
Visit: www.realidades.com
Web Code: jce-0010

Check it Out! Ask your child to name and describe the functions of a few modern conveniences around the household. Then ask him or her to write brief descriptions of how these things will be different fifty years from now. Have him or her explain these comments in English.

Sincerely,

Episodio 8: ¿En qué puedo servirle?

SILVIA: Vamos Marcela, ayúdame a buscar algo bonito para mi madre.

MARCELA: ¿Cuánto dinero quieres gastar?

SILVIA: Pues no sé, unos diez mil colones. Más o menos.

MARCELA: Uy, aquí puedes encontrar de todo. Vamos.

SILVIA: Vamos.

MARCELA: Mira, Silvia, estos aretes están muy bonitos. ¿Te gustan?

SILVIA: No tanto.

MARCELA: Mira, Silvia. ¡Mira qué arco! Mi hermano siempre quiso tener un arco.

SILVIA: Seguro que te dan problemas en el avión.

MARCELA: Ay, es verdad. Mira, fíjate qué padre.

SILVIA: Qué bonita, ¿no?

MARCELA: Es madera de cocobolo.

SILVIA: Qué interesante.

MARCELA: Es una madera de diferentes colores. Es preciosa.

SILVIA: Señora, ¿nos ayuda?

VENDEDORA: Dígame señorita, ¿en qué puedo servirle?

SILVIA: ¿Qué precio tiene esta pieza?

VENDEDORA: Veinte mil colones.

SILVIA: No me gusta regatear, pero veinte mil colones por una pieza de madera me parece muchísimo dinero. Veinte mil colones son casi cuarenta dólares.

VENDEDORA: Ay, señorita, no es mucho dinero. Está hecha a mano.

MARCELA: Diez mil colones.

VENDEDORA: ¿Diez mil colones? Ay, señorita, se tarda un día entero en tallar una pieza de éstas. Mire, déme quince mil y todo arreglado.

MARCELA: ¿Usted sabe cuánto son quince mil colones? Quince mil colones son más de trescientos pesos mexicanos. ¡Una fortuna! La semana pasada los vi en el centro comercial por menos dinero.

VENDEDORA: Mire señorita, diez mil colones y todo está bien.

MARCELA: De acuerdo. Antes estas piezas eran mucho más baratas, pero ahora con el turismo, los precios están imposibles.

SILVIA: Toma, esto es para ti.

MARCELA: ¿Pero no querías regalarle algo a tu mamá?

SILVIA: Sí, pero esto es para ti.

MARCELA: Gracias.

SILVIA: Muchas gracias.

VENDEDORA: ¿No quieren nada más? Aquí tenemos cosas que no hay en el Centro Comercial. Mire estas camisetas, no las hay en ningún almacén.

MARCELA: No, gracias.

SILVIA: No, gracias.

VENDEDORA: Son de muy buena calidad. Y están de moda.

SILVIA: No, muchas gracias.

MARCELA: Gracias.

SILVIA: Adiós.

MARCELA: Bye.

SILVIA: Mira qué sandalias. ¿Son de cuero?

MARCELA: Claro que son de cuero. Aquí todo es auténtico.

SILVIA: ¿De qué número son?

MARCELA: Son del treinta y siete. Son estrechas para mí. ¿Por qué no te las pruebas tú?

SILVIA: No. Son bonitas, pero, no son para mí.

MARCELA: Mira, Silvia, qué blusa. Seguro que te queda bien.

SILVIA: Qué suave, ¿no?

MARCELA: Sí, es de algodón. Y, esto de rayas, ¿qué es?

SILVIA: Es una falda. Es bonita. Además hace juego con tu bolso.

MARCELA: Sí, pero yo ya tengo una parecida. Bueno, Silvia, yo quería comprarte algo.

SILVIA: ¿A mí? No, gracias. Anda, guarda tu dinero.

MARCELA: Y, ésta, ¿no te gusta? ¡Es lindísima!

SILVIA: Sí, pero no es mi estilo.

MARCELA: ¿Qué talla usas?

SILVIA: La talla cuatro. Marcela, esta ropa no está de moda.

MARCELA: ¡Claro que sí! Además, ésta es la talla cuatro. Mira, tú te la llevas. Y, si no te gusta, la puedes devolver.

SILVIA: Marcela, ¡no me la voy a comprar!

MARCELA: ¡Que sí! Señorita…

MARCELA: ¿Ves? Te queda muy bien.

SILVIA: Sí, fenomenal. Muchas gracias.

Input Script

Presentation: *A primera vista 1*

Input Vocabulary, pp. 252–255: Come to class dressed as a mad scientist, wearing a messy lab coat, a bowtie, gag glasses with thick frames, and a mortarboard. Create a mad name for your character, such as *Doctor(a) F. U. Turo* or *Profesor(a) I. Deas*. Distribute copies of the Clip Art and have students cut them into individual images and flashcards. Introduce yourself and set up the situation as follows: *"¡Eureka! ¡Acabo de tener el mayor éxito de mi vida científica! Construí una nave espacial que me va a llevar a otras galaxias. Voy a fundar una nueva colonia en otro planeta. Pero tengo un gran problema. La nave espacial es pequeña y sólo pueden viajar conmigo nueve personas. Tengo que decidir quiénes me acompañarán. Necesito personas con profesiones que beneficiarán nuestra colonia. ¿Pueden Uds. ayudarme a tomar esta decisión importante?"*

Place *Vocabulary and Grammar Transparencies* 120–123 on the screen as needed. Point to the various professions shown on pp. 252–255 and describe them. Have students hold up the appropriate Clip Art image or flashcard as you do so. Begin with *el científico* and say, *"El científico soy yo. Esta decisión es fácil porque sólo yo sé manejar la nave espacial."* Other descriptions might be done as follows: *"Me parece que un(a) cocinero(a) será importante porque todos tenemos que comer. ¿Qué piensan Uds.?"*, *"No vamos a necesitar un(a) peluquero(a) porque voy a mandar que todos los colonizadores se afeiten la cabeza. ¿Qué les parece?"*

Input Text, pp. 252–253: Place *Vocabulary and Grammar Transparency* 120 on the screen and say, *"Consideremos un poco más estas profesiones y las cualidades importantes que exigen."* Call on volunteers to read the introductory material and the information about each profession. Follow each reading with comprehension questions such as *"¿Qué tipo de decisiones tomarán Uds. después de graduarse?"*, *"¿Cuáles son dos cualidades importantes para un científico?"*, *"Según la información, ¿quiénes confían en el banquero?"*, *"¿Cómo sabemos que el programador es emprendedor? ¿Cómo lo demuestra?"* Then place *Vocabulary and Grammar Transparency* 121 on the screen and follow a similar procedure with the text there.

Comprehension Check

- Name each profession or describe a quality that goes with it. Have students hold up the Clip Art image or flashcard which corresponds to the profession you are talking about.

Presentation: *A primera vista 1 (continued)*

Input Dialogues, pp. 254–255: Continue the role of your mad scientist character and the discussion about professions. Say, "*Para esta misión espacial, necesito gente joven. Pero antes de ir conmigo, es necesario que terminen la escuela secundaria. Antes de tomar una decisión, quiero que todos piensen seriamente en el futuro. He hablado con muchos jóvenes sobre esto. Vamos a ver lo que han dicho algunos de ellos.*"

Place *Vocabulary and Grammar Transparencies* 122–123 on the screen as needed. Assume the role of interviewer for all of the dialogues and call on a different student to read the part of the interviewee for each one. After each dialogue check students' comprehension by asking questions such as the following:

Dialogue 1: "*¿Qué cualidad personal menciona Estela Pérez?*", "*¿Ella piensa en ser jefa de una oficina inmediatamente o logrará ese puesto eventualmente?*", "*¿Qué carrera quiere seguir la hermana de Estela?*"

Dialogue 2: "*¿A qué se dedicará Manolo Sánchez? ¿Por qué?*", "*¿Por qué Manolo quiere ser jefe de su propio taller?*", "*¿Bajo cuál condición se mudará Manolo a su propia casa?*"

Dialogue 3: "*A Ana María Sosa López ¿qué le gusta más, ser traductora o viajar?*", "*Por lo tanto, ¿cuál es su plan para el futuro?*"

Dialogue 4: "*¿Por qué Francisco Gómez Durán se hará arquitecto o ingeniero?*", "*¿Cuáles son dos cualidades personales que tiene él?*" "*¿Qué tiene que averiguar?*"

Dialogue 5: "*¿Belinda Domínguez estudiará inmediatamente al terminar la escuela secundaria?*", "*¿Qué hará primero? ¿Por qué?*", "*¿Estudiará para ser contadora?*"

Next, have students form small groups and select the nine professions they believe are most useful on the mission to start a colony in space. Have them give at least one reason for each selection. Encourage them to be free and creative in their justifications for the various professions and to consider all contingencies. Say, for example, "*Una traductora puede ser importante. Si encontramos extraterrestres, ella aprenderá su idioma y nos lo traducirá.*"

Comprehension Check

- Say one or more keywords that pertain to a particular profession and have students hold up the Clip Art image or flashcard for that profession. For example: "*edificios*" (*arquitecto*); "*dinero, banco*" (*banquero*); "*dinero, números, oficina*" (*contador, banquero, finanzas*).

Presentation: *A primera vista 2*

Input Vocabulary, pp. 266–267: Come to class dressed as a time traveler from the not-so-distant future. Ideas for this can run from something as simple as a makeshift cape or futuristic-style hat and sunglasses, to a complete space-age costume. Tell students, *"En el futuro no muy distante, la gente empezará a viajar en el tiempo. Yo vengo del año 2051 para hablar con Uds. Quiero que Uds. tengan en cuenta los avances tecnológicos que ya se ven hoy en día. Más tarde hablaremos de los campos de trabajo que serán importantes en el futuro que Uds. verán."*

Distribute copies of the Clip Art and have students cut them into individual images. Place *Vocabulary and Grammar Transparencies* 126–127 on the screen as necessary. Pointing to the photos, talk about the seven topics mentioned on pp. 266–267 as follows. Have students hold up the appropriate Clip Art image or flashcard as you mention the vocabulary.

Photo 1: *"¿Cuántos de Uds. han visto una fábrica? ¿Hay muchas fábricas hoy en día? ¿Piensan que habrá más o menos fábricas en el futuro? Los que dijeron 'menos,' tienen razón. En el futuro, la gente trabajará menos. La gente tendrá más horas de ocio."*

Photo 2: *"¿Cuántos de Uds. tienen un televisor digital? ¿Y un televisor 3D? Como ven, estos inventos pueden verse cada vez más y más. Los nuevos inventos van a seguir reemplazando a los viejos."*

Photo 3: *"¿Cuántos entre Uds. juegan juegos de video? Bueno, como han visto, estos juegos se vuelven más y más complicados. Las imágenes se ven como si fueran reales. Estos juegos son parte del desarrollo de la realidad virtual."*

Photo 4: *"Me imagino que muchos de Uds. tienen teléfonos celulares, ¿no? Y parece que los medios de comunicación se desarrollan más y más cada año. En el futuro, nos enteraremos aún más rápidamente de lo que pasa en el mundo, gracias a los satélites."*

Photo 5: *"¿Cuál es la fuente de energía más importante de hoy en día, el petróleo o la energía solar? Bueno, esto cambiará en el futuro. Se desarrollarán otras fuentes de energía, como la energía del mar y la energía del viento."*

Photo 6: *"¿Cuántos de Uds. han visto un coche eléctrico? ¿Piensan que habrán más o menos de estos en el futuro?"*

Photo 7: *"Hoy en día se curan muchas enfermedades que hasta hace poco eran problemas serios. La medicina seguirá avanzando. Algunas enfermedades desaparecerán y la vida de muchas personas se prolongará."*

Input Text, pp. 266–267: With the *Vocabulary and Grammar Transparencies* still on the screen, call on students to read the text at each photo. Follow up by asking comprehension questions after each reading.

Comprehension Check

- State accomplishments in the various areas, such as *"Se inventa un nuevo medicamento"* or *"Los pilotos practican los vuelos sin tener que estar en un avión."* Have students hold up Clip Art images or flashcards that pertain to your statement.

Presentation: *A primera vista 2 (continued)*

Input Vocabulary and Text, pp. 268–269: Continuing as the time traveler from the future, say, *"Ahora hablaremos de algunos campos de trabajo que serán importantes en el futuro."* Place *Vocabulary and Grammar Transparencies* 128–129 on the screen as needed. Call on a different student to read the introductory material and each piece of information about the fields of the future. After each reading, check students' comprehension by asking questions such as:

Introduction: *"¿Qué habrá desaparecido en el año 2050?", "¿Habrá demanda de médicos, abogados y economistas?", " ¿Estas profesiones estarán entre las más importantes?"*

Informática: *"En el futuro, ¿quiénes se dedicarán al desarrollo de los programas de computación?"*

Las empresas: *"En el año 2050 ¿dónde habrá menos empleados?"*

Industria de la hospitalidad: *"¿Qué clase de trabajadores se necesitarán en la industria de la hospitalidad?" "¿Esta industria será más importante porque las personas trabajarán más o porque las personas tendrán más horas de ocio?"*

Traducciones: *"¿Habrá más o menos demanda de traductores en el año 2050?", "Comparado con hoy en día, ¿esta demanda habrá aumentado o disminuido?"*

Mercadeo: *"¿Qué desarrollarán los que trabajan en el campo del mercadeo?"*

Comprehension Check

- Make true and untrue statements about the fields of the future: *"En el futuro, las empresas tendrán más empleados." "La informática es la profesión del futuro."* Have students say, *"Cierto"* if your statement is true and *"Falso"* if it is false.

Audio Script

Audio DVD, Capítulo 6

Track 01: Libro del estudiante, pp. 252–253, *A primera vista 1,*
Vocabulario y gramática en contexto **(4:02)**

Lee en tu libro mientras escuchas la narración.

FEMALE ADULT: ¿Qué planes tienes para el futuro? Te
graduarás de la escuela secundaria y, ¿qué harás
después? En poco tiempo tomarás decisiones muy
importantes.

Será bueno que hables con un consejero o una consejera,
con tus padres o con otras personas sobre este tema.
Ellos te pueden ayudar a ver qué profesiones se
relacionan con tus intereses y habilidades.

Te gusta hacer investigaciones científicas en el
laboratorio. Eres ordenado y cuidadoso. Te importan
mucho los detalles.

MALE TEEN: el científico

FEMALE ADULT: Te interesan las finanzas y el dinero. Los
hombres y mujeres de negocios confían en ti porque
eres honesto e inteligente.

el banquero
la mujer de negocios
el hombre de negocios

FEMALE ADULT: Te gustan las computadoras. Te gusta
resolver problemas y buscar soluciones porque eres
emprendedor.

MALE TEEN: el programador

Lee en tu libro mientras escuchas la narración.

MALE ADULT: Te es fácil escribir y eres cuidadoso. Además
de escribir, eres capaz de leer el trabajo de otros
escritores y hacer correcciones.

FEMALE TEEN: el redactor

MALE ADULT: Te interesa la moda y eres capaz de diseñar
ropa nueva y original. Tienes mucho talento artístico.

FEMALE TEEN: el diseñador

MALE ADULT: Te encanta leer sobre la ley. Eres una persona
justa y te importan los derechos de los ciudadanos.

la jueza
la abogada
el abogado

MALE ADULT: Te gusta mucho cocinar, eres eficiente y algo
artístico.

TEEN FEMALE: el cocinero

Track 02: Libro del estudiante, p. 253, Act. 1,
¿Con quién debo hablar? **(2:20)**

En una hoja escribe los números del 1 al 7. Después,
escucha lo que necesitan las personas y escribe con qué
profesional necesitan hablar. Vas a oír cada frase dos veces.

1. Necesito hablar con alguien que entienda mejor mis
derechos y las leyes.
2. Además de cobrar un cheque, necesito dinero en
efectivo.
3. Quiero escribir un artículo para el periódico de nuestra
escuela.
4. Necesito un vestido largo para la fiesta de graduación.
5. Algo no funciona bien en la computadora. ¿Qué hago?
6. No entiendo este experimento de biología. ¡Necesito
ayuda!
7. Tengo que preparar algo especial para la cena. Dame
unas ideas.

Track 03: Libro del estudiante, pp. 254–255, *A primera vista 1,*
Vocabulario y gramática en contexto **(4:08)**

Lee en tu libro mientras escuchas la narración.

FEMALE ADULT: Los estudiante hablan de su futuro.

Estela Pérez

¿Seguirás estudiando después de terminar la escuela
secundaria?

FEMALE TEEN: ¡Sí, por supuesto! Para mí lo más importante
es tener una buena educación. Soy ambiciosa, quiero
ganar un buen salario, así que estudiaré finanzas.
Buscaré trabajo y poco a poco lograré conseguir un
puesto como directora o jefa de una oficina.

FEMALE ADULT: Tu hermana quiere seguir una carrera
similar, ¿no?

FEMALE TEEN: Sí, ella quiere ser contadora. Es muy buena
con los números. ¡Ya se encarga del dinero de la familia!

MALE ADULT: Manolo Sánchez
¿Qué harás en cinco años?

MALE TEEN: Me gustan los coches, así que me dedicaré a la
mecánica. Quisiera ser dueño de un taller mecánico. Así
no tendré otro jefe y haré lo que me dé la gana.

MALE ADULT: ¿Crees que te quedarás en casa con tus padres?

MALE TEEN: Eso depende. Si estoy casado, mi esposa y yo
nos mudaremos a una casa. Si estoy soltero, es posible
que me quede con mis padres.

MALE ADULT: Ana María Sosa López
¿Qué harás después de graduarte?

Sabemos que eres bilingüe y que has hecho
traducciones aquí en la escuela. ¿Serás traductora?

FEMALE TEEN: Sí, me gusta traducir pero lo que más me
interesa es viajar. Por lo tanto quiero desempeñar un
cargo de traductora en una empresa que tenga oficinas
en varios países.

MALE ADULT: ¿Te gustará vivir en otro país?

FEMALE TEEN: Sí, porque realizaré mi sueño de viajar y
conocer el mundo.

Lee en tu libro mientras escuchas la narración.

MALE ADULT: Francisco Gómez Durán

El consejero te dijo que eres maduro y estudioso . . . y sé que te gustan las matemáticas. ¿Te harás banquero?

MALE TEEN: No. Siempre me han fascinado los castillos históricos y también los edificios modernos. Algún día quiero ser arquitecto o ingeniero.

MALE ADULT: ¿De veras? ¿A qué universidad irás el año próximo?

MALE TEEN: No lo sé todavía. Tengo que investigar para averiguar qué universidades ofrecen esas carreras y qué requisitos piden.

FEMALE ADULT: Belinda Domínguez

¿Qué crees que harás al terminar la escuela?

FEMALE TEEN: Buscaré empleo. Necesito trabajar un poco y ahorrar antes de estudiar.

FEMALE ADULT: ¿Para qué estudiarás?

FEMALE TEEN: Estudiaré para ser peluquera en un salón de belleza.

Track 04: Libro del estudiante, p. 255, Act. 3,
Planes para el futuro **(2:00)**

En una hoja de papel escribe los números del 1 al 5. Después, escucha lo que dicen las personas y escribe si es lógico o ilógico. Corrige las oraciones ilógicas. Vas a oír cada frase dos veces.

1. Me gustan mucho los autos, creo que voy a ser peluquero.
2. No quiero estar soltera. Por eso, nunca me casaré.
3. Me interesan las finanzas y el dinero. Pienso ser contador.
4. Después de terminar la escuela, iré a Madrid a estudiar más español. Seré traductora y redactora.
5. Siempre me ha interesado la salud, así que me dedicaré a la mecánica.

Track 05: Libro del estudiante, p. 256, Act. 4,
Las cualidades necesarias **(3:49)**

En una hoja de papel escribe los números del 1 al 4. Escucha los anuncios clasificados y escribe la profesión y la cualidad o las cualidades que se necesitan para cada trabajo. Compara tu lista con la de otro estudiante. Vas a oír cada anuncio dos veces.

1. Se busca una persona madura y con experiencia para desempeñar el cargo de jefe del departamento de finanzas. Llamar al cinco, cinco, cinco, siete, dos, ocho, cuatro.
2. Salón de belleza necesita un peluquero con las siguientes cualidades: capaz de trabajar rápido; amable y sociable. Si tienes estas cualidades, visítanos en la calle Independencia, número cincuenta.
3. Importante periódico necesita un redactor con experiencia. Se busca una persona emprendedora y responsable, capaz de trabajar en equipo. Favor de enviar solicitud de empleo por correo electrónico a

diarioelsol, arroba punto com.

4. El restaurante Cuatro Caminos necesita cocinero eficiente y creativo para trabajar por las noches. Los interesados deberán presentarse con una carta de recomendación y solicitud de empleo entre las diez y once de la mañana. Llamar al cinco, cinco, cinco, cinco, tres, tres, dos.

Track 06: Writing, Audio & Video Workbook, p. 78, Audio Act. 1 (5:56)

Hoy es el Día de las profesiones en el Colegio Principal. Cinco personas vienen a la escuela para hablar de lo que hacen. Mientras escuchas sus comentarios, escribe el número de la persona que habla al lado del dibujo de la profesión que él o ella describe. Vas a oír cada comentario dos veces.

1. **MALE TEEN 1:** A mí me gusta hacer investigaciones científicas. Miro cómo son las cosas y averiguo cómo funcionan. Ésta es una profesión para las personas eficientes y cuidadosas, pero también para la gente con imaginación. Es buena para todas las personas que quieren saber más del mundo, de la naturaleza y del universo.

2. **MALE TEEN 2:** Para mí la creatividad es sumamente importante. Me encanta hacer nuevas creaciones culinarias para mi restaurante y diseñar platos sabrosos pero nutritivos a la vez. En esta profesión es importante ser creativo, pero también muy emprendedor, porque los restaurantes son, ante todo, empresas muy complicadas.

3. **FEMALE TEEN 1:** Yo soy dueña de mi propia empresa. Tengo clientes de varias edades y profesiones, pero a todos les gusta tener el pelo muy de moda . . . Para mí, la creatividad también es muy importante. Además de cortar pelo, vendo varios productos de belleza. Esta profesión es buena para la gente independiente, creativa y muy emprendedora.

4. **FEMALE TEEN 2:** Bueno, siempre me he dedicado a estudiar idiomas. Me encanta poder hablar con personas de otros países y culturas. Trabajo en reuniones políticas o de negocios para facilitar la comunicación entre personas que hablan idiomas diferentes. Me gusta mi trabajo porque siempre es interesante . . . nunca me aburro. Para esta profesión es necesario estudiar y viajar mucho.

5. **FEMALE TEEN 3:** De niña me encantaba dibujar. También me interesaban las casas y los edificios. Yo soñaba con diseñar un museo o un centro comercial muy grande. Y ahora me dedico a eso. Tuve que estudiar mucho en la universidad y graduarme. Para esta profesión es necesario ser eficiente y muy capaz. También es bueno ser creativo y emprendedor.

Track 07: Writing, Audio & Video Workbook, p. 79, Audio Act. 2 (3:12)

¿Qué estarán haciendo estos jóvenes? Vas a oír a cinco personas hacer varios comentarios. Mira los dibujos. Luego, mientras escuchas a cada joven, escribe el número del comentario al lado del dibujo correspondiente. Vas a oír cada comentario dos veces.

1. ¿Por qué tendré tanta hambre? Pues, claro, si no almorcé. Con razón me duele el estómago. ¿Qué habrá para comer? Voy a ver . . .

2. ¿Qué hora será? Nunca sé la hora. Siempre tengo que preguntarle a alguien. ¿Tendré que comprarme un reloj?

3. ¿Qué programa podré ver ahora? Quiero ver algo que me divierta. Tal vez una comedia, o una película de acción. Un momento . . . ¡ya son las nueve! ¿Será que me perdí el programa?

4. Bueno, ¿qué tendrán aquí? ¿Tendrán un suéter de algodón? ¿Tendrán los pantalones que busco? Ay, no sé . . . ¿Qué compraré?

5. ¿Dónde estará mi cartera? No la encuentro. ¿Estará en el armario? ¿Estará en mi mesa? ¿Por qué estará tan desordenado mi cuarto? A ver . . . a ver . . .

Track 08: Libro del estudiante, p. 264, *En voz alta* (0:47)

MALE: Rima cincuenta y tres
de Gustavo Adolfo Bécquer

Volverán las oscuras golondrinas
en tu balcón sus nidos a colgar,
y otra vez con el ala a sus cristales
jugando llamarán.
Pero aquellas que el vuelo refrenaban
tu hermosura y mi dicha a contemplar,
aquellas que aprendieron nuestros nombres . . .
Ésas . . . ¡no volverán!

Track 09: Libro del estudiante, pp. 266–267, *A primera vista 2*, Vocabulario y gramática en contexto (3:48)

Lee en tu libro mientras escuchas la narración.

MALE ADULT: ¿Ya estamos viviendo en el futuro? Hace unos años se hablaba de la llegada del siglo veintiuno. El siglo veintiuno ya llegó, y con éste muchos avances de la tecnología que cambiarán nuestras vidas.

Avances científicos y tecnológicos

Muchos trabajos peligrosos son hechos ahora por máquinas o robots. Se predice que en el futuro menos gente trabajará en las fábricas. Habrá más tiempo de ocio, o sea que la gente tendrá más tiempo para divertirse o para viajar.

FEMALE ADULT: Nuevos inventos

Inventos como la televisión digital y la televisión 3D ofrecen imágenes más claras y mejor sonido. En muchas casas, la televisión 3D está reemplazando a la televisión tradicional.

MALE ADULT: Realidad virtual

La tecnología llamada realidad virtual permite vivir una experiencia a través de computadoras como si fuera real. Esta nueva tecnología ya se usa para entrenar a los pilotos.

Si queremos un futuro mejor, debemos prepararnos desde ahora. ¿Qué podemos hacer?

FEMALE TEEN: Hay que tener en cuenta la importancia del medio ambiente.

MALE TEEN: De hoy en adelante, debemos dedicarnos a proteger el agua.

Lee en tu libro mientras escuchas la narración.

FEMALE ADULT: Medios de comunicación

Gracias a aparatos como el teléfono celular podemos comunicarnos desde muchos lugares. Desde que se inventó la televisión vía satélite, podemos ver imágenes y enterarnos inmediatamente de lo que pasa en todo el mundo.

MALE ADULT: Vivienda

El uso de otras fuentes de energía, como la energía solar, permitirá calentar las viviendas sin contaminar el medio ambiente y, además, será mucho más barato.

FEMALE ADULT: Transporte

Algunas compañías han presentado los primeros coches eléctricos que ayudarán a reducir la contaminación del aire.

MALE ADULT: Medicina

Cada año, los científicos descubren más cosas fascinantes sobre el cuidado de la salud. Avances en la genética harán posible curar muchas de las enfermedades, como el cáncer. Algunas enfermedades desaparecerán gracias a los nuevos medicamentos, que prolongarán la vida de muchas personas.

Track 10: Libro del estudiante, p. 267, Act. 20, *Radio futura* (2:44)

En una hoja de papel escribe los números del 1 al 6. Vas a escuchar lo que se dice en un programa de radio sobre avances científicos que van a ayudar a resolver muchos problemas en el mundo. Escucha cada frase y escribe si es lógica o ilógica. Si la frase no es lógica, corrígela. Vas a oír cada frase dos veces.

1. Gracias a la realidad virtual, los pilotos pueden entrenarse bien.

2. Con ayuda de la genética, nuevas enfermedades reemplazarán a las enfermedades que existen ahora.

3. La televisión vía satélite nos permite permite saber rápidamente lo que pasa en otras partes del mundo.

4. Los genes aumentarán la contaminación del aire.

5. Los científicos predicen que la gente disfrutará de más tiempo de ocio gracias a los robots.

6. El uso de la energía solar y los coches eléctricos ayudará a reducir la contaminación del medio ambiente.

Track 11: Libro del estudiante, p. 268, *A primera vista 2*, Vocabulario y gramática en contexto (1:39)

Lee en tu libro mientras escuchas la narración.

FEMALE ADULT: Tres campos que tienen futuro

Según estudios de los últimos años, para el 2050 habrá desaparecido la mayoría de los trabajos que ahora existen. Aunque habrá demanda de médicos, abogados y economistas, éstos son los campos con más futuro:

MALE ADULT: Servicios a empresas

Las empresas en general tendrán menos empleados, pero necesitarán de los servicios de profesionales como vendedores, secretarios y diseñadores gráficos.

FEMALE ADULT: Informática

Con el uso de las computadoras y de la Red, la informática es la profesión del futuro. Por todo el mundo, los ingenieros de sistemas y programadores se dedican al desarrollo de nuevos y mejores programas de computación.

MALE ADULT: Industria de la hospitalidad

Habrá mucho trabajo en hoteles y empresas turísticas. Se necesitarán cocineros, agentes de viaje, camareros y administradores.

Track 12: Libro del estudiante, p. 269, *A primera vista* 2, Vocabulario y gramática en contexto **(1:20)**

Lee en tu libro mientras escuchas la narración.

FEMALE ADULT: Traducciones

Traducciones bilingües: inglés-español, español-inglés
Especializados en documentos legales, informes de mercadeo, libros científicos
Servicio rápido y eficiente
Traductores certificados
Agencia Traduce
Calle 49, número 456

San José, Costa Rica
555-5555

La demanda de traductores aumentará porque habrá más comercio entre los diferentes países.

MALE ADULT: Las personas que trabajan en el campo de mercadeo desarrollan estrategias para vender los productos.
Una deliciosa bebida

Track 13: Libro del estudiante, p. 269, Act. 22, *Campos de trabajo* **(2:04)**

Escribe los números del 1 al 5 en una hoja de papel. Escucha la descripción de cada trabajo y escribe a qué campo se refiere. Vas a oír cada frase dos veces.

1. Los y las profesionales de este campo planean estrategias para vender los productos.

2. Es la profesión del futuro gracias al uso de las computadoras y la Red.

3. Los cocineros y cocineras, los camareros y camareras, y los agentes de viajes trabajan en esta industria.

4. Los profesionales de este campo se dedican a traducir de un idioma a otro.

5. Muchos secretarios y secretarias, diseñadores gráficos y diseñadoras gráficas, y vendedores y vendedoras se dedican a ayudar a las empresas.

Track 14: Writing, Audio & Video Workbook, p. 80, Audio Act. 3 (4:37)

Estás visitando una exposición sobre el futuro. Primero, mira el dibujo de la exposición. Luego, vas a escuchar parte de cuatro presentaciones sobre diferentes áreas de la exposición. Mientras escuchas, escribe el número de la presentación en el área del dibujo que mejor corresponde. Vas a oír las presentaciones dos veces.

1. . . . como pueden ver, todas las enfermedades que nos molestan hoy se curarán fácilmente en el futuro. Con los nuevos avances en las áreas de la genética y la tecnología médica, es probable que en el futuro las personas puedan prolongar su vida hasta la edad de ciento cincuenta años . . .

2. . . . el uso más eficiente de las fuentes de energía nos ofrecerá un futuro en el que el transporte a cualquier sitio será rápido y agradable. Además, hay que tener en cuenta que los desarrollos tecnológicos en la industria de los automóviles, los aviones y las naves espaciales permitirán a la mayoría de las personas reducir el tiempo . . .

3. . . . para los que quieran descubrir las realidades de otra vida . . . de otro mundo . . . o de otro universo, estas máquinas de realidad virtual permiten vivir otras experiencias. Las personas podrán visitar otros lugares sin salir de sus casas. Estas máquinas son divertidas para los ratos de ocio y útiles para los trabajos de investigación científica . . .

4. . . . cambiar la vivienda de hoy en adelante. Las máquinas y los aparatos domésticos reducirán los quehaceres del hogar y aumentarán las horas de ocio para todos los miembros de la familia. Todo se transformará: los muebles, los cuartos y hasta la casa misma. Dentro de muy pocos años . . .

Track 15: Writing, Audio & Video Workbook, p. 81, Audio Act. 4 (6:04)

Vas a oír a seis personas que hacen predicciones sobre el futuro. Mira los dibujos. Luego, mientras escuchas los comentarios, escribe el número de cada predicción al lado del dibujo correspondiente. Vas a oír cada predicción dos veces.

1. **MALE 1:** Bueno, a mí me encantan las finanzas. Y quiero ganar mucho dinero. Voy a ser un hombre de negocios. De hecho, estoy seguro que seré millonario. Cuando tenga cuarenta años, ¡habré comprado un equipo de béisbol! Disfrutaré cuando mi equipo gane el campeonato.

2. **FEMALE 1:** ¿Yo? Trabajo en un taller de moda durante los fines de semana. Pero pronto empezaré a estudiar diseño. Me gustaría tener mi propia empresa, porque soy una persona muy emprendedora. Y cuando tenga cuarenta años . . . creo que habré abierto una tienda de ropa muy popular.

3. **MALE 2:** Me gustaría ser un científico que realiza investigaciones en un laboratorio. Es difícil predecir el futuro . . . pero . . . cuando tenga cuarenta años habré descubierto un uso nuevo para la energía solar. Quiero trabajar para proteger el medio ambiente.

4. **FEMALE 2:** Yo quiero estudiar arquitectura en la universidad. Me encantan los edificios altos y grandes.

¡El futuro va a ser maravilloso! Yo voy a ser una arquitecta muy famosa. Cuando tenga cuarenta años, habré diseñado el edificio más alto del planeta con apartamentos que tendrán una vista increíble de dos o tres ciudades.

5. **FEMALE 3:** Ay, ¡me encanta pensar en el futuro! Ahora estoy aprendiendo francés. También quiero aprender japonés. A ver . . . cuando yo tenga cuarenta años, habré viajado a muchos países del mundo. Yo quiero ser traductora de idiomas y trabajar en sitios interesantes en varios países.

6. **MALE 3:** Bueno, el futuro . . . en el futuro voy a ser un cocinero famosísimo. Ahora . . . bueno, todavía no sé cocinar muy bien, pero cuando tenga cuarenta años, habré abierto tres restaurantes muy populares, que tendrán como clientes a los actores y actrices más famosos del mundo.

Track 16: Writing, Audio & Video Workbook, p. 81, Audio Act. 5 (5:09)

Hoy es el día de la Feria de ciencias en el Colegio Central. Cuatro estudiantes exhiben inventos futurísticos en la feria. Mira los dibujos de varios inventos mientras escuchas las descripciones de los estudiantes. Luego, escribe el número de la descripción al lado del dibujo correspondiente. Vas a oír cada descripción dos veces.

1. **MALE 1:** ¡Hola! Este invento se llama "El ocio y la energía." En el futuro, las personas podrán ayudar a proteger el medio ambiente mientras leen el periódico o ven la tele. El movimiento de la silla servirá como fuente de energía . . . que se guardará aquí, en esta máquina. Luego la energía podrá usarse para hacer funcionar el aire acondicionado. ¿Les gusta?

2. **FEMALE 1:** Este aparato es invento mío, y se llama "El tiempo virtual." Se usará para prolongar las horas del día. Una persona sólo tendrá que ponerse el sombrero, o sea, esa parte de la máquina que parece un sombrero, y entonces podrá prolongar las horas en el reloj. Todavía no sé si funcionará bien o no, pero ojalá que sí . . . porque entonces ganaré mucho dinero.

3. **FEMALE 2:** ¿No adivinan para qué sirve este invento? Bueno, se los explicaré. En el futuro, cada persona podrá tener su propio programa de televisión. Este televisor está conectado a una computadora. Las personas verán el programa de televisión y podrán escribir lo que deseen que suceda en el programa. Creo que el mundo habrá avanzado lo suficiente para que esto pueda pasar.

4. **MALE 2:** Hola, yo tengo muchas ideas para el avance tecnológico. Para cuando me gradúe de la universidad, habré logrado que este aparato funcione. Este producto permitirá que una persona vea lo que otra gente está viendo. Los lentes se comunicarán vía satélite para mostrar las imágenes. ¿Qué les parece este invento?

Track 17: Libro del estudiante, p. 280, ¿Qué me cuentas?, Cuando sea mayor (5:48)

Vas a escuchar una serie de descripciones. Después de cada descripción, vas a oír dos preguntas. Escoge la respuesta correcta para cada pregunta. Vas a oír cada descripción dos veces.

El profesor Carrera decide un día observar a sus estudiantes y predecir a qué se dedicarán cuando sean mayores. Comienza con Esteban. Él está delante de la computadora escribiendo un programa para hacer dibujos animados. Por eso, el profesor predice que Esteban será un ingeniero de sistemas. Luego mira a Alicia. Ella está observando unos insectos a través de un microscopio. "Ah," piensa Carrera, "probablemente va a ser una gran científica y descubrirá cómo curar muchísimas enfermedades."

1. ¿Qué está haciendo Esteban?

2. ¿Qué descubrirá Alicia cuando sea grande?

Roberto y Jimena se pasan todo el tiempo hablando de cómo vender los aparatos que van a inventar. El profesor Carrera predice que van a trabajar en el campo del mercadeo. Rita, por su parte, está construyendo una casa con piezas de plástico. "Sin duda, va a ser arquitecta," piensa el profesor Carrera.

3. ¿En qué campo van a trabajar Roberto y Jimena?

4. ¿Qué será Rita en el futuro?

Cuando el profesor Carrera observa a David, descubre que está sumando una larga lista de números sin usar la calculadora. "Seguro que va a ser contador," predice Carrera. Y por último observa a Julieta que está haciendo reír a todos sus compañeros con sus chistes y gestos. "Ah, ya veo que Julieta va a terminar siendo actriz cómica," piensa el profesor.

5. ¿Qué es lo que no usa David?

6. ¿Qué será Julieta en el futuro?

Track 18: Libro del estudiante, p. 288, Repaso del capítulo, Vocabulario (6:38)

Escucha las palabras y expresiones que has aprendido en este capítulo.

profesiones y oficios

el abogado	el hombre de negocios
la abogada	la mujer de negocios
el arquitecto	el ingeniero
la arquitecta	la ingeniera
el banquero	el jefe
la banquera	la jefa
el científico	el juez
la científica	la jueza
el cocinero	el peluquero
la cocinera	la peluquera
el contador	el programador
la contadora	la programadora
el diseñador	el redactor
la diseñadora	la redactora
la empresa	el traductor
las finanzas	la traductora

cualidades

- ambicioso
- ambiciosa
- capaz
- cuidadoso
- cuidadosa

- eficiente
- emprendedor
- emprendedora
- maduro
- madura

verbos

- ahorrar
- aumentar
- averiguar
- comunicarse
- contaminar
- curar
- dedicarse a
- desaparecer
- mudarse
- predecir
- prolongar
- reducir

- descubrir
- desempeñar un cargo
- diseñar
- enterarse
- graduarse
- hacerse
- inventar
- lograr
- reemplazar
- seguir una carrera
- tomar decisiones
- traducir

sustantivos asociados con el futuro

- el aparato
- el avance
- el desarrollo
- la enfermedad
- la fábrica
- la fuente de energía
- el gen
- los genes
- la genética
- el invento

- la máquina
- la mayoría
- los medios de comunicación
- el ocio
- la realidad virtual
- tecnológico
- tecnológica
- el uso
- vía satélite
- la vivienda

otras palabras y expresiones

- así que
- además de
- casado
- casada
- como si fuera
- de hoy en adelante
- haré lo que me dé la gana

- por lo tanto
- próximo
- próxima
- soltero
- soltera
- tener en cuenta

campos y carreras del futuro

- el campo
- la demanda
- la estrategia
- la hospitalidad
- la industria

- la informática
- el mercadeo
- el producto
- el servicio

Track 19: Libro del estudiante, p. 291, *Preparación para el examen,* Escuchar (4:54)

Félix y Carmen hablan sobre sus planes para el futuro. Escucha su conversación y di: (a) qué intereses y habilidades tiene cada uno; (b) cuáles son sus planes para después de graduarse de la escuela secundaria; (c) cuáles son sus sueños para su carrera. Vas a oír la conversación dos veces.

FÉLIX: Carmen, leí un artículo sobre las finanzas. Creo que quiero ser banquero. Tendré que ir a la universidad para estudiar las finanzas y las matemáticas.

CARMEN: ¿De verdad? Yo creía que a ti no te gustaban mucho las matemáticas.

FÉLIX: Bueno, no me gustan los números, pero quiero ganar un buen salario y hacer lo que me dé la gana. Dicen que la gente que trabaja en ese campo gana mucho dinero.

CARMEN: No sé si ganarán mucho o poco, Félix, pero creo que tienes que pensarlo mejor. Por ejemplo, tú eres muy eficiente en todo lo que haces y muy emprendedor. Si quieres, podrás tener tu propio negocio.

FÉLIX: Es que no quiero tener tanta responsabilidad. ¿Tú piensas tener tu propio negocio?

CARMEN: Yo no, Félix, pero cada persona debe planear su futuro según sus propias cualidades e intereses. A mí me gustan los libros y soy bilingüe, por eso quiero ser traductora. Pero primero, después de graduarme voy a viajar al extranjero y aprender más sobre los países del mundo.

FÉLIX: ¿No te gustaría, por ejemplo, ser programadora? Las empresas siempre están buscando programadores, y les pagan bien.

CARMEN: Sí, pero a mí no me gusta la programación. No me voy a dedicar a algo que no me gusta sólo porque pagan un buen salario. ¿No crees?

FÉLIX: No sé, ya me dirás en unos años. Yo voy a ser banquero.

Video Script

La tecnología en la carrera de un profesional

(5:10)

NARRADOR: Al graduarse del colegio o de la universidad, los estudiantes tienen muchas responsabilidades. Entre ellas, pueden seguir sus estudios o comenzar una carrera. Hoy en día hay muchas opciones. Uno puede seguir una carrera tradicional, como el de ser médico, peluquero o cocinero, pero el futuro también nos traerá trabajos que aún no se han descubierto. La tecnología ha hecho esto posible.

La tecnología no sólo ha creado nuevos trabajos en todas partes del mundo, sino que también ha creado nuevos medios de comunicación como el Internet y nos ha dado muchas maneras de expresar la creatividad.

El profesor Antonio Cortez logró combinar lo "viejo" con lo "nuevo", utilizando su conocimiento de la computadora en su trabajo de mercadeo y como profesor de fotografía.

PROFESOR CORTEZ: Un ejemplo de mi trabajo de mercadeo es una página web que desarollé para una compañía de artesanía. El producto son cajas de madera. Éstas han sido fotografiadas, y el contenido ha sido preparado en páginas en que explicamos el servicio, el producto y cómo conseguirlo.

NARRADOR: Originalmente de Venezuela, el profesor Cortez vino a Boston para aumentar su experiencia como diseñador y fotógrafo. Eso lo llevó a la escuela de fotografía de Nueva Inglaterra, donde eventualmente tomó la decisión de diseñar y crear una galería virtual en el Internet.

PROFESOR CORTEZ: Yo creé la galería virtual porque estuve muy contento con el trabajo de los estudiantes después de su graduación. Cuando vi el talento de su trabajo, era al nivel profesional, y me interesaba mostrarlo al público…

NARRADOR: En esta galería virtual, sus estudiantes de fotografía muestran su trabajo. De esta forma, muchos profesionales, como directores de arte de agencias de publicidad, podrán ver los trabajos y así podrán darles empleo a los estudiantes.

PROFESOR CORTEZ: Mis estudiantes son muy talentosos, son muy creativos, todo el tiempo quieren crear algo nuevo. Y a través de esto, les introduzco las nuevas habilidades. Yo les enseño habilidades en la computadora–cómo editar su trabajo, cómo presentarlo, y cómo sacarle mejor provecho a sus expresiones artísticas.

NARRADOR: El profesor Cortez reconoce la importancia de mantenerse al día con los avances de la tecnología.

PROFESOR CORTEZ: La tecnología es muy importante a la hora de buscar trabajo. El estudiante o el profesional tiene que estar en contacto con la tecnología y los cambios en la tecnología. Tiene que ser capaz de manejar estas tecnologías y seguir estudiándolas y seguir de cerca los inventos en el área.

NARRADOR: A través de su galería virtual y su conocimiento de la tecnología, el profesor Cortez siente que él ha logrado dos objectivos importantes.

PROFESOR CORTEZ: Una, la satisfacción de ver a un estudiante consiguiendo un buen trabajo y una buena asignación profesional y ver su trabajo de tan buena calidad en el mundo de la publicidad que tanto se necesita. La segunda es más el contacto directo con su creatividad, con su trabajo, con su empeño, con su dedicación. Y eso, quizás vale más que muchas otras cosas materiales.

Realidades ③

Capítulo 6

Nombre

Fecha

Communicative Pair Activity 6-1

Estudiante A

Tu compañero(a) y tú quieren saber qué profesión les interesa a algunos de sus amigos. Hazle estas preguntas a tu compañero(a) y escribe sus respuestas en el espacio en blanco.

1. ¿Qué carrera quiere seguir Liliana?

_____

2. A Paula le gustan las casas. ¿Qué quiere ser, en el futuro?

_____

3. A Mariano le gusta mucho el dinero. ¿Qué profesión le interesa?

_____

4. ¿Qué quiere ser tu hermano?

_____

5. A Fernando y Valeria les gustan mucho las computadoras. ¿Qué profesión les interesa?

_____

6. Simón es muy bueno en la cocina. ¿A qué podrá dedicarse?

_____

Contesta las preguntas de tu compañero(a), según la siguiente información.

Renata y Tina

Arturo

Lorenzo

Violeta

Javier

Cora

Talk!

Realidades **3**

Capítulo 6

Nombre

Fecha

Communicative Pair Activity **6-1**
Estudiante **B**

Tu compañero(a) y tú quieren saber qué profesión les interesa a algunos de sus amigos. Contesta las preguntas de tu compañero(a), según la siguiente información.

tu hermano

Paula

Mariano

Liliana

Fernando y Valeria

Simón

Ahora, hazle estas preguntas a tu compañero(a) y escribe sus respuestas en el espacio en blanco.

1. A Javier le gustan las ciencias. ¿Qué carrera quiere seguir?

_____

2. A Arturo le gusta la ropa. ¿Qué quiere ser, en el futuro?

_____

3. Cora está interesada en las leyes. ¿Qué profesión le gusta?

_____

4. ¿Qué le gusta a Violeta?

_____

5. A Renata y Tina les gustan las noticias. ¿Qué profesión les interesa?

_____

6. Lorenzo sabe hablar muchos idiomas. ¿A qué podrá dedicarse?

_____

Realidades 3

Capítulo 6

Nombre _____

Fecha _____

Communicative Pair Activity 6-2
Estudiantes A y B

Primero, lee las preguntas y escribe tus propias respuestas en la línea A. Luego, túrnate con tu compañero(a) para leer y contestar las preguntas. Escribe las respuestas de tu compañero(a) en la línea B.

1. En el futuro, ¿qué tipo de trabajo harás?

   A. _____

   B. _____

2. ¿Cuándo buscarás ese trabajo?

   A. _____

   B. _____

3. ¿Te mudarás a un apartamento? ¿Cuándo lo harás?

   A. _____

   B. _____

4. ¿Querrás vivir solo(a) o con un(a) compañero(a) de apartamento?

   A. _____

   B. _____

5. ¿Comprarás un coche? ¿Cuándo lo comprarás?

   A. _____

   B. _____

6. ¿Trabajarás y estudiarás al mismo tiempo?

   A. _____

   B. _____

7. ¿Te casarás algún día? ¿Qué cualidades tendrá tu pareja?

   A. _____

   B. _____

Realidades **3**

Capítulo 6

Nombre _____

Fecha _____

Communicative Pair Activity 6-3

Estudiantes A y B

¿Cómo será la vida en el año 2050? De la lista, escoge cinco cosas que habrá o cinco actividades que harás en el futuro. Escríbelas, usando frases completas, en la sección JUEGO UNO *(Estudiaré vía satélite.).* Luego, túrnate con tu compañero(a) para hacer preguntas *(¿Estudiarás vía satélite?)* y ver quién es el primero en adivinar las cinco actividades que escogió el otro. Para el JUEGO DOS, escoge cinco actividades que no habrá o que no harás en el futuro *(No habrá nuevas fuentes de energía.)* y sigue los pasos *(steps)* del JUEGO UNO. Usa las columnas 1 y 2 para escribir las respuestas de tu compañero(a).

1   **2**

_____	_____	estudiar vía satélite
_____	_____	nuevas fuentes de energía
_____	_____	inventar nuevos aparatos
_____	_____	descubrir otros planetas
_____	_____	trabajar en realidad virtual
_____	_____	más avances tecnológicos
_____	_____	más contaminación
_____	_____	curar enfermedades
_____	_____	nuevos productos especializados
_____	_____	descubrir un nuevo gen
_____	_____	medios de comunicación nuevos
_____	_____	nuevo medio de transporte
_____	_____	comunicarse con otros planetas
_____	_____	aumentar las enfermedades
_____	_____	predecir el futuro
_____	_____	desaparecer aparatos viejos
_____	_____	contaminar más la tierra

JUEGO UNO

A. _____

B. _____

A. _____

B. _____

A. _____

B. _____

JUEGO DOS

A. _____

B. _____

A. _____

B. _____

A. _____

B. _____

REACCIONES

¡Qué maravilla!

Yo también

Yo tampoco

¡Será estupendo!

¡Qué pena!

¡Será imposible!

Talk!

Realidades ③

Capítulo 6

Nombre _____

Fecha _____

Communicative Pair Activity 6-4

Estudiante A

Cuando Sofía estaba arreglando su cuarto, encontró muchas cosas que no eran suyas que sus amigos le habían prestado. Hoy, Sofía les devolverá las cosas prestadas. Pregúntale a tu compañero(a) a quién le devolverá Sofía cada cosa. Escribe sus respuestas en los espacios en blanco.

 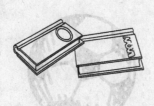  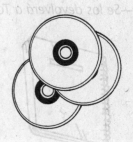

_____ _____ _____ _____

_____ _____ _____ _____

Ahora, contesta las preguntas de tu compañero(a) según la información de abajo. En tu respuesta, incluye los pronombres apropiados del complemento directo e indirecto.

—¿A quién le prestará Sonia los patines?
—Se los prestará a Tobías.

Borja   Gerardo y yo   Carla   Filomena y Óscar

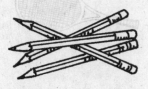   

Emilio y José   Daniel   Alba   Yo

Contesta las preguntas de tu compañero(a) según la información de abajo. En tu respuesta, incluye los pronombres apropiados del complemento directo e indirecto.

—¿A quién le devolverá Sofía los patines?
—Se los devolverá a Tobías.

| Julián | Marcos | Emma | Sandra y yo |

| Alberto y tú | Pepa | Elena | Mateo |

Sonia es una buena amiga y siempre les presta cosas a sus amigos. Hoy les va a prestar estas cosas a varios amigos. Pregúntale a tu compañero(a) a quién le prestará Sonia cada cosa. Escribe sus respuestas en los espacios en blanco.

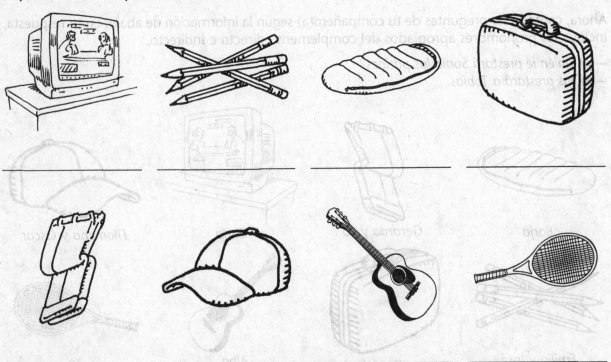

Situation Cards

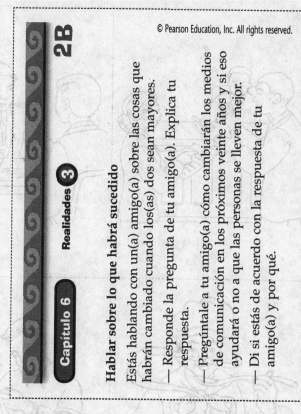

2A

Realidades ❸

Capítulo 6

Hablar sobre lo que habrá sucedido

Estás hablando con un(a) amigo(a) sobre las cosas que habrán cambiado cuando los(as) dos sean mayores.

— Pregúntale si le preocupa cómo será la vida cuando sean mayores y por qué piensa así.

— Responde las preguntas de tu amigo(a). Da razones y agrega detalles para que tu respuesta sea más clara.

2B

Realidades ❸

Capítulo 6

Hablar sobre lo que habrá sucedido

Estás hablando con un(a) amigo(a) sobre las cosas que habrán cambiado cuando los(as) dos sean mayores.

— Responde la pregunta de tu amigo(a). Explica tu respuesta.

— Pregúntale a tu amigo(a) cómo cambiarán los medios de comunicación en los próximos veinte años y si eso ayudará o no a que las personas se lleven mejor.

— Di si estás de acuerdo con la respuesta de tu amigo(a) y por qué.

1A

Realidades ❸

Capítulo 6

Hablar sobre lo que harás en el futuro

Estás hablando con otro(a) estudiante sobre lo que quieren hacer cuando sean mayores.

— Pregúntale a tu compañero(a) cómo cree que será su vida dentro de 25 años, qué trabajo cree que hará y dónde vivirá.

— Ahora, pregúntale a tu compañero(a) cómo piensa prepararse para su vida en el futuro.

— Responde la pregunta de tu compañero(a). Da dos razones por las que piensas eso.

1B

Realidades ❸

Capítulo 6

Hablar sobre lo que harás en el futuro

Estás hablando con otro(a) estudiante sobre lo que quieren hacer cuando sean mayores.

— Responde la pregunta de tu compañero(a).

— Responde la pregunta de tu compañero(a). Da varios ejemplos.

— Pregúntale a tu compañero(a) cuáles profesiones del futuro cree que serán las más divertidas y por qué.

— Haz algún comentario sobre la respuesta de tu compañero.

Vocabulary Clip Art

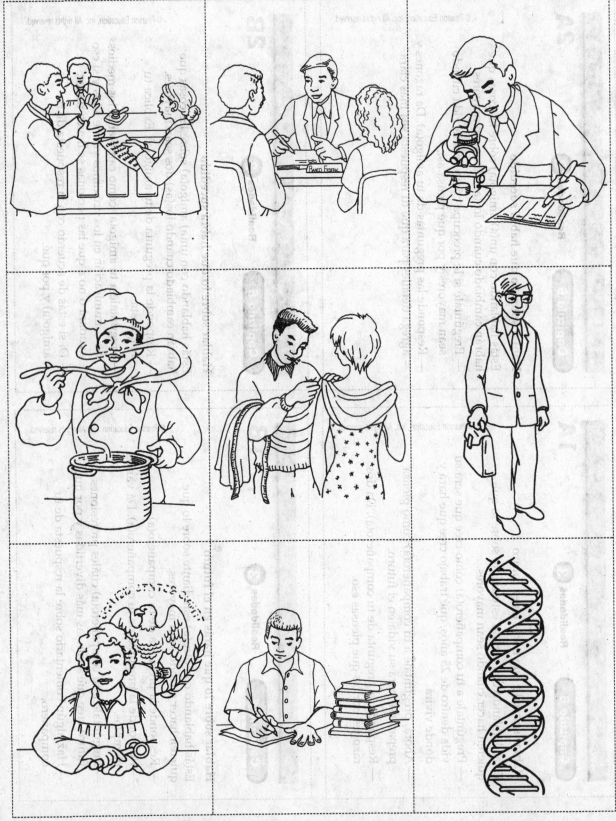

Vocabulary Clip Art

además de

ahorrar

Vocabulary Clip Art

ambicioso, -a

así que

aumentar

el avance

averiguar

el campo

capaz

casado, -a

como si fuera

comunicarse

el / la contador(a)

contaminar

cuidadoso, -a

curar

de hoy en adelante

la demanda

dedicarse a

desaparecer

Vocabulary Clip Art

el desarrollo	descubrir	desempeñar un cargo
diseñar	eficiente	emprendedor, -a
la empresa	la enfermedad	enterarse

Vocabulary Clip Art

la estrategia	las finanzas	la fuente de energía
la genética	hacerse	haré lo que me dé la gana
la hospitalidad	la industria	la informática

Vocabulary Clip Art

el / la ingeniero(a)	inventar	el invento
el / la jefe(a)	lograr	maduro, -a
la máquina	la mayoría	los medios de comunicación

Vocabulary Clip Art

el mercadeo

mudarse

el ocio

por lo tanto

predecir

el producto

el / la programador(a)

prolongar

próximo, -a

Vocabulary Clip Art

reducir	reemplazar	seguir una carrera
el servicio	soltero, -a	tecnológico, -a
tener en cuenta	tomar decisiones	traducir

Vocabulary Clip Art

el / la traductor(a)

el uso

vía satélite

Core Practice Answers

6-1

1. conocen a una veterinaria que cura perritos.
2. conoce a una poeta que escribe poemas.
3. conocemos a una mecánica que repara coches.
4. conozco a una actriz que actúa muy bien.
5. conoce a un escultor que hace esculturas de piedra.
6. conoces a una bailarina que baila muy bien.

6-2

1. En "Compucasa" se venden computadoras portátiles.
2. En "Electrolandia" se arreglan televisores rotos.
3. En "Tecnitienda" se compran computadoras usadas.
4. En "Autotaller" se reparan coches.
5. En "Artestudio" se pintan murales.
6. En "Fernández y Compañía" se construyen casas.

6-3

1. Isabel es peluquera.
2. Marcelo es escritor.
3. Federico es es diseñador.
4. Pedro es cocinero.
5. Juana es jueza.
6. Enrique es científico.

6-4

1. Matilde será traductora.
2. Mateo será arquitecto.
3. Lidia será jefa.
4. Sofía y Roberto serán abogados.
5. Ana será contadora.
6. Gabriel y su esposa Felisa serán banqueros.
7. Laura será redactora.
8. Andrés será soltero.

6-5

1. Por eso, se harán diseñadoras.
2. Por eso, tendré que mudarme a otra ciudad.
3. Por eso, seguirás una carrera de arquitecto.
4. Por eso, se dedicarán a las finanzas.
5. Por eso, querremos trabajar de voluntarios.
6. Por eso, abrirá su propia empresa.

6-6

1. Querrán ser agricultores.
2. Buscarás el puesto de contador.
3. Trabajará de redactora.
4. Estudiará para ser ingeniero.
5. Me haré abogado(a).
6. Serán científicos.

6-7

1. —¿Qué comeremos esta noche?
   —Mamá tendrá algunas ideas.
2. —¿Dónde trabajará aquel médico?
   —Atenderá en el hospital del barrio.
3. —¿Por qué irá Ana María a la universidad?
   —Querrá ser científica.
4. —¿Cuándo estudiará Pablo?
   —Estudiará de noche.
5. —¿Adónde viajarán tus amigos?
   —Irán a Venezuela.
6. —¿Cuántos idiomas hablará Francisco?
   —Sabrá por lo menos dos.

6-8

1. prolongar
2. enterarse
3. curar
4. desaparecer
5. demanda
6. descubrir
7. reducir
8. reemplazar

9. predecir
10. aumentar
11. vivienda
12. hospitalidad

6-9

1. avances
2. contaminar
3. vía satélite
4. comunicarse
5. ocio
6. genética
7. el uso
8. enfermedades
9. como si fuera
10. tener en cuenta
11. campo
12. inventar

6-10

A.

1. Pero para el miércoles habré entregado el informe.
2. Pero dentro de media hora habremos salido.
3. Pero a las siete ya habrán cenado.
4. Pero para aquel año se habrán descubierto nuevas fuentes de energía.

B.

1. Se habrá comprado un robot.
2. Habrán comprado un aparato de calefacción solar.
3. Habrá aprendido a manejar.
4. Habrá conseguido el dinero del banco.

6-11

A.

1. Sí, se lo enviaremos mañana.
2. Sí, se lo repararé en el taller.
3. Sí, se lo regalaré para su cumpleaños.
4. Sí, se la enseñará el fin de semana.

B.

1. Entrégaselo.
2. Cuéntasela.
3. Ofrézcanselos.
4. Tráenoslas.

6-12

1. Sus padres se lo habrán regalado.
2. Ella se lo habrá vendido.
3. Nuestros primos nos la habrán enviado.
4. El profesor se los habrá explicado.
5. Alguien se los habrá dicho.
6. Su novio te las habrá mostrado.
7. Él se lo habrá recomendado.
8. Mis amigos se los habrán llevado.

6-13

Answers will vary.

6-14

1. -é; -ás; -á; -emos
   -éis; -án

2.

habré	podré
diré	pondré
querré	haré
sabré	saldré

3. The future of probability is used to express uncertainty or probabiblity in the present.

4. To form the future perfect, use the future of the verb *haber* with the past participle of the verb.

5.

habré curado
habrás curado
habrá curado
habremos curado
habréis curado
habrán curado

habré descubierto
habrás descubierto
habrá descubierto
habremos descubierto
habréis descubierto
habrán descubierto

6. When you have an indirect and a direct pronoun occurring together, place the indirect object pronoun before the direct object pronoun.

7. When the indirect object pronoun *le* or *les* comes before the direct object pronoun *lo*, *las*, *los*, or *las*, change *le* or *les* to *se*.

8. To clarify whom the pronoun *se* refers to in the combinations *se lo, se la, se los,* and *se las,* you often add the prepositional phrase *a Ud., a él, a ella,* or *a* + a noun or a person's name.

9. When you attach two object pronouns to an infinitive, a command, or a present participle, you must add an accent mark to preserve the original stress.

Sheet 1

Realidades 3

Capítulo 6

Nombre

Fecha

Hora

AVSR, Sheet 1

Saber vs. conocer (p. 247)

- The verbs **saber** and **conocer** both mean "to know," but they are used in different contexts.

  Saber is used to talk about knowing a fact or a piece of information, or knowing how to do something.

  Yo sé que Madrid es la capital de España.
  Los bomberos saben apagar un incendio.

  Conocer is used to talk about being acquainted or familiar with a person, place, or thing.

  Yo conozco a un policía.
  Nosotros conocemos la ciudad de Buenos Aires.

A. Read each of the following pieces of information. Decide if "knowing" each one would use the verb **saber** or the verb **conocer** and mark your answer. Follow the model.

Modelo	una actriz famosa	___ saber	✔ conocer
1.	reparar coches	✔ saber	___ conocer
2.	la música latina	___ saber	✔ conocer
3.	dónde está San Antonio	✔ saber	___ conocer
4.	la ciudad de Nueva York	___ saber	✔ conocer
5.	el dentista de tu comunidad	___ saber	✔ conocer
6.	cuándo es el examen final	✔ saber	___ conocer

B. Your school recently hired a new principal. Circle the verb that best completes each statement or question about his qualifications.

Modelo	¿(Sabes /**Conoces**) la Universidad de Puerto Rico?
1.	Él (**sabe**/ conoce) mucho del mundo de negocios.
2.	También (sabe /**conoce**) a muchos miembros de nuestra comunidad.
3.	Mis padres lo (saben /**conocen**) bien nuestra ciudad.
4.	Él (**conoce**/ sabe) bien nuestra ciudad.
5.	Él (conoce /**sabe**) trabajar con los estudiantes y los maestros.

Sheet 2

Realidades 3

Capítulo 6

Nombre

Fecha

Hora

AVSR, Sheet 2

C. Complete each sentence with **conozco** or **sé**. Your sentences can be affirmative or negative, based on your own experiences. Follow the model.

Modelo	__Conozco_ (**No conozco**) bien a Jennifer López.
1.	**(No) Sé** ___ cuándo van a encontrar una cura contra el cáncer.
2.	**(No) Conozco** ___ a una mujer de negocios muy inteligente.
3.	**(No) Sé** ___ usar muchos programas en la computadora.
4.	**(No) Conozco** ___ Puerto Rico.

D. Complete the sentences below with the correct form of **saber** or **conocer** to discuss jobs and professionals in the community. Follow the model.

Modelo	Patricia, tú ___**conoces**___ al veterinario, el Sr. Hernández, ¿no?
1.	Sí, nosotros lo __**conocemos**__ (a él) muy bien.
2.	Nosotros no __**sabemos**__ cuál es el nombre del gerente de esa compañía.
3.	¿ __**Sabes**__ (tú) contar dinero tan rápidamente como ese cajero?
4.	¿ __**Conocen**__ (Uds.) un buen sitio Web para encontrar trabajos?
5.	Yo __**conozco**__ al secretario de ese grupo político.
6.	Esos mecánicos no __**saben**__ reparar los motores de los coches.

- In the preterite, **conocer** means "to meet someone for the first time."

  Mis padres conocieron al veterinario la semana pasada cuando mi gato se enfermó.

E. Create sentences with the preterite form of **conocer** about when various people met. Follow the model.

Modelo	Mi tío / conocer / al presidente / el año pasado.
	Mi tío conoció al presidente el año pasado.
1.	El dependiente / conocer / al dueño / hace dos años. *El dependiente conoció al dueño hace dos años.*
2.	Yo / conocer / a mi profesora de español / en septiembre *Yo conocí a mi profesora de español en septiembre.*
3.	Nosotros / conocer / a una actriz famosa / el verano pasado *Nosotros conocimos a una actriz famosa el verano pasado.*
4.	Mis amigos / conocer / al médico / el miércoles pasado *Mis amigos conocieron al médico el miércoles pasado.*

realidades.com
● Web Code: jed-0601

El *se* impersonal (p. 249)

- When speaking in English, we often say "they do (something)," "you do (something)," "one does (something)," or "people do (something)" to talk about people in general. In Spanish, you can also talk about people in an impersonal or indefinite sense. To do so, you use *se* + the Ud./él/ella or the Uds./ellos/ellas form of the verb.

    Se venden videos aquí.   *They sell videos here.*
    Se pone el aceite en la sartén.   *You put (One puts) oil in the frying pan.*

    In the sentences above, note that you don't know who performs the action. The word or words that come *after* the verb determine whether the verb is singular or plural.

A. First, underline the *impersonal se* expression in each sentence. Then, write the letter of the English translation that might be used for it from the list below. Follow the model.

A. They dance	C. They eat	E. They sell
B. One finds / You find	D. One talks / They talk	F. They celebrate

Modelo   En España <u>se cena</u> muy tarde.   **C**

1. En México <u>se celebran</u> muchos días festivos.   **F**
2. <u>Se encuentran</u> muchos animales en Costa Rica.   **B**
3. En Colombia <u>se habla</u> mucho de los problemas políticos.   **D**
4. <u>Se baila</u> el tango en Argentina.   **A**
5. En Perú <u>se venden</u> muchas artesanías indígenas.   **E**

B. Choose the correct verb to complete each description of services offered at the local community center. Follow the model.

Modelo   Se (**(habla)**/ hablan) español.

1. Se (vende /**(venden)**) refrescos.
2. Se (**(ofrece)**/ ofrecen) información.
3. Se (mejora /**(mejoran)**) las vidas.
4. Se (**(sirve)**/ sirven) café.
5. Se (toma /**(toman)**) clases de arte.
6. Se (construye /**(construyen)**) casas para la gente sin hogar.

C. Combine the verbs and objects given to create sentences using *se*. Follow the model.

Modelo   reparar / televisores 3D   *Se reparan televisores 3D.*

1. beber / agua   **Se bebe agua.**
2. eliminar / contaminantes   **Se eliminan contaminantes.**
3. vender / ropa   **Se vende ropa.**
4. servir / comida   **Se sirve comida.**
5. sembrar / plantas   **Se siembran plantas.**
6. leer / poemas   **Se leen poemas.**

- When the word following the conjugated verb in an *impersonal se* expression is an infinitive, the verb form is singular.

    Se necesita encontrar un apartamento.   *One needs to find an apartment.*

D. Use the *impersonal se* with the two verbs given to create sentences. Use the singular form of the first verb and the infinitive of the second verb. Follow the model.

Modelo   (necesitar / proteger) la naturaleza
    Se necesita proteger la naturaleza.

1. (poder / beneficiar) del aire fresco   **Se puede beneficiar del aire fresco.**
2. (deber / eliminar) el estrés   **Se debe eliminar el estrés.**
3. (acabar de / terminar) la página web   **Se acaba de terminar la página web.**
4. (no necesitar / construir) la casa   **No se necesita construir la casa.**
5. (poder / cambiar) la vida   **Se puede cambiar la vida.**

realidades.com
• Web Code: jed-0601

Write the Spanish vocabulary word below each picture. If there is a word or phrase, copy it in the space provided. Be sure to include the article for each noun.

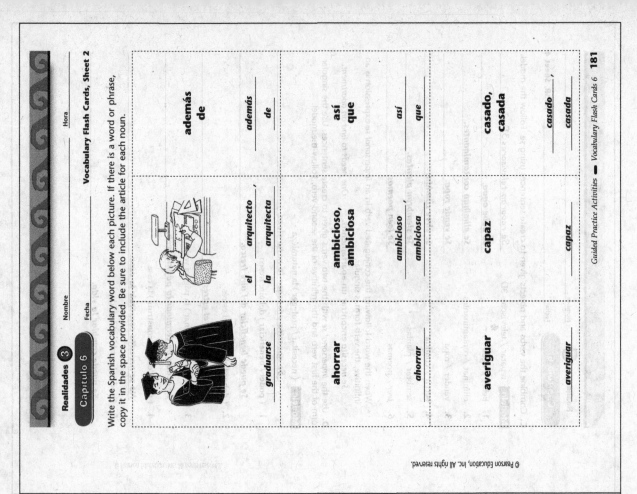

el _____ arquitecto _____ ,

la _____ arquitecta _____

graduarse _____

ademÃ¡s de

ademÃ¡s _____ de _____

ambicioso, ambiciosa

ambicioso _____ ,

ambiciosa _____

ahorrar

ahorrar _____

asÃ que

asÃ _____ que _____

capaz

capaz _____

averiguar

averiguar _____

casado, casada

casado _____ ,

casada _____

Write the Spanish vocabulary word below each picture. Be sure to include the article for each noun.

el _____ cientÃfico _____ ,

la _____ cientÃfica _____

el _____ banquero _____ ,

la _____ banquera _____

el _____ abogado _____ ,

la _____ abogada _____

el _____ hombre _____

de _____ negocios _____

el _____ diseÃ±ador _____ ,

la _____ diseÃ±adora _____

el _____ cocinero _____ ,

la _____ cocinera _____

el _____ peluquero _____ ,

la _____ peluquera _____

el _____ redactor _____ ,

la _____ redactora _____

el _____ juez _____ ,

la _____ jueza _____

Copy the word or phrase in the space provided. Be sure to include the article for each noun.

hacerse	haré lo que me dé la gana	el ingeniero, la ingeniera
_____ hacerse	_____ haré _____ lo _____ que _____ me _____ dé _____ la _____ gana	_____ el _____ ingeniero , _____ la _____ ingeniera
el jefe, la jefa	lograr	maduro, madura
el _____ jefe , la _____ jefa	_____ lograr	_____ maduro , _____ madura
mudarse	la mujer de negocios	por lo tanto
_____ mudarse	la _____ mujer de _____ negocios	_____ por _____ lo _____ tanto

---

Copy the word or phrase in the space provided. Be sure to include the article for each noun.

el contador, la contadora	cuidadoso, cuidadosa	dedicarse a
el _____ contador , la _____ contadora	_____ cuidadoso , _____ cuidadosa	_____ dedicarse _____ a
desempeñar un cargo	diseñar	eficiente
_____ desempeñar _____ un _____ cargo	_____ diseñar	_____ eficiente
emprendedor, emprendedora	la empresa	las finanzas
_____ emprendedor , _____ emprendedora	_____ la _____ empresa	_____ las _____ finanzas

Tear out this page. Write the English words on the lines. Fold the paper along the dotted line to see the correct answers so you can check your work.

ahorrar	*to save*
el banquero, la banquera	*banker*
capaz	*able*
casado, casada	*married*
el científico, la científica	*scientist*
el cocinero, la cocinera	*cook*
el contador, la contadora	*accountant*
cuidadoso, cuidadosa	*careful*
dedicarse a	*to dedicate oneself to*
desempeñar un cargo	*to hold a position*
el diseñador, la diseñadora	*designer*
diseñar	*to design*
emprendedor, emprendedora	*enterprising*
la empresa	*business*
las finanzas	*finance*

Fold In ↓

Copy the word or phrase in the space provided. Be sure to include the article for each noun. The blank cards can be used to write and practice other Spanish vocabulary for the chapter.

el programador, la programadora

el ___ programador ___ ,
la ___ programadora ___

próximo, próxima

próximo ___ ,
próxima ___

seguir una carrera

seguir ___ una
carrera ___

soltero, soltera

soltero ___ ,
soltera ___

tomar decisiones

tomar ___
decisiones ___

traducir

traducir ___

el traductor, la traductora

el ___ traductor ___ ,
la ___ traductora ___

Realidades 3

Capítulo 6

Nombre _____

Hora _____

Fecha _____

Vocabulary Check, Sheet 3

Tear out this page. Write the English words on the lines. Fold the paper along the dotted line to see the correct answers so you can check your work.

graduarse (u→u)	_to graduate_
hacerse	_to become_
el hombre de negocios, la mujer de negocios	_businessman, businesswoman_
el ingeniero, la ingeniera	_engineer_
el jefe, la jefa	_boss_
el juez, la jueza	_judge_
lograr	_to achieve, to manage to_
maduro, madura	_mature_
mudarse	_to move to_
el peluquero, la peluquera	_hairstylist_
el programador, la programadora	_programmer_
el redactor, la redactora	_editor_
seguir una carrera	_to pursue a career_
soltero, soltera	_single_
el traductor, la traductora	_translator_
traducir (zc)	_to translate_

- Fold In ↓

Realidades 3

Capítulo 6

Nombre _____

Hora _____

Fecha _____

Vocabulary Check, Sheet 2

Tear out this page. Write the Spanish words on the lines. Fold the paper along the dotted line to see the correct answers so you can check your work.

to save	_ahorrar_
banker	_el banquero, la banquera_
able	_capaz_
married	_casado, casada_
scientist	_el científico, la científica_
cook	_el cocinero, la cocinera_
accountant	_el contador, la contadora_
careful	_cuidadoso, cuidadosa_
to dedicate oneself to	_dedicarse a_
to hold a position	_desempeñar un cargo_
designer	_el diseñador, la diseñadora_
to design	_diseñar_
enterprising	_emprendedor, emprendedora_
business	_la empresa_
finance	_las finanzas_

- Fold In ↓

Tear out this page. Write the Spanish words on the lines. Fold the paper along the dotted line to see the correct answers so you can check your work.

to graduate	*graduarse (u→ú)*
to become	*hacerse*
businessman, businesswoman	*el hombre de negocios,* *la mujer de negocios*
engineer	*el ingeniero,* *la ingeniera*
boss	*el jefe, la jefa*
judge	*el juez, la jueza*
to achieve, to manage to	*lograr*
mature	*maduro, madura*
to move to	*mudarse*
hairstylist	*el peluquero,* *la peluquera*
programmer	*el programador,* *la programadora*
editor	*el redactor, la redactora*
to pursue a career	*seguir una carrera*
single	*soltero, soltera*
translator	*el traductor,* *la traductora*
to translate	*traducir (zc)*

- Fold In ↓

realidades.com
• Web Code: jed-0602

El futuro (p. 260)

- You already know at least two ways to express the future in Spanish: by using the present tense or by using **ir + a** + *infinitive*:

  Mañana tengo una entrevista.   *I have an interview tomorrow.*
  Vamos a traducir el documento.   *We are going to translate the document.*

- The future can also be expressed in Spanish by using the *future tense*. The endings for the future tense are the same for regular **-ar**, **-er**, and **-ir** verbs. For regular verbs, the endings are attached to the infinitive. See two examples below:

estudiar		repetir	
estudiaré	estudiaremos	repetiré	repetiremos
estudiarás	estudiaréis	repetirás	repetiréis
estudiará	estudiarán	repetirá	repetirán

A. Read each of the following statements and decide if it describes something that took place in the past, or something that will take place in the future. Mark your answer. Follow the model.

Modelo	Montaba en triciclo.	✓ en el pasado	___ en el futuro
1.	Manejaremos coches eléctricos.	___ en el pasado	✓ en el futuro
2.	Nadábamos en la piscina.	✓ en el pasado	___ en el futuro
3.	Todos viajarán a otros planetas.	___ en el pasado	✓ en el futuro
4.	Los teléfonos no existían.	✓ en el pasado	___ en el futuro
5.	Las enfermedades serán eliminadas.	___ en el pasado	✓ en el futuro

B. Choose the correct verb form to complete each prediction about what will happen in the year 2025. Follow the model.

Modelo Los estudiantes (usarán **usará**) computadoras todos los días.

1. Yo (será **seré**) banquero.
2. Mi mejor amigo y yo (vivirá **viviremos**) en la Luna.
3. Mi profesor/a de español (**conseguirá** conseguirás) un puesto como director/a.
4. Mis padres (estarás **estarán**) jubilados.
5. Tú (**hablarás** hablarán) con los extraterrestres.
6. Nosotros (**disfrutaremos** disfrutarán) mucho.

realidades.com
• Web Code: jed-0603

El futuro (continued)

F. Write sentences based upon the pictures. Use the information in parentheses in your sentences, including the future tense of the infinitives.

Modelo   (Rafael / ser / _____ / algún día)

Rafael será diseñador algún día.

1. (Eugenio / estudiar para ser / _____)

Eugenio estudiará para ser programador (de computadoras).

2. (en nuestra comunidad / haber muchos / _____)

En nuestra comunidad habrá muchos banqueros.

3. (yo / trabajar como / _____)

Yo trabajaré como abogado(a).

4. (nosotros / conocer a / _____ / muy capaz)

Nosotros conoceremos a una arquitecta muy capaz.

5. (el autor / querer trabajar con / _____ / bueno)

El autor querrá trabajar con un redactor bueno.

6. (tú / hacerse / _____)

Tú te harás cocinero(a).

realidades.com
• Web Code: jed-0603

C. Complete each sentence with the correct form of the future tense of the verb given. Follow the model. ¡Recuerda! All forms except **nosotros** have an accent mark.

Modelo Nosotros _**trabajaremos**_ en una oficina. (trabajar)

1. Lidia _**será**_ una madre estupenda. (ser)

2. Mi familia _**se mudará**_ a una ciudad más grande. (mudarse)

3. Yo _**desempeñaré**_ un cargo de contadora. (desempeñar)

4. Nosotros _**ahorraremos**_ mucho dinero en el banco. (ahorrar)

5. Tú _**seguirás**_ una carrera muy interesante. (seguir)

• Some verbs have irregular stems in the future tense. You will use these stems instead of the full infinitive. Note that the irregular verbs have the same future endings as regular verbs. Look at the list of irregular stems below.

tener: **tendr-**	decir: **dir-**	
salir: **saldr-**	poder: **podr-**	**-é, -ás, -á, -émos, -éis, -án**
venir: **vendr-**	haber: **habr-**	
poner: **pondr-**	hacer: **har-**	
saber: **sabr-**	querer: **querr-**	

D. Write the irregular future tense verbs for each subject and infinitive.

Modelo nosotros (salir) _**saldremos**_

1. yo (poder) _**podré**_

2. ellas (querer) _**querrán**_

3. él (hacer) _**hará**_

4. tú (tener) _**tendrás**_

5. Uds. (decir) _**dirán**_

6. yo (saber) _**sabré**_

7. nosotras (poner) _**pondremos**_

8. ella (venir) _**vendrá**_

E. Complete each sentence about your hopes for the future using the future tense of the irregular verbs in parentheses.

Modelo Mis padres _**podrán**_ mandarme a una universidad famosa. (poder)

1. Mis amigos _**sabrán**_ mucho sobre tecnología. (saber)

2. Mi esposo y yo _**tendremos**_ una casa grande. (tener)

3. _**Habrá**_ un robot que limpie toda la casa. (haber)

4. Mis colegas y yo _**saldremos**_ de la oficina temprano los viernes. (salir)

5. Mi jefa _**dirá**_ que yo soy más capaz que los otros. (decir)

realidades.com
• Web Code: jed-0603

El futuro de probabilidad (p. 263)

• You can use the future tense in Spanish to express uncertainty or probability about the present.

Some equivalent expressions in English are *I wonder*, *it's probably*, and *it must be*.

¿**Hará frío hoy?**   *I wonder if it's cold today.*

Mis guantes y mi chaqueta estarán en el armario.
My gloves and jacket must be in the closet.

A. A person is very disoriented. Underline the phrases in their sentences that use the future of probability. Then find the best way of expressing this phrase in English in the word bank. Write the letter of the English phrase.

> **A.** I wonder what time it is. / What time must it be?
> **B.** I wonder where my parents are. / Where might my parents be?
> **C.** I wonder why there are so many people here.
> **D.** I wonder what today's date is. / What must today's date be?
> **E.** I wonder who he is. / Who could he be?
> **F.** I wonder what my brothers are doing.

1. ¿Qué harán mis hermanos?   **F**   4. ¿Cuál será la fecha de hoy?   **D**

2. ¿Qué hora será?   **A**   5. ¿Por qué habrá tantas personas aquí?   **C**

3. ¿Dónde estarán mis padres?   **B**   6. ¿Quién será él?   **E**

B. You are daydreaming during your Spanish class. Use the elements given and the future of probability to tell what you imagine your friends and family must be doing. Follow the model.

Modelo   Mi madre / estar / en su oficina   *Mi madre estará en su oficina.*

1. Mis amigos / jugar fútbol / en la clase de educación física

   Mis amigos jugarán fútbol en la clase de educación física.

2. Mi perro / dormir / en el sofá   *Mi perro dormirá en el sofá.*

3. Mis abuelos / dar una caminata / por el parque

   Mis abuelos darán una caminata por el parque.

4. ¿Qué / hacer / mi padre?   *¿Qué hará mi padre?*

5. Mi mejor amiga / dar / un examen difícil / en la clase de matemáticas

   Mi mejor amiga dará un examen difícil en la clase de matemáticas.

realidades.com
• Web Code: jed-0604

Write the Spanish vocabulary word below each picture. If there is a word or phrase, copy it in the space provided. Be sure to include the article for each noun.

los _____
genes

la _____
realidad
virtual

los _____
aparatos

la _____
fábrica

la _____
vivienda

aumentar _____

el _____
avance

el _____
campo

como si _____
fuera

el _____
avance

el _____
campo

como ____ si
fuera

Copy the word or phrase in the space provided. Be sure to include the article for each noun.

enterarse	la estrategia	la fuente de energía
enterarse	*la estrategia*	*la* *fuente* *de* *energía*

la genética	la hospitalidad	la industria
la genética	*la hospitalidad*	*la industria*

la informática	inventar	el invento
la informática	*inventar*	*el invento*

Copy the word or phrase in the space provided. Be sure to include the article for each noun.

comunicarse	contaminar	curar
comunicarse	*contaminar*	*curar*

de hoy en adelante	la demanda	desaparecer
de *hoy* *en* *adelante*	*la demanda*	*desaparecer*

el desarrollo	descubrir	la enfermedad
el desarrollo	*descubrir*	*la enfermedad*

Realidades 3

Capítulo 6

Nombre _____

Hora _____

Fecha _____

Vocabulary Check, Sheet 5

Tear out this page. Write the English words on the lines. Fold the paper along the dotted line to see the correct answers so you can check your work.

el aparato	*gadget*
aumentar	*to increase*
el avance	*advance*
averiguar	*to find out*
el campo	*field*
comunicarse	*to communicate*
curar	*to cure*
desaparecer	*to disappear*
el desarrollo	*development*
descubrir	*to discover*
enterarse	*to find out*
la estrategia	*strategy*
la fábrica	*factory*
la fuente de energía	*energy source*
el gen (pl. los genes)	*gene (genes)*
la genética	*genetics*
la hospitalidad	*hospitality*
la industria	*industry*

Fold In ↓

Realidades 3

Capítulo 6

Nombre _____

Hora _____

Fecha _____

Vocabulary Flash Cards, Sheet 9

Copy the word or phrase in the space provided. Be sure to include the article for each noun.

la máquina _la_ _máquina_	la mayoría _la_ _mayoría_	los medios de comunicación _los_ _medios_ _de comunicación_
el mercado _el_ _mercado_	el ocio _el_ _ocio_	predecir _predecir_
el producto _el_ _producto_	prolongar _prolongar_	reducir _reducir_

Nombre _____ Hora _____

Fecha _____ **Vocabulary Check, Sheet 6**

Tear out this page. Write the Spanish words on the lines. Fold the paper along the dotted line to see the correct answers so you can check your work.

gadget	*el aparato*
to increase	*aumentar*
advance	*el avance*
to find out (inquire)	*averiguar*
field	*el campo*
to communicate	*comunicarse*
to cure	*curar*
to disappear	*desaparecer*
development	*el desarrollo*
to discover	*descubrir*
to find out	*enterarse*
strategy	*la estrategia*
factory	*la fábrica*
energy source	*la fuente de energía*
gene (genes)	*el gen (pl. los genes)*
genetics	*la genética*
hospitality	*la hospitalidad*
industry	*la industria*

Fold In →

Nombre _____ Hora _____

Fecha _____ **Vocabulary Check, Sheet 7**

Tear out this page. Write the English words on the lines. Fold the paper along the dotted line to see the correct answers so you can check your work.

la informática	*information technology*
el invento	*invention*
la máquina	*machine*
la mayoría	*the majority*
los medios de comunicación	*media*
el mercadeo	*marketing*
el ocio	*free time*
predecir	*to predict*
prolongar	*to prolong, to extend*
la realidad virtual	*virtual reality*
reducir (zc)	*to reduce*
reemplazar	*to replace*
el servicio	*service*
tener en cuenta	*to take into account*
vía satélite	*via satellite*
la vivienda	*housing*

Fold In ↓

Sheet 8 — Vocabulary Check

Tear out this page. Write the Spanish words on the lines. Fold the paper along the dotted line to see the correct answers so you can check your work.

information technology	**la informática**
invention	**el invento**
machine	**la máquina**
the majority	**la mayoría**
media	**los medios de comunicación**
marketing	**el mercadeo**
free time	**el ocio**
to predict	**predecir**
to prolong, to extend	**prolongar**
virtual reality	**la realidad virtual**
to reduce	**reducir (zc)**
to replace	**reemplazar**
service	**el servicio**
to take into account	**tener en cuenta**
via satellite	**vía satélite**
housing	**la vivienda**

Fold In →

realidades.com
• Web Code: jed-0606

Sheet 5 — El futuro perfecto

El futuro perfecto (p. 273)

• The future perfect tense is used to talk about what *will have happened* by a certain time. You form the future perfect by using the future of the verb **haber** with the past participle of another verb. Below is the future perfect of the verb **ayudar**.

ayudar	
habré ayudado	habremos ayudado
habrás ayudado	habréis ayudado
habrá ayudado	habrán ayudado

• The future perfect is often used with the word **para** to say "by (a certain time)" and with the expression **dentro de** to say "within (a certain time)".

Para el año 2050 habremos reducido la contaminación del aire.
By the year 2050, we will have reduced air pollution.

Los médicos habrán eliminado muchas enfermedades dentro de 20 años.
Doctors will have eliminated many illnesses within 20 years.

A. Read each statement and decide if it will happen in the future (future tense), or if it will have happened by a certain point of time in the future (future perfect). Check the appropriate column.

Modelo Cada estudiante habrá comprado un teléfono celular para el año 2016. ___ futuro ✓ futuro perfecto

1. Los estadounidenses trabajarán menos horas. ✓ futuro ___ futuro perfecto

2. Todas las escuelas habrán comprado una computadora para cada estudiante. ___ futuro ✓ futuro perfecto

3. Los coches volarán. ✓ futuro ___ futuro perfecto

4. Alguien habrá inventado un robot que maneje el carro. ___ futuro ✓ futuro perfecto

B. Circle the correct form of the verb **haber** to complete each sentence.

Modelo Los médicos (habrá (habrán)) descubierto muchas medicinas nuevas antes del fin del siglo.

1. Nosotros (habrán (habremos)) conseguido un trabajo fantástico dentro de diez años.

2. Los científicos (habrás (habrán)) inventado muchas máquinas nuevas dentro de cinco años.

3. Tú (habrá (habrás)) aprendido a usar la energía solar antes del fin del siglo.

4. Yo ((habré) habrá) traducido unos documentos antes de graduarme.

realidades.com
• Web Code: jed-0607

Uso de los complementos directos e indirectos (p. 275)

• Review the list of direct and indirect object pronouns. You may remember them from Chapter 3 in your textbook.

Direct Object Pronouns	
me	nos
te	os
lo / la	los / las

Indirect Object Pronouns	
me	nos
te	os
le	les

• You can use a direct and an indirect object pronoun together in the same sentence. When you do so, place the indirect object pronoun before the direct object pronoun.

La profesora me dio un examen. **Me lo dio el martes pasado.**
The teacher gave me an exam. She gave it to me last Tuesday.

A. Marcos was very busy yesterday. Complete each sentence with the correct direct object pronoun: **lo, la, los, las.** Follow the model.

Modelo Marcos compró un libro de cocina española ayer. _Lo_ compró en la Librería Central.

1. Preparó una paella deliciosa. _La_ preparó en la cocina de su abuela.
2. Encontró unas flores en el jardín y _las_ trajo para poner en el centro de la mesa.
3. Decidió comprar unos tomates. _Los_ compró para preparar una ensalada.
4. Encontró una botella de vino y _la_ abrió.
5. Marcos terminó de cocinar el pan y _lo_ sirvió.

B. Read the sentences again in exercise A and look at the direct object pronouns you wrote. Then, based on the cue in parentheses, add the indirect object pronoun **me, te,** or **nos** to create new sentences telling whom Marcos did these things for. Write both pronouns in the sentence. Follow the model.

Modelo (para ti) _Te_ _lo_ compró en la Librería Central.

1. (para nosotros) _Nos_ _la_ preparó en la cocina de su abuela.
2. (para mí) _Me_ _las_ trajo para poner en el centro de la mesa.
3. (para ti) _Te_ _los_ compró para preparar una ensalada.
4. (para mí) _Me_ _la_ abrió.
5. (para nosotros) _Nos_ _lo_ sirvió.

realidades.com • Web Code: jed-0608

C. Complete each sentence with the future perfect of the verb in parentheses. ¡Cuidado! Some verbs have irregular past participles. Refer to page 79 in your textbook for the list of irregular forms.

Modelo (decir) La presidente _habrá_ _dicho_ que es necesario usar otras fuentes de energía.

1. (poner) Yo _habré_ _puesto_ agua en mi coche en vez de gasolina.
2. (reemplazar) Los robots _habrán_ _reemplazado_ a muchos trabajadores humanos dentro de 100 años.
3. (empezar) Nosotros _habremos_ _empezado_ a usar muchas fuentes de energía dentro de poco tiempo.
4. (curar) Los médicos _habrán_ _curado_ muchas enfermedades graves para el año 2025.
5. (volver) Tú _habrás_ _vuelto_ de un viaje a Marte con una novia extraterrestre.
6. (descubrir) Alguien _habrá_ _descubierto_ una cura para el resfriado.

• The future perfect tense is also used to speculate about something that may have happened in the past.

Mis amigos no están aquí. ¿Adónde habrán ido?
My friends are not here. I wonder where they might have gone.

D. Your Spanish teacher is not at school today. You and other students are discussing what may have happened to her. Write complete sentences below with the future perfect tense. Follow the model.

Modelo ir a una conferencia Habrá ido a una conferencia.

1. visitar a un amigo en otra ciudad _Habrá visitado a un amigo en otra ciudad._
2. enfermarse _Se habrá enfermado._
3. salir para una reunión importante _Habrá salido para una reunión importante._
4. hacer un viaje a España _Habrá hecho un viaje a España._

realidades.com • Web Code: jed-0607

Puente a la cultura (pp. 278–279)

A. This reading is about the buildings of the future. Write three characteristics that you would expect the buildings of the future to have. Look at the photos in the reading to help you think of ideas. One example has been done for you.

buildings will use more technology

Possible answers include: buildings will be large, tall, use stronger materials, be longer-lasting

B. Look at the excerpt from the reading in your textbook. Try to figure out what the highlighted phrase means by using the context of the reading. Answer the questions below.

«Cada vez habrá más edificios "inteligentes", en otras palabras, edificios en los que una computadora central controla todos los aparatos y servicios para aprovechar (utilize) mejor la energía eléctrica.»

1. What does the phrase edificios "inteligentes" mean in English?

   intelligent buildings

2. What does this phrase mean in the context of this reading?

   a. usarán más ladrillo   b. serán más altos   c. usarán mejor tecnología

C. Use the following table to help you keep track of the architects and one important characteristic of each of the buildings mentioned in the reading. The first one has been done for you.

Edificio	Arquitecto	Característica importante
1. las Torres Petronas	César Pelli	los edificios más altos del mundo
		Possible answers:
2. el Faro de Comercio	Luis Barragán;	líneas simples y modernas (colores, texturas y materiales que recuerdan la cultura popular mexicana; colores de la naturaleza)
3. el Hotel Camino Real	Ricardo Legorreta	diseños geométricos (combinación de espacio y color; uso funcional y decorativo de la luz)
4. el Milwaukee Art Museum	Santiago Calatrava	combina elementos de arte y arquitectura

realidades.com • Web Code: jed-0610

• In sentences with two object pronouns, sometimes the pronouns **le** and **les** have to be changed. If the **le** or **les** comes before the direct object pronoun **lo, la, los,** or **las,** the **le** or **les** must change to **se.**

   Le compré unas flores a mi madre. Se las di esta mañana.
   I bought flowers for my mother. I gave them to her this morning.

• You often add the personal **a** + a pronoun, noun, or person's name to make it more clear who the **se** refers to.

   Mi tía Gloria le trajo regalos a Lupita. Se los dio a ella después de la fiesta.
   My aunt Gloria brought gifts for Lupita. She gave them to her after the party.

C. Read the first sentence in each pair and underline the direct object. Then, circle the correct combination of indirect and direct object pronouns to complete the second sentence. Follow the model.

Modelo: Patricia le comprará un anillo a su hermana. (**Se lo** / Se la) comprará en Madrid.

1. El Sr. Gómez les escribirá unas cartas de recomendación a sus estudiantes. (Se lo / **Se las**) escribirá el próximo fin de semana.

2. Nosotros le enviaremos regalos a nuestra prima. (**Se los** / Se las) enviaremos muy pronto.

3. Yo les daré unas tareas a mis maestros. (Se la / **Se las**) daré en la próxima clase.

4. ¿Tú le prepararás un pastel a tu papá? ¿(Se la / **Se lo**) prepararás para su cumpleaños?

5. Le pagaremos dinero a la contadora. (Se la / **Se lo**) pagaremos por su dedicación en el trabajo.

D. Complete each rewritten sentence using both indirect and direct object pronouns. Follow the model.

Modelo: La profesora les leyó un cuento muy cómico a los estudiantes. La profesora **se** **lo** leyó.

1. Mis padres le dieron unos regalos a mi profesora. Mis padres **se** **los** dieron.

2. Yo te compré unas camisetas nuevas. Yo **te** **las** compré.

3. Nuestra directora nos explicó las reglas de la escuela. **Nos** **las** explicó.

4. El científico les enseñó una técnica a sus asistentes. Él **se** **la** enseñó.

5. Mi profesora me escribió unos comentarios. Ella **me** **los** escribió.

realidades.com • Web Code: jed-0608

Realidades 3

Capítulo 6

Nombre

Hora

Fecha

Reading Activities, Sheet 3

D. Decide whether the following statements are true or false about what happens in the story. Write **C** for **cierto** or **F** for **falso**. Then, correct the false statements to make them true.

1. __C__ Rosa está nerviosa porque tiene que ir a un lugar desconocido.

2. __F__ Las amigas de Rosa se llaman Marta y Pancha.

Las amigas de Rosa se llaman Betty y Carmen.

3. __F__ Rosa ha trabajado en su compañía por treinta años.

Rosa ha trabajado en la compañía por cuarenta y tres años.

4. __C__ Rosa ha sido una buena trabajadora.

5. __C__ Las amigas piensan que Rosa recibirá un mejor trabajo.

6. __F__ Cinco robots vienen a sacar a Rosa de su trabajo.

Cuatro hombres vienen a sacar a Rosa de su trabajo.

7. __F__ Rosa recibe un buen trabajo nuevo al final del cuento.

Llevan a Rosa a la Cámara de Aniquilación.

E. This story has a surprise ending. Finish the following sentence by circling the correct answers to explain what the "twist" ending reveals.

Rosa no es un ser humano. Ella es (una computadora / un animal) y los hombres del cuento van a (darle un premio /destruirla) porque en el futuro (los seres humanos/ las máquinas) controlarán el mundo.

Realidades 3

Capítulo 6

Nombre

Hora

Fecha

Reading Activities, Sheet 2

Lectura (pp. 284–286)

A. You will encounter many words in this reading that you do not know. Sometimes these words are cognates, which you can get after reading them alone. Look at the following cognates from the reading and write the corresponding English word.

1. superiores ___superior(s)___ 4. ambiciones ___ambition(s)___

2. la indignación ___indignation___ 5. una trayectoria ___trajectory___

3. contemplado ___contemplated___ 6. entusiasmo ___enthusiasm___

B. This story contains a great deal of dialogue, but quotation marks are not used. Instead, Spanish uses another type of mark, **la raya** (—), to indicate direct dialogue. In the following paragraph, underline the section of text that is dialogue. Look for verbs such as **dijo** and **expresó** to help you determine where dialogue appears.

1. —¡Hoy es el día! —el tono de Rosa expresó cierta zozobra, la sensación de una derrota ineludible.

¿Por qué habrán decidido eso?

2. —A cualquiera le gustaría estar allí —dijo Rosa sin énfasis—. Pero creo que ya soy demasiado vieja.

C. Look at the following excerpts from page 285 of your reading. Circle the best translation for each by deciding whether it expresses a definite future action or a probability. Also use context clues to help you with meaning.

1. —Por eso querrán trasladarte. Necesitarán tus servicios en otra parte. Quizá te lleven al Centro Nacional de Comunicaciones.

a. That is why they will want to move you. They will need your services somewhere else. Perhaps they will bring you to the National Center for Communications.

(b.) That must be why they want to move you. They probably need your services somewhere else. They might bring you to the National Center for Communications.

2. —Siempre serás un ejemplo para nosotras, Rosa.
—Nadie será capaz de reemplazarte. Estamos seguras.

(a.) You will always be an example for us, Rosa. No one will be able to replace you. We are sure.

b. You most likely will always be an example for us, Rosa. No one may be able to replace you. We are sure.

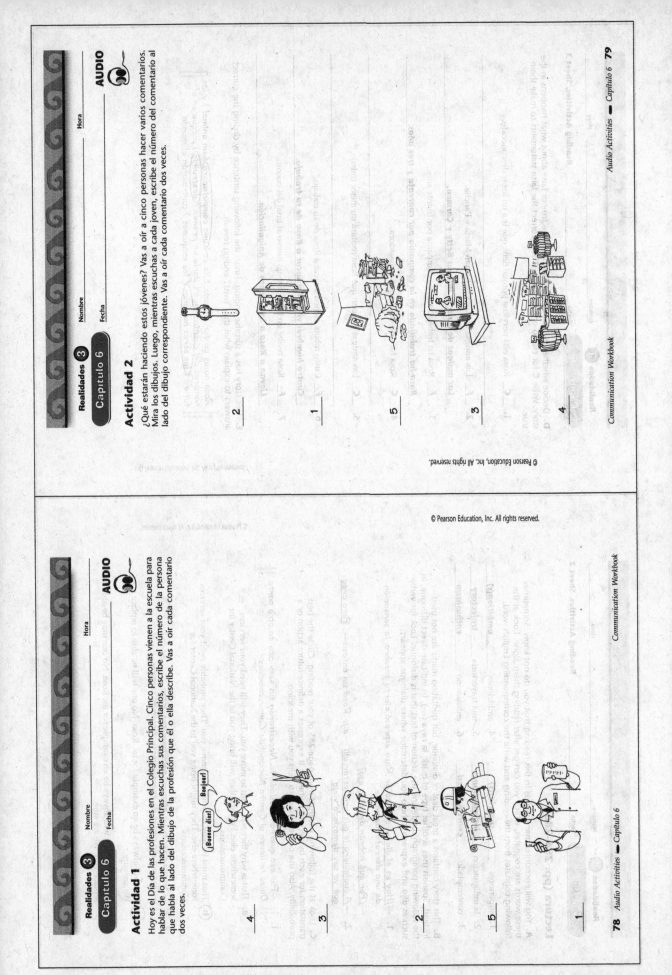

Page (right/top side):

Realidades 3

Capítulo 6

Nombre _____

Fecha _____

Hora _____

AUDIO

Actividad 2

¿Qué estarán haciendo estos jóvenes? Vas a oír a cinco personas hacer varios comentarios. Mira los dibujos. Luego, mientras escuchas a cada joven, escribe el número del comentario al lado del dibujo correspondiente. Vas a oír cada comentario dos veces.

2

1

5

3

4

Realidades 3

Capítulo 6

Nombre _____

Fecha _____

Hora _____

AUDIO

Actividad 1

Hoy es el Día de las profesiones en el Colegio Principal. Cinco personas vienen a la escuela para hablar de lo que hacen. Mientras escuchas sus comentarios, escribe el número de la persona que habla al lado del dibujo de la profesión que él o ella describe. Vas a oír cada comentario dos veces.

4

3

2

5

1

Nombre _____ Hora _____

Fecha _____

AUDIO

Actividad 4

Vas a oír a seis personas que hacen predicciones sobre el futuro. Mira los dibujos. Luego, mientras escuchas los comentarios, escribe el número de cada predicción al lado del dibujo correspondiente. Vas a oír cada predicción dos veces.

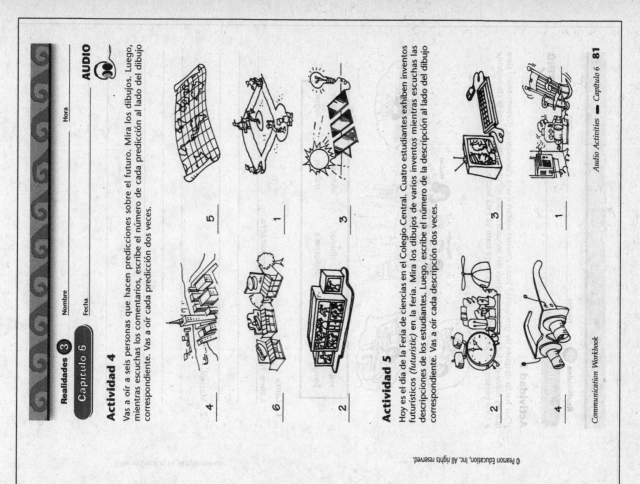

Actividad 5

Hoy es el día de la Feria de ciencias en el Colegio Central. Cuatro estudiantes exhiben inventos futurísticos (*futuristic*) en la feria. Mira los dibujos de varios inventos mientras escuchas las descripciones de los estudiantes. Luego, escribe el número de la descripción al lado del dibujo correspondiente. Vas a oír cada descripción dos veces.

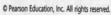

Nombre _____ Hora _____

Fecha _____

AUDIO

Actividad 3

Estás visitando una exposición sobre el futuro. Primero, mira el dibujo de la exposición. Luego, vas a escuchar parte de cuatro presentaciones sobre diferentes áreas de la exposición. Mientras escuchas, escribe el número de la presentación en el área del dibujo que mejor corresponde. Vas a oír las presentaciones dos veces.

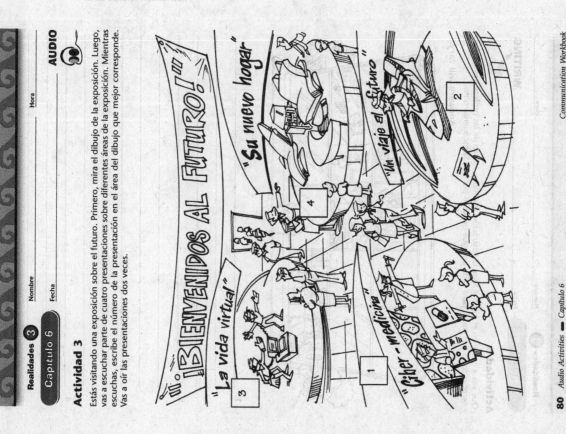

Capítulo 6 — *Communication Workbook: WAVA Answers* **113**

Actividad 7

¿Qué harán después de graduarse? Estos jóvenes visitan a una clarividente (*fortune-teller*) para que les hable del futuro. Usa los verbos del recuadro para escribir lo que le dirá la clarividente a cada persona, según el dibujo. La primera frase ya está hecha. **Answers will vary.**

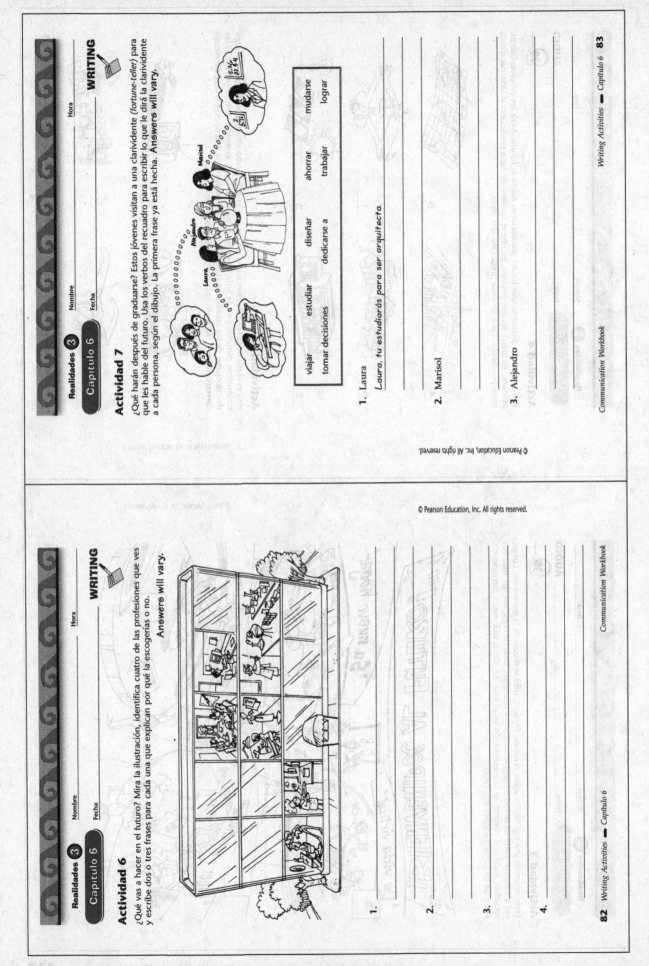

viajar	estudiar	diseñar	ahorrar	mudarse
tomar decisiones	dedicarse a	trabajar	lograr

1. Laura

Laura, tú estudiarás para ser arquitecta.

_____

2. Marisol

_____

_____

3. Alejandro

_____

_____

Actividad 6

¿Qué vas a hacer en el futuro? Mira la ilustración, identifica cuatro de las profesiones que ves y escribe dos o tres frases para cada una que explican por qué la escogerías o no. **Answers will vary.**

1. _____

2. _____

3. _____

4. _____

Actividad 8

Mira las ilustraciones. ¿Cómo será cada persona? ¿Qué hará? Escribe tres frases sobre cada una describiendo lo que tú crees que hará. **Answers will vary.**

Modelo

Beto Perdomo será trabajador. Le gustarán los libros de ciencias. Trabajará en un laboratorio.

Beto Perdomo

Antonio Blanco

1. _____

_____

_____

Lorena Nieto

2. _____

_____

_____

Pablo Correa

3. _____

_____

_____

Miguel Álvarez

4. _____

_____

_____

Communication Workbook

Actividad 9

¿Cuáles son tus planes profesionales?

A. Primero, contesta las siguientes preguntas. **Answers will vary.**

¿Qué harás después de graduarte?

_____

¿A qué profesión quieres dedicarte?

_____

¿Dónde trabajarás?

_____

¿Cómo será tu trabajo?

_____

B. Ahora, usa las respuestas e información adicional para escribir una entrada en tu diario que describa qué harás en el futuro.

Querido diario:

Answers will vary.

_____

_____

_____

_____

Tu amigo(a)

Communication Workbook

Actividad 10

Completa las frases y usa las palabras que faltan para llenar el siguiente crucigrama.

Horizontal

1. No podemos **predecir** lo que pasará mañana.
3. Los científicos estudian el **desarrollo** de fuentes de energía que no contaminen el medio ambiente.
5. En el futuro, los jóvenes jugarán a videojuegos de realidad **virtual**.
7. Es bueno tener pasatiempos para los tiempos de **ocio**.
8. El sol es una fuente de **energía** muy importante.
9. La **mayoría** de la gente se preocupa por el medio ambiente.
10. Uno de los problemas de hoy es la falta de **viviendas** para la gente sin hogar.
11. Cada día se inventan nuevos **aparatos** electrónicos.

Vertical

2. ¿Qué otros avances se van a **descubrir** en el futuro?
4. Vimos el partido por televisión vía **satélite**.
6. Me gustan mucho las computadoras y quiero estudiar la **informática**.
9. El **mercadeo** desarrolla estrategias para vender productos.

Actividad 11

Piensa en lo que tú y otras tres personas harán en el futuro. Puedes escoger amigos o miembros de tu familia. Escribe una lista de lo que les gusta hacer ahora. Luego escribe tres o cuatro frases sobre lo que habrán hecho en veinte años.   **Answers will vary.**

Modelo   Persona: *Mi primo Luis*
Le gustan las matemáticas. Le encantan los puentes. Dentro de veinte años, mi primo Luis ya se habrá graduado de la universidad como ingeniero. Habrá construido el puente más largo del mundo y habrá recibido muchos premios por eso.

1. Persona: _____

2. Persona: _____

3. Persona: _____

4. Persona: _____

Actividad 13

Eres escritor(a) para una revista de tecnología. Hoy tienes que escribir un artículo sobre tus predicciones para el año 2030.   **Answers will vary.**

A. Primero, contesta las siguientes preguntas.   **Answers will vary.**

1. ¿Qué usará la gente para comunicarse?

_____

2. ¿Qué fuentes de energía habrá?

_____

3. ¿Qué aparatos se descubrirán?

_____

4. ¿Qué avances habrá?

_____

5. ¿De qué servicios habrá más demanda?

_____

B. Ahora, usa tus respuestas para escribir tu artículo.

Answers will vary.

Actividad 12

Tu amigo y tú están hablando sobre el futuro y los avances tecnológicos. Usa las ilustraciones para escribir diálogos, usando los pronombres de objeto directo e indirecto.

Answers will vary.

Modelo

— ¿Me prestarás tu computadora mañana?
— Sí, te la prestaré. Después me la tendrás que devolver,
   o no te la volveré a prestar.

1. — ¿Le grabarás el programa de televisión por satélite al profesor?

_____

2. — ¿Le comprará Eva el libro de genética a su hermano?

_____

3. — ¿Le dará una medicina el doctor al enfermo?

_____

4. — ¿Nos leerá el futuro la clarividente?

_____

5. — ¿Te comprarás un juego de realidad virtual?

_____

Actividad 16

Según la información del video, elige la opción correcta para completar cada frase.

1. Al graduarse, los estudiantes pueden seguir estudiando o
   (a.) empezar una carrera.   b. viajar.

2. La tecnología ha creado nuevos
   a. estudios.   (b.) trabajos y medios de comunicación.

3. Alberto Cortez es
   a. un estudiante.   (b.) profesor de fotografía.

4. Cortez creó una galería virtual para
   a. vender sus fotos.   (b.) mostrar el trabajo de sus alumnos.

5. Los estudiantes de Cortez son
   (a.) talentosos y creativos.   b. muy tradicionales.

Y, ¿qué más?

Actividad 17   Answers will vary.

WRITING

1. ¿Te gusta la fotografía? ¿Y las computadoras? ¿Por qué?

2. ¿Qué carrera te gustaría estudiar en el futuro? ¿Por qué?

3. ¿Qué profesiones crees que va a haber en el futuro?

4. Describe cuál sería tu trabajo ideal.

Antes de ver el video

Actividad 14

Evalúa las siguientes opciones para después de tu graduación, diciendo si te interesaría **mucho, bastante, poco** o **nada. Answers will vary.**

1. Buscar trabajo _____

2. Estudiar una carrera tradicional _____

3. Estudiar una carrera relacionada con las nuevas tecnologías _____

4. Comenzar una familia _____

5. Descansar un año, y después ir a la universidad _____

¿Comprendes?

Actividad 15

Según lo que viste en el video, describe los dos elementos que Alberto Cortez combina en su trabajo.

Elemento 1

Lo viejo: la fotografía, la artesanía de cajas de madera

Elemento 2

Lo nuevo: la página web, el mercadeo

Test Preparation Answers

Reading Skills
p. 195   2. **D**
p. 196   2. **C**

Integrated Performance Assessment
p. 197
Answers will vary.

Practice Test: Viaje a la Luna
p. 199

1. B
2. H
3. C
4. H
5. Las respuestas variarán, pero asegúrese de que los estudiantes den razones por entrar o no.
6. Las descripciones variarán, pero deben incluir tanto emociones de los estudiantes como descripciones de lo que vieron en el viaje.

Capítulo 7: ¿Mito o realidad?

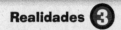
Chapter Project

Cartel de arte indígena

Overview:

You will create an illustrated poster to show a piece of indigenous art. Research art of an indigenous group you know from the United States or Latin America and choose one or more images to create an interesting visual composition. Posters should include a message or two and a title. You will present your poster to the class and describe what the art means, the indigenous group it belongs to, and why you chose those images.

Resources:

digital or print photos, image editing and page layout software, and/or pencil, crayons, paint of different colors, poster board, and construction paper

Sequence:

STEP 1. Review the instructions with your teacher.

STEP 2. Submit a sketch of your poster. Incorporate your teacher's suggestions into your sketch.

STEP 3. Do layouts setting space for the messages. Try different arrangements before drawing your images.

STEP 4. Submit a draft of the messages and a paragraph for the presentation.

STEP 5. Make a brief presentation of your poster to the class.

Assessment:

Your teacher will provide you with a rubric to assess this project.

Chapter 7 Project: Cartel de arte indígena

Project Assessment Rubric

RUBRIC	Score 1	Score 3	Score 5
Your evidence of planning	You provide no poster layout or written draft.	You provide a layout and written draft, but they are not corrected.	You show evidence of corrected draft and layout.
Your use of illustrations	You include no art images, or they are not indigenous art.	You include images but layout is not well organized.	Your poster is carefully done and images are consistent with text.
Your presentation	You include little of the required information.	You include most of the required information.	You include all the required information.

21st Century Skills Rubric: Technology Literacy

RUBRIC	Score 1	Score 3	Score 5
Research and review Web sites	Reviews and references up to two Web sites.	Reviews and references three or four Web sites.	Reviews and references at least five Web sites.
Record results of research	Creates a list of up to two artifacts and explains why they are important to indigenous group.	Creates a list of three or four artifacts and explains why they are important to indigenous group.	Creates a list of five or more artifacts and explains why they are important to indigenous group.
Integrate research into project	Does not include information from research in project.	Integrates some information from research in project.	Integrates a lot of information from research into project.

School-to-Home Connection

Dear Parent or Guardian,

This chapter is called *¿Mito o realidad?* (Myth or Reality?).

Upon completion of this chapter, your child will be able to:

- talk about archeological mysteries
- compare myths and legends from the Spanish-speaking world to those in the United States
- appreciate the contributions of ancient civilizations

Also, your child will explore:

- the present and present perfect subjunctive in expressions of doubt
- the subjunctive in adjective clauses that describe things and people
- the equivalent of "not...but rather..."

Realidades helps with the development of reading, writing, and speaking skills through the use of strategies, process speaking, and process writing. In this chapter, students will:

- read about mysteries of past civilizations in Latin America
- orally describe and support a theory about a mysterious phenomenon
- write an invented legend from the past

To reinforce and enhance learning, students can access a wide range of online resources on **realidades.com**, the personalized learning management system that accompanies the print and online Student Edition. Resources include the eText, textbook and workbook activities, audio files, videos, animations, songs, self-study tools, interactive maps, voice recording (RealTalk!), assessments, and other digital resources. Many learning tools can be accessed through the student Home Page on **realidades.com.** Other activities, specifically those that require grading, are assigned by the teacher and linked on the student Home Page within the calendar or the Assignments tab.

You will find specifications and guidelines for accessing **realidades.com** on home computers and mobile devices on MyPearsonTraining.com under the SuccessNet Plus tab.

---

realidades.com ⌄

For: Tips to Parents
Visit: www.realidades.com
Web Code: jce-0010

Check it Out! Ask your child to tell you about one mysterious location in Latin America. Then encourage him or her to show you pictures of the place in a book or on the Internet and describe it in English.

Sincerely,

Pura vida Script

Episodio 9: Vamos de viaje

PATRICIO: Ayer anunciaron mal tiempo, pero no creo que llueva. Es un buen día para ir de excursión, pero necesitamos que llueva. La lluvia es muy necesaria para estas selvas.

SILVIA: No creo que tarde en llegar, porque este año no hay Niño.

FELIPE: ¿Niño?

SILVIA: Sí, el Niño es una corriente de aire que hace llover excesivamente en algunos lugares…

PATRICIO: …, y hace que otros lugares sean terriblemente secos.

DAVID: Bueno, no me parece que el parque esté tan seco. Desde la ventanilla del avión se veían muchos ríos.

PATRICIO: ¿Qué tal su vuelo?

DAVID: Fenomenal. Pero casi pierdo el avión. Cambiaron la puerta de embarque y no me di cuenta.

PATRICIO: Bueno, lo importante es que ya está aquí. Mire, vamos a empezar por la parte baja,.. ¿está bien?, .. por la parte baja hacia la Estación Biológica. Por la orilla del río. Vamos.

FELIPE: ¿Silvia?

PATRICIO: Nosotros estamos aquí. Y según el mapa, estamos a unas diez millas de la Estación Biológica. Aquí hay miles de especies de animales y plantas únicas en el mundo. Y seguro que vamos a ver unas especies muy interesantes. Panchito siempre sale por ahí todas las mañanas.

DAVID: ¿Quién es Panchito?

PATRICIO: Panchito es un jaguar joven bien bonito.

DAVID: ¿Nos quedamos a esperarlo?

PATRICIO: No, no creo que lo veamos ahora. Probablemente esté durmiendo en algún árbol. ¿Sí ven esa niebla? Eso es vapor del volcán. Seguimos por favor.

FELIPE: Esto es un museo al aire libre.

PATRICIO: Solamente en esta reserva hay más tipos de pájaros que en toda Europa.

DAVID: Ah, lo sé. Yo trabajo en una fundación para la recuperación de especies en peligro.

SILVIA: ¿Recuperación de especies?

DAVID: Sí. Cuidamos de animales heridos y huérfanos. Y luego los devolvemos a la selva.

PATRICIO: Sí, me dijeron que su organización se llama CREFASI, ¿no?

DAVID: Sí. Centro de Recuperación de Fauna Silvestre.

PATRICIO: Pues los felicito. Hacen una labor excelente.

DAVID: Gracias.

PATRICIO: ¡Felipe!

SILVIA: ¡Qué bonito!

FELIPE: ¡Y qué refrescante! ¿Quién quiere bucear?

PATRICIO: ¿Estás seguro Felipe? Miren eso.

SILVIA: Déjame los prismáticos. ¡Wow! ¡Un caimán! ¡Qué lástima no tener mi cámara de vídeo!

PATRICIO: No creo que sea un caimán. En esta parte del río sólo hay cocodrilos fluviales.

DAVID: Veo que conoces muy bien la fauna. Ahora entiendo por qué todo el mundo se apunta a su grupo.

PATRICIO: Es mi trabajo. ¡Vámonos!

DAVID: Patricio, esto es muy interesante, pero quiero que me enseñe pájaros.

PATRICIO: ¿Pájaros? ¿Qué clase de pájaros quiere ver? ¿tucanes? ¿águilas? ¿colibríes? ¿guacamayos? Tenemos una gran población de ara macao…

DAVID: ¿Dijiste ara macao?

FELIPE: ¿Ara qué?

PATRICIO: Ara macao es el guacamayo rojo. Sigamos, por favor. Por aquí. Tengan cuidado no, no vayan a caerse.

DAVID: ¡Fíjense! ¡Una orquídea!

PATRICIO: DAVID: Se mira, pero no se toca.

DAVID: Ah, sí, sí, claro. ¿Y los guacamayos?

PATRICIO: No creo que estén muy lejos.

FELIPE: ¡Allá, mirén!

DAVID: ¡Ahí, están, mírenlos! ¡Qué belleza!

PATRICIO: ¿Lo pasó bien?

DAVID: Ah, sí. Es evidente que conoces esto mejor que nadie.

PATRICIO: Bueno, pues, no creo que sea para tanto.

DAVID: Claro que sí. Y no sólo porque conozcas la selva.

SILVIA: Es un apasionado de la naturaleza. Nadie está más informado que Patricio.

FELIPE: ¡Silvia!

SILVIA: Un momentito…

DAVID: En nuestra organización necesitamos gente como tú.

PATRICIO: ¿Como yo?

DAVID: Sí. Está bien que diviertas a los turistas, pero no creo que éste sea un sitio para ti.

PATRICIO: Mi trabajo no es entretener a los turistas. Yo quiero que la gente aprecie el medio ambiente. Que lo aprecie y que lo respete, eso es todo.

DAVID: Sí, eso es importante, pero puedes ayudar más. Y ganar más dinero.

PATRICIO: La verdad, no sé …

DAVID: Tenemos que hablar, Patricio. Te sugiero que me llames.

PATRICIO: Bueno, gracias.

Input Script

Presentation: *A primera vista 1*

Input Vocabulary, pp. 298–299: Come to class dressed in camping attire, like an archaeologist on a dig. Wear a pith helmet or a hat like the one Sabrina is wearing in the photo on p. 298. Or, if you wish, come dressed as Indiana Jones. Distribute copies of the Clip Art and have students cut them into individual images and flashcards. In an excited voice, tell the class that you have just returned from a very important archaeological excursion in Latin America and you want to tell them all about it. Begin an account of the trip, in which you include as much of the vocabulary on pp. 298–299 as possible. For example: *"Acabo de volver de una excursión maravillosa a las selvas montañosas de América Latina. Fui con un grupo de arqueólogos. Muy lejos de la ciudad, encontramos las ruinas de una civilización que existió hace muchos años."*

Place *Vocabulary and Grammar Transparencies* 137–138 on the screen as necessary. With students' books closed, point to the images as you provide more details about your archaeological excursion as shown below. Ask students to hold up the appropriate Clip Art images or flashcards as you mention the vocabulary items.

At Numbers 1 and 2: *"Empezamos la excavación de unas estructuras muy interesantes. Descubrimos una pirámide enorme y otra estructura que parece ser un observatorio antiguo."*

At Numbers 3 and 4: *"También excavamos otros objetos cuya función no es muy evidente. Tienen diseños geométricos en forma de rectángulos, triángulos, óvalos y círculos con diámetros muy grandes."*

At Numbers 5, 6, and 7: *"Yo miraba mientras los arqueólogos excavaban objetos del pasado."* Use gestures to indicate measuring various dimensions as you say, *"Ayudé a medir el largo, el ancho y el alto de un monumento misterioso."*

At Numbers 8 and 9: *"También pesamos muchos objetos de cerámica. Trazamos líneas en la tierra para mostrar exactamente dónde se encontró cada cosa."*

Input Text, pp. 298–299: Still referring to the transparencies, have students open their books. Call on a different student to read the text at each numbered section. Follow up the reading of each section with comprehension questions. For example, after the reading of number 2, ask, *"¿En cuál de las estructuras se estudiaban los movimientos de la luna y el sol, en la pirámide o en el observatorio?"* Clarify the meanings of the various vocabulary items using embedded answer questions like this example, or by having students hold up a Clip Art image or flashcard as a response.

Comprehension Check

- Hold up Clip Art images or flashcards and make simple true or untrue statements about them. If your statement is true, students will respond by saying *"cierto."* If your statement is not true, students will respond by saying *"falso"* and holding up the appropriate Clip Art image or flashcard. For example, holding up the image of *el círculo*, say, *"Es un rectángulo."* Students will respond with *"No es cierto"* and hold up the Clip Art image of *el rectángulo*.

Presentation: *A primera vista 1 (continued)*

Input Vocabulary, pp. 300–301: Continue your role as having just returned from an archaeological excursion in Latin America. Say, *"En nuestro grupo arqueológico, había jóvenes de muchos países. Muchos de ellos han visitado otros lugares misteriosos en América Latina. Pasamos el tiempo libre mirando las fotos de sus viajes y hablando de fenómenos inexplicables. Vamos a ver un poco de los misterios de que hablamos."*

Place *Vocabulary and Grammar Transparencies* 139–140 on the screen as necessary. Call on a different student to read the introduction and the text at each photo. Have those listening hold up Clip Art images and flashcards as they hear the various vocabulary items mentioned. After each reading, check students' comprehension by asking questions such as those shown below.

Introduction: *"¿Qué construyeron muchas civilizaciones? ¿Por qué son un misterio estas ciudades?"*

Analía, de la Ciudad de México: *"¿Qué cubría el dibujo de la foto?", "¿En qué parece que está sentado el hombre?", "¿Qué creen algunas personas sobre este dibujo?"*

José, de Cuzco, Perú: *"¿Cómo se llama la ciudad de la foto?", "¿Qué civilización antigua la contruyó?", "¿Por qué los muros de esta ciudad son un misterio?"*

María, de la Paz, Bolivia: *"En la ciudad antigua de Tiahuanaco ¿qué cosas están construidas de enormes piedras?", "¿De qué distancia de la ciudad vienen estas piedras?", "¿Los habitantes de Tiahuanaco tenían animales para transportarlas?", "¿Cómo movieron las piedras una distancia de 80 kilómetros?"*

Roberto, de San José, Costa Rica: *"¿Qué forma tienen las piedras que se descubrieron?", "¿Qué cosa es improbable?"*

Comprehension Check

- Tape Clip Art images or flashcards to the board in random groups of three. Make a statement that makes sense about only one image or flashcard in a group. Have students come up and identify the image or flashcard you describe.

Presentation: *A primera vista 2*

Input Vocabulary and Text, p. 312: Remind students that they have already learned about the cultural component of myths and legends in their English and Social Studies classes. Then say, *"Hoy hablaremos de los mitos y leyendas de una cultura antigua que fue muy importante en México: la cultura de los aztecas."*

Distribute copies of the Clip Art and have students cut them into individual images and flashcards. Have students close their books. Place *Vocabulary and Grammar Transparency* 142 on the screen. Say, *"Sabemos que los aztecas tenían no sólo un dios sino muchos dioses. Aquí vemos a la izquierda algunas personas de una civilización antigua americana. Digamos que son unos aztecas. Si los aztecas están a la izquierda, ¿quiénes piensan que son las figuras de la derecha que parece que están flotando en el cielo?"* Students will respond with *"Son probablamente los dioses aztecas."* Say, *"Tienen razón. Leámos un poco sobre las creencias de los aztecas."*

Have students open their books. Call on different students to read sections of the text. Have those listening hold up appropriate Clip Art images or flashcards as the various vocabulary items are mentioned. Pause after each reading to check students' comprehension. Ask questions such as, *"¿Hoy día explicamos los fenómenos con mitos o con teorías científicas?"*, *"¿Qué explicaron las civilizaciones antiguas con mitos y leyendas?"*, *"¿Cuáles son tres fenómenos naturales que explicaron los aztecas con sus creencias interesantes?"*, *"¿Quién era Quetzalcóatl?"*

Input Vocabulary and Text, p. 313: Place *Vocabulary and Grammar Transparency* 143 and follow a similar procedure, having individuals read sections of the text and asking comprehension questions such as, *"¿Por qué los dioses querían convertirse en el sol?"*, *"¿Cómo destruyeron los dioses a los habitantes de la Tierra?"*, *"¿Cómo se llamaba la ciudad sagrada de los dioses?"*, *"¿Adónde se arrojaron los demás dioses cuando el sol no se movía?"*, *"¿Por qué los dioses se enojaron con la luna? ¿Qué le arrojaron a la luna para resolver este problema?"*

Comprehension Check

- Make true and false statements about the information on pp. 312–313: *"Los aztecas creían en un sólo dios." "Los aztecas decían que en la luna estaba la imagen de un conejo."* Have students say *"cierto"* if your statement is true and *"falso"* if it is false.

Presentation: *A primera vista 2 (continued)*

Input Vocabulary and Text, pp. 314–315: Say, "*Como sabemos, había más de una sola civilización antigua en América Latina. ¿Quién puede nombrar otras civilizaciones antiguas en América Latina?*" Some students may respond with "*Los incas*" or "*Los mayas*." If not, elicit these answers with embedded answer questions, such as, "*¿La civilización maya existía en América Latina o en Europa?*", "*¿Qué pueblo antiguo construyó la ciudad de Machu Picchu, el pueblo inca o el pueblo maya?*"

Then say, "*Hoy vamos a leer un par de artículos que comparan las civilizaciones maya y azteca.*" Place *Vocabulary and Grammar Transparency 144* on the screen. Allow students a few moments to read the information there silently. Then call on volunteers to read the text in sections and ask comprehension questions like those shown below. Follow a similar procedure for Vocabulary and Grammar Transparency 145.

Comprehension Questions for p. 314:

"*¿Por qué otro medio expresaban los aztecas la lengua que hablaban? ¿Y los mayas? ¿Ellos también tenían un sistema de escritura?*"

"*¿Cuál de las dos civilizaciones tenía una escritura de cerca de 800 símbolos?*"

"*Según la información, ¿cuál de las dos civilizaciones mezclaba dibujos y símbolos en la escritura?*"

"*¿Cómo representaban los aztecas el número cinco?*"

"*¿Encima de qué construyeron las dos civilizaciones sus templos?*"

Comprehension Questions for p. 315:

"*¿Qué concepto matemático descubrieron los mayas?*"

"*Además del sol, ¿qué observaban los astrónomos mayas?*"

"*¿Los aztecas y los mayas usaban el mismo calendario o tenían calendarios distintos?*"

"*Un calendario era sagrado, ¿y el otro?*"

"*Según los mayas, ¿cuál era la causa de un eclipse?*"

Comprehension Check

- Make statements in which a vocabulary word or expression has been left out. For *símbolos*, for example, say, "*El sistema de escritura inglés tiene 26 _____.*" Ask students to repeat the statement, completing it by holding up the appropriate Clip Art image or flashcard.

Audio Script

Audio DVD, Capítulo 7

Track 01: Libro del estudiante, pp. 298–299, *A primera vista 1*, Vocabulario y gramática en contexto **(4:59)**

Lee en tu libro mientras escuchas la narración.

FEMALE TEEN: ¡Hola! Soy Sabrina. El mes pasado, mis compañeros y yo fuimos a visitar las ruinas de una civilización que vivió hace muchos siglos. Las civilizaciones antiguas son pueblos que existieron hace muchos años. ¡Fue muy interesante!

Entre las ruinas se destacaba el observatorio. Allí se estudiaban los movimientos de la luna y el sol y se calculaba el tiempo.

También vimos un monumento de piedra enorme y calculamos que pesaba varias toneladas. Es imposible saber qué función tenía.

FEMALE TEEN: ¿Pesará más de tres toneladas?

MALE ADULT: calcular

Las paredes de los templos y las pirámides tenían diseños geométricos muy bonitos.

MALE ADULT: Vas a escuchar cada palabra o frase dos veces. Después de la primera vez hay una pausa para que puedas pronunciar la palabra o frase, y luego vas a escuchar de nuevo la palabra o frase.

el triángulo	el círculo
el rectángulo	el óvalo
el diámetro	

Lee en tu libro mientras escuchas la narración.

FEMALE TEEN: También tuvimos la oportunidad de trabajar con un arqueólogo. Los arqueólogos estudian los monumentos y las artes de las civilizaciones antiguas. ¡Aprendimos mucho de otras culturas!

Aprendimos a excavar para buscar cosas del pasado.

MALE VOICE: excavar

FEMALE TEEN: Medimos algunas piedras y estructuras como las que se usaron para construir monumentos.

MALE ADULT: Vas a escuchar cada palabra o frase dos veces. Después de la primera vez hay una pausa para que puedas pronunciar la palabra o frase, y luego vas a escuchar de nuevo la palabra o frase.

el centímetro	el largo
el ancho	el alto

FEMALE TEEN: Pesamos cosas de cerámica.

También trazamos una línea en la tierra para medir la distancia entre dos piedras.

MALE ADULT: trazar

Track 02: Libro del estudiante, p. 299, Act. 1, *¿Qué hicieron Sabrina y sus compañeros?* **(1:52)**

En una hoja escribe los números del 1 al 6. Escucha las frases. Escribe *C* si la frase es cierta o *F* si la frase es falsa. Vas a oír cada frase dos veces.

1. Sabrina y sus compañeros fueron a visitar una playa.
2. Trabajaron con un arquitecto.
3. Visitaron unas ruinas y vieron un observatorio.
4. Vieron diseños geométricos muy bonitos.
5. Buscaron objetos debajo del agua.
6. Aprendieron a excavar.

Track 03: Libro del estudiante, pp. 300–301, *A primera vista 1*, Vocabulario y gramática en contexto **(2:56)**

Lee en tu libro mientras escuchas la narración.

MALE ADULT: Misterios arqueológicos

Muchas civilizaciones antiguas construyeron grandes ciudades que son un misterio. No se sabe por qué y para qué se construyeron. Observa las fotos que enviaron los estudiantes de diferentes países explicando qué lugares o cosas misteriosas hay en sus países.

MALE ADULT: Analía, de la Ciudad de México

FEMALE TEEN: Éste es el dibujo que se encontró en la piedra que cubría la tumba del misterioso señor Pakal, en la ciudad de Palenque. El hombre del dibujo parece estar sentado en una nave espacial. Algunas personas creen que esto es una evidencia de la presencia de extraterrestres en los tiempos de los mayas. ¿Es probable, no?

FEMALE ADULT: José, de Cuzco, Perú

MALE TEEN: Éstas son las ruinas de la misteriosa ciudad inca de Machu Picchu. Es posible que los incas hayan construido esta ciudad para protegerse de las invasiones o que haya sido un centro comercial. También es un misterio cómo unieron las piedras de sus muros ya que no usaron ningún pegamento. No se sabe si van a resolver este misterio.

MALE ADULT: María, de La Paz, Bolivia

FEMALE TEEN: Les envío esta foto de la ciudad de Tiahuanaco, en La Paz. Esta ciudad es un enigma ya que está llena de monumentos construidos con enormes piedras. Los arqueólogos no dudan que estas piedras son de un lugar que está a 80 kilómetros de Tiahuanaco. Lo que resulta inexplicable es cómo llevaron las piedras de un lugar a otro si no tenían animales para transportarlas.

FEMALE ADULT: Roberto, de San José, Costa Rica

MALE TEEN: En Costa Rica sucedió un fenómeno muy extraño: un día se encontraron piedras perfectamente redondas en la costa del Pacífico. Es improbable que descubramos de dónde vienen.

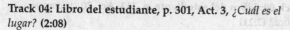

Track 04: Libro del estudiante, p. 301, Act. 3, *¿Cuál es el lugar?* (2:08)

Escucha las descripciones y escoge la cultura o ciudad que corresponda. Vas a oír cada descripción dos veces.

1. Son piedras perfectamente redondas y se encontraron en la costa del Pacífico.

2. Esta ciudad de Bolivia está llena de monumentos construidos con piedras que pesan toneladas.

3. Piedra con el dibujo de un hombre que parece estar sentado en una nave espacial.

4. Muchas personas piensan que en esta ciudad hay evidencia de que existieron extraterrestres en los tiempos de los mayas.

5. No se sabe para qué se construyó esta ciudad inca, ni cómo unieron las piedras de sus muros.

Track 05: Writing, Audio & Video Workbook, p. 92, Audio Act. 1 (4:09)

Trabajas con un grupo de arqueólogos que están explorando unas ruinas indígenas. Tú debes tomar apuntes sobre los diferentes artefactos que se descubren durante las exploraciones. Vas a oír descripciones de tres objetos antiguos. Mientras escuchas, completa las tarjetas de identificación para cada objeto, añadiendo los detalles necesarios. Vas a oír cada descripción dos veces.

MALE 1: Éste es el primer objeto. Es un plato de cerámica, con forma de óvalo. Tiene un diseño geométrico en el centro y creemos que tiene más de 500 años. Tiene 4 centímetros de alto. El largo es de 17 centímetros y el ancho es de 12 centímetros. Es un ejemplo muy bueno de la cerámica de esa época.

FEMALE 1: A ver . . . el segundo objeto es un espejo; está decorado con conejos de bronce. El espejo es un rectángulo bastante grande. Tiene un alto de 80 centímetros. El ancho es de 2 centímetros y el largo es de 30 centímetros. Ahora está muy sucio . . . tendremos que limpiarlo.

FEMALE 2: El tercer objeto es una escultura de plata. Tiene forma de triángulo con diseños geométricos trazados en los tres lados. Parece una pirámide pequeña. Tiene 23 centímetros de alto. El ancho y el largo son iguales — 14 centímetros. Pesa mucho. No sé cuantos años tendrá — es un artefacto muy extraño. Nunca he visto una escultura como ésta.

Track 06: Writing, Audio & Video Workbook, p. 93, Audio Act. 2 (6:24)

Ana y Ramona hablan sobre unos fenómenos inexplicables. Escucha sus comentarios e indica con una *X* en la tabla si cada persona cree en el fenómeno descrito o si duda de él. Vas a oír los comentarios dos veces.

Número 1

FEMALE 1: Sabes, Ramona . . . Margarita me dijo que vio un OVNI el año pasado. Era de forma redonda, con luces rojas y se movía muy rápido por el cielo.

FEMALE 2: ¿Y tú le crees?

FEMALE 1: Bueno, Margarita es una persona muy responsable. Yo sí creo que ella vio un OVNI o nave espacial. Es probable que existan.

FEMALE 2: ¡Qué va! Margarita tiene una imaginación increíble. Mira, Ana, dudo que haya naves espaciales. Es solamente una fantasía de la ciencia ficción . . .

Número 2

FEMALE 2: Ana, acabo de leer un artículo sobre el fenómeno de un monstruo en el noroeste de los Estados Unidos. Dicen que parece un gorila grande, sin pelo, que camina como un ser humano.

FEMALE 1: Ah, sí . . . lo llaman "el yeti," ¿verdad? Bueno, no creo que pueda existir. Creo que es un invento de la gente. ¡No seas ingenua, Ramona!

FEMALE 2: Pero, mira, hay testimonios de muchas personas que dicen que sí lo han visto. Estoy segura de que hay un yeti, y ¡posiblemente más de uno!

Número 3

FEMALE 2: Ana, ¿has visto alguna vez un fantasma o espíritu? Tengo varios amigos que dicen que sí los han visto.

FEMALE 1: Bueno, yo no, personalmente . . . pero también conozco a muchas personas que han tenido experiencias sobrenaturales. No dudo que existen los fantasmas.

FEMALE 2: No sé . . . pero a lo mejor tienes razón. Con tantas historias y testimonios . . . no creo que todos estén equivocados. ¡Qué interesante! Me gustaría ver uno.

Número 4

FEMALE 1: Oye, Ramona, mi amiga Marisol dice que va a ver a una clarividente para hacerle preguntas sobre el futuro.

FEMALE 2: ¿Marisol? ¡No es posible que ella sea tan ingenua!

FEMALE 1: Pero, ¿no crees en los clarividentes? A mí me parece muy probable que ellos puedan predecir el futuro.

FEMALE 2: Pues, a mí no . . . ¡Creo que ellos solamente pueden predecir que van a quitarle un montón de dinero a unas personas muy inocentes!

Track 07: Libro del estudiante, p. 309, Act. 16, *La civilización misteriosa* (2:36)

Un famoso arqueólogo ha descubierto las ruinas de una antigua ciudad de una misteriosa civilización. Escucha la entrevista que le hace una periodista al arqueólogo. Observa el dibujo mientras escuchas la entrevista. Vas a oír la entrevista dos veces.

PERIODISTA: Doctor Romero, ¿cree que la misteriosa civilización haya existido hace millones de años?

DR. ROMERO: Dudo que esta civilización haya existido hace millones de años. Es imposible que la ciudad se haya conservado tan bien todos estos años.

PERIODISTA: ¿Es posible que los científicos calculen de qué año son las ruinas?

DR. ROMERO: Sí, estoy seguro de que lo pueden calcular.

PERIODISTA: ¿Qué diseño cree usted que han tenido los demás edificios de la ciudad?

DR. ROMERO: En los diseños se han usado círculos, óvalos y triángulos.

PERIODISTA: ¿Quiénes cree Ud. que eran los habitantes de esta civilización?

DR. ROMERO: Es posible que hayan sido extraterrestres, pero por ahora no tenemos evidencia de eso.

Track 08: Libro del estudiante, pp. 312–313, *A primera vista* 2, Vocabulario y gramática en contexto (3:45)

Lee en tu libro mientras escuchas la narración.

MALE ADULT: ¿Cómo se explican los misterios del mundo?

En el mundo de hoy, los científicos desarrollan teorías para explicar cualquier fenómeno natural. En tiempos antiguos, la gente contaba cuentos para explicar los misterios del universo y los fenómenos de la naturaleza. Con el tiempo estos relatos se desarrollaron en leyendas, cuentos exagerados basados en personajes o temas históricos. También se crearon mitos para explicar los fenómenos de la naturaleza. Los mitos y las leyendas llegaron a formar parte de la cultura de los pueblos.

Uno de estos pueblos, los aztecas, tenía creencias muy interesantes para explicar fenómenos naturales como las inundaciones, el fuego y el origen del día y de la noche. Es importante comprender que los aztecas tenían muchos dioses: un dios del conocimiento y la civilización llamado Quetzalcoatl, un dios de la lluvia, una diosa del agua y una diosa del maíz. Los dioses eran una parte fundamental de la cultura azteca.

Lee en tu libro mientras escuchas la narración.

FEMALE ADULT: Así es como los aztecas explicaban el origen del día y de la noche . . .

MALE ADULT: "Todos los dioses querían ser el centro del universo, y por eso compitieron varias veces para convertirse en el sol. Durante estos intentos, destruyeron a los habitantes de la Tierra con inundaciones y fuego. El último intento tuvo lugar en Teotihuacán, la ciudad sagrada de los dioses. Allí, uno de los dioses saltó al fuego y se convirtió en el sol. Pero el sol no se movía. Entonces, los demás dioses se arrojaron al fuego y el sol pudo moverse por el cielo."

FEMALE ADULT: Con estos actos, según los aztecas, también se crearon la luna y las estrellas, o sea que nacieron el día y la noche.

MALE ADULT: Así es como los aztecas explicaban que la luna tiene sombras . . .

FEMALE ADULT: "Cuando el sol apareció, también apareció la luna. Los dioses se enojaron porque la luna brillaba tanto como el sol. Así que le arrojaron un conejo a la luna para cubrir su luz."

MALE ADULT: Según los aztecas, esto explica por qué alguna gente puede ver la imagen de un conejo en la luna.

Track 09: Libro del estudiante, p. 313, Act. 20, *¿Cómo se explica?* (2:21)

Escribe en una hoja los números del 1 al 6. Escucha las frases. Escribe *C* (cierto) o *F* (falso) para cada frase. Vas a oír cada frase dos veces.

1. Las leyendas son cuentos exagerados basados en personas y eventos históricos.
2. En los mitos se explicaban el arte y la cultura de la civilización.
3. Los aztecas tenían un dios del conocimiento y la civilización llamado Quetzalcoatl.
4. Los dioses no eran muy importantes en la civilización azteca.
5. Los dioses destruyeron a los habitantes de la Tierra con inundaciones y fuego.
6. Los dioses le arrojaron a la luna un gato para que no tuviera luz.

Track 10: Libro del estudiante, pp. 314–315, *A primera vista* 2, Vocabulario y gramática en contexto (3:09)

Lee en tu libro mientras escuchas la narración.

MALE ADULT: Los mayas y los aztecas

Los mayas y los aztecas eran dos pueblos que existían en México y Centroamérica cuando llegaron los españoles en el siglo XV. Las dos culturas contribuyeron mucho a la civilización mundial de hoy.

FEMALE ADULT: La escritura y los números

Hoy día, es común que las lenguas del mundo se hablen y se escriban. Pero no ha sido siempre así. Los mayas desarrollaron un sistema de escritura que expresaba la lengua que hablaban. Este sistema tenía cerca de 800 símbolos. La lengua de los mayas se habla todavía en partes de México y Centroamérica.

La escritura de los aztecas mezclaba dibujos y símbolos. Por ejemplo, el número cinco era el dibujo de una mano, porque la mano tiene cinco dedos.

MALE ADULT: Los templos

Los mayas y los aztecas tenían pirámides como parte de su cultura. Como los dioses eran muy importantes, las dos civilizaciones construyeron sus templos sobre las pirámides.

Lee en tu libro mientras escuchas la narración.

FEMALE ADULT: Los números y el calendario

Los mayas fueron grandes matemáticos. Descubrieron el concepto del cero, un concepto fundamental en las matemáticas que usamos hoy día. Los aztecas, al igual que los mayas, eran grandes astrónomos. Los mayas observaron los movimientos del sol desde que salía por la mañana hasta que se ponía por la noche. No sólo estudiaron el sol, sino también las estrellas, los planetas y la luna.

MALE ADULT: Los mayas y los aztecas tenían dos calendarios distintos. Uno, el sagrado, estaba basado en los dioses y la religión. El otro era como el que usamos nosotros, basado en el año solar de 365 días. Los mayas no sabían cómo ocurrían los eclipses, pero creían que cuando el sol estaba oscuro era porque los dioses estaban enojados.

Track 11: Libro del estudiante, p. 317, *En voz alta,* Sueño cuarto (la luz), de Feliciano Sánchez Chan **(0:52)**

MALE ADULT:

Soy el trueno que ha venido

con su luz

de eternas profundidades

para alumbrar el camino blanco

por donde transitan tus hijos, Madre.

El señor fuego es mi hermano mayor.

Hoy he venido con mis cuatro hermanas:

la lluvia del oriente,

la lluvia del poniente,

la lluvia del norte

y la lluvia del sur.

Track 12: Writing, Audio & Video Workbook, p. 94, Audio Act. 3 (5:19)

Vas a oír cinco comentarios sobre mitos y leyendas. Mientras escuchas, mira los dibujos. Escribe el número del comentario al lado del dibujo correspondiente. Solamente vas a escribir cinco números. Vas a oír cada comentario dos veces.

1. **FEMALE 1:** Yo no sé mucho sobre las leyendas y los mitos. Pero sí sé que hay varias teorías científicas sobre los orígenes del universo, con todos sus planetas y estrellas. Los científicos todavía intentan averiguar cuál es la teoría correcta. Claro, también hay muchas leyendas y muchos mitos antiguos sobre la creación del universo. Es interesante, ¿no?

2. **FEMALE 2:** Muchas civilizaciones del pasado tenían teorías para explicar los fenómenos naturales. Para ellos, uno de los fenómenos más terribles era el eclipse total del sol. Casi todas las culturas tenían una creencia o leyenda para explicar este fenómeno y lo que significaba para los seres humanos . . .

3. **MALE 1:** He leído que los aztecas buscaban una explicación para las sombras que se ven en la luna. Crearon un mito que dice que los dioses arrojaron un conejo a la luna para cubrir su luz, porque brillaba tanto como el sol. A mí me fascina ese mito . . .

4. **FEMALE 3:** Para mí, la cosa más interesante es que en cualquier parte del mundo se puede encontrar una leyenda que explique el origen de la Tierra. Ya sean los egipcios . . . los griegos . . . o los indígenas de México o de Perú . . . todos tienen un mito sobre el origen de nuestro planeta. Y cada uno es diferente . . . ¡Es fascinante!

5. **MALE 2:** Como sabes, los aztecas y los mayas tenían muchos mitos y leyendas sobre los fenómenos naturales. Muchas veces estos mitos describían los orígenes de animales comunes de la región, como los jaguares. Es muy común ver el símbolo del jaguar en el arte precolombino de México.

Track 13: Writing, Audio & Video Workbook, p. 94, Audio Act. 4 (3:33)

Un grupo de amigos del Colegio Principal quiere organizar un Club de arqueología. En la primera reunión, hablan de las cosas que necesitan. Escucha los comentarios de cada estudiante. Presta atención al uso del indicativo o del subjuntivo. Luego, indica en la tabla si la persona que habla conoce la cosa, o si no la conoce y la tiene que buscar. Vas a oír los comentarios de cada estudiante dos veces.

1. **FEMALE TEEN 1:** Bueno, a ver lo que necesitamos . . . ¡Ya sé! Necesito un libro que describa los mitos de varias culturas centroamericanas.

2. **MALE TEEN 1:** Buena idea . . . Yo traeré el video que tiene una dramatización de unas leyendas aztecas.

3. **FEMALE TEEN 2:** Y yo . . . a ver . . . Podemos comprar un mapa que muestre dónde están todas las ruinas más importantes del planeta.

4. **FEMALE TEEN 3:** ¡Perfecto! Voy a encontrar una lista que tenga todos los símbolos de los jeroglíficos mayas.

5. **MALE TEEN 2:** Ya tenemos varias ideas buenas. Bueno . . . he oído de un libro que cuenta la historia de las tribus indígenas de México. Veré si lo puedo comprar.

6. **MALE TEEN 3:** Bueno, voy a ver si puedo traer un disco compacto que tenga música indígena de varias culturas latinoamericanas. Dicen que los instrumentos musicales que usan son muy interesantes.

Track 14: Writing, Audio & Video Workbook, p. 95, Audio Act. 5 (6:16)

Estás participando en una excavación de unas ruinas muy importantes. Tu trabajo es organizar todos los artefactos para poder encontrarlos fácilmente en cualquier momento. Escucha los comentarios de varios científicos que buscan artefactos específicos. Basándote en sus descripciones, encierra en un círculo el dibujo del artefacto correcto en cada grupo. Vas a oír cada descripción dos veces.

1. **MALE 1:** Hola . . . dicen que tú sabes dónde están todos los artefactos. Me alegro, porque estoy buscando un espejo que no encuentro. Creo que era un espejo sagrado. No es redondo, sino que tiene forma de rectángulo. Estoy seguro que tiene unos diseños de animales . . . a ver . . . ah, sí, tiene un diseño de perros. ¿Es posible que sepas dónde está?

2. **MALE 2:** Tal vez me puedas ayudar. Necesito examinar un artefacto muy importante. Es la escultura de una pirámide. No es una pirámide baja, sino muy alta— tiene un alto de casi 40 centímetros. Pero también es ancha y larga. Creo que el largo y el ancho son de unos 30 centímetros. ¿Crees que la tengas?

3. **FEMALE 1:** Buenos días. A ver si tienes el artefacto que necesito. Busco un plato de cerámica que tenga diseños geométricos . . . ¿Necesitas más información? Espera . . . ah, sí, el plato no es un óvalo, sino que es

completamente redondo. ¿Crees que yo pueda verlo?

4. **Female 2:** Hola . . . ¿Tienes unas estatuas de seres humanos? ¿Sí? Entonces, perfecto . . . Necesito ver la estatua de un hombre. Es el personaje de una leyenda antigua. El hombre es alto . . . y gordo . . . y ¿quieres que te diga más? Ahora recuerdo . . . ¡tiene la cabeza grandísima! Me gustaría verlo si lo puedes encontrar.

5. **Male 3:** ¡Ojalá que me puedas ayudar! Tengo que escribir un informe sobre un collar de plata. Tiene un diseño geométrico, pero no recuerdo exactamente cómo es . . . Pero estoy seguro de que el diseño tiene formas redondas . . . no son rectángulos ni triángulos, sino formas redondas. Creo que es todo . . .

Track 15: Libro del estudiante, p. 326, ¿Qué me cuentas?, Ver para creer (4:55)

Escucha las siguientes descripciones. Luego de cada descripción, vas a oír dos preguntas. Escoge la mejor respuesta para cada pregunta. Vas a oír cada descripción dos veces.

Female Adult: Un arqueólogo fue de visita a la clase para hablar a los estudiantes de sus descubrimientos más recientes. Les contó que en su último trabajo en América Central, él y un grupo de arqueólogos descubrieron las ruinas de un antiguo palacio olmeca.

1. ¿Acerca de qué habló el arqueólogo en la clase?
2. ¿Cuál fue su descubrimiento más reciente?

Male Adult: La estructura que descubrieron era enorme. Estaba formada por bloques de piedra tan grandes como un autobús. Muchas tenían diseños geométricos, con círculos, óvalos y triángulos. Otras tenían símbolos y dibujos de soles y dioses. Midieron el alto, el largo y el ancho de todas las piedras y calcularon su peso. Cada piedra pesaba varias toneladas.

3. ¿Qué tipo de dibujos tenían las piedras?
4. ¿Qué hicieron los arqueólogos para saber el peso de las piedras?

Female Adult: Lo más extraño del descubrimiento fue un hombre misterioso que apareció un día. El hombre les dijo que había una leyenda sobre ese palacio olmeca entre los habitantes de la región. Sabían que esta estructura existía pero que nadie hablaba de ella ni se acercaba, porque creían que allí vivían extraterrestres.

5. ¿Qué fue lo más extraño del descubrimiento?
6. ¿Por qué no hablaban del palacio los habitantes de la región?

Track 16: Libro del estudiante, p. 334, Repaso del capítulo, Vocabulario (5:25)

Escucha las palabras y expresiones que has aprendido en este capítulo.

descubrimientos
el arqueólogo   las ruinas
la arqueóloga   sagrado
la civilización   sagrada

la escritura   el símbolo
la pirámide

mitos y leyendas
la creencia   el mito
el dios   la nave espacial
la diosa   el origen
la leyenda

para hablar de los fenómenos inexplicables
la estructura   la imagen
la evidencia   inexplicable
extraño   el misterio
extraña   misterioso
el fenómeno   misteriosa
la función   la teoría

para describir objetos
el alto   geométrica
el ancho   el largo
el centímetro   el óvalo
el círculo   el rectángulo
el diámetro   redondo
el diseño   redonda
la distancia   la tonelada
geométrico   el triángulo

otras palabras
el conejo   cualquiera
cualquier   el intento

para indicar duda
improbable   probable

el universo
el astrónomo   el observatorio
la astrónoma   el planeta
el eclipse   el pueblo
el habitante   la sombra
la habitante   la Tierra
la luna   el universo

expresiones
al igual que   sino
o sea que   ya que

verbos
aparecer   excavar
arrojar   existir
brillar   medir
calcular   pesar
convertirse   ponerse (el sol)
contribuir   resolver
cubrir   trazar
dudar

Track 17: Libro del estudiante, p. 337, Preparación para el examen, Escuchar (4:27)

Escucha una entrevista entre un locutor de una estación de radio y la famosa arqueóloga Dra. Cruz, y responde a las siguientes preguntas: (a) ¿Qué civilización estudió? (b) ¿Qué excavó? (c) ¿Cómo explicó lo que encontró? (d) ¿El locutor cree que es un mito o la realidad? Vas a oír la entrevista dos veces.

Locutor: Hoy hablaremos con la famosa arqueóloga Dra. Cruz. No sólo es una importante arqueóloga sino una persona muy especial. Me da gusto que esté en nuestro programa.

Dra. Cruz: Gracias. No hay nada que me dé más alegría que estar aquí.

Locutor: Dr. Cruz, ¿qué civilización estudió en los últimos tiempos?

Dra. Cruz: Los olmecas. Es una civilización que me interesa mucho.

Locutor: ¿Descubrió algo que sea de gran importancia?

Dra. Cruz: Sí. Descubrí una roca con símbolos muy antiguos.

Locutor: ¿La encontró mientras excavaba en qué lugar?

Dra. Cruz: La encontré mientras excavaba una ruina olmeca en una montaña, cerca de la Ciudad de México.

Locutor: ¿Qué explicación le da a lo que encontró?

Dra. Cruz: La escritura en la piedra no se conoce. No son símbolos sino letras en un idioma muy extraño. No pertenece a la cultura olmeca.

Locutor: ¿Cree usted que sea la escritura de un pueblo extraterrestre?

Dra. Cruz: Los habitantes del lugar tienen un mito sobre extraterrestres que vivieron allí hace muchos siglos.

Locutor: Los mitos muchas veces son realidad, ¿no lo cree?

Dra. Cruz: Quizás . . . aunque se necesita que haya más evidencia para poder decir algo así.

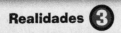
Video Script

¿Cómo se explican los misterios del mundo?

NARRADOR (4:20): A través de la arqueología, descubrimos culturas antiguas y ciudades misteriosas. Grandes civilizaciones que nos dieron su conocimiento, su ciencia y su experiencia. En todas partes del planeta hay ejemplos de esto.

Uno de estos lugares es Machu Picchu. Desde su descubrimiento, la ciudad de Machu Picchu es considerada como uno de los monumentos arqueológicos más importantes del mundo. Machu Picchu se encuentra a 2.400 metros sobre el nivel del mar, en las montañas de los Andes al sur del Perú. En español, Machu Picchu significa "montaña mayor".

Sin duda Machu Picchu es un lugar lleno de misterio. Hasta ahora, los arqueólogos no tienen evidencia de la función de esta misteriosa ciudad Inca. Machu Picchu es considerada hoy la octava maravilla del mundo.

Otro sitio arqueológico que es famoso en todo el mundo es Chichén Itzá, una ciudad importante de la civilización maya. Chichén Itzá fue construido por los mayas como un centro para ceremonias religiosas. Sus ruinas se encuentran en la parte central norte de la península de Yucatán, en México.

En el centro de Chichén Itzá se encuentra la pirámide de Kukulkán. En la base de esta pirámide, uno puede ver la figura de una serpiente iluminada al ponerse el sol. Además de ser un lugar de ceremonias, Chichén Itzá era un observatorio lunar y centro de astronomía.

También en México se encuentra la antigua ciudad de Teotihuacán, llamada "el hogar de los dioses". A sólo 50 km de la Ciudad de México, Teotihuacán llegó a tener una población de casi 200.000 habitantes. Teotihuacán es famosa por sus grandes pirámides. La pirámide del Sol es la tercera más grande del mundo.

Una de las leyendas que nos habla de Teotihuacán es la leyenda del "quinto sol". Esta leyenda del "quinto sol" nos cuenta la historia de dos hombres que por su valor se convierten en dioses, se convierten en soles.

En azteca, Teotihuacán significaba "ciudad donde los hombres se convierten en dioses". La leyenda cuenta que la ciudad fue construida por unos dioses gigantes que llegaron del cielo.

Por su importancia histórica y cultural, estos lugares son visitados por miles de turistas cada año. Personas de todas partes del mundo que tienen que ver para creer.

Realidades 3

Nombre _____

Capítulo 7

Fecha _____

Communicative Pair Activity **7-1**

Estudiante **A**

En el recuadro de abajo, haz un mapa del lugar donde se descubrieron ruinas de la civilización maya. Pregúntale a tu compañero(a) dónde puedes encontrar a las personas y las cosas que aparecen a continuación. Indica en el mapa en qué sección puedes encontrarlas, según las respuestas de tu compañero(a).

¿En qué sección . . .

1. están las ruinas del pueblo maya?

2. excavaron un objeto redondo?

3. encontraron un triángulo?

4. trabaja el arqueólogo?

5. se ve la luna?

6. trabajan Lucián y Miriam?

7. descubrieron una pirámide?

8. hay evidencia de una nave espacial?

Contesta las preguntas de tu compañero(a) según el mapa de abajo. Dile en qué sección (por ejemplo A1, B2) puede encontrar las personas y las cosas indicadas.

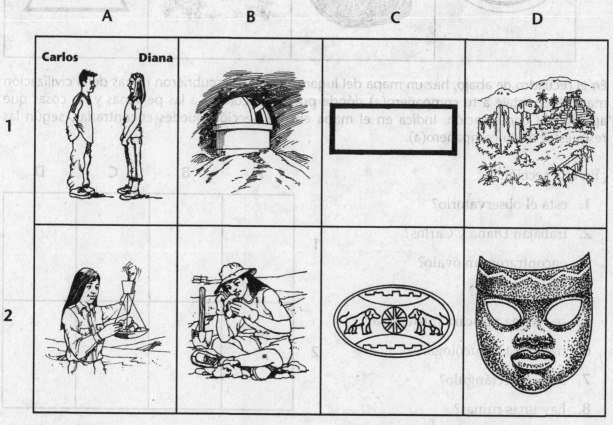

Realidades 3

Capítulo 7

Nombre _____

Fecha _____

Communicative Pair Activity **7-1**

Estudiante **B**

Contesta las preguntas de tu compañero(a) según el mapa de abajo. Dile en qué sección (por ejemplo A1, B2) puede encontrar las personas y las cosas indicadas.

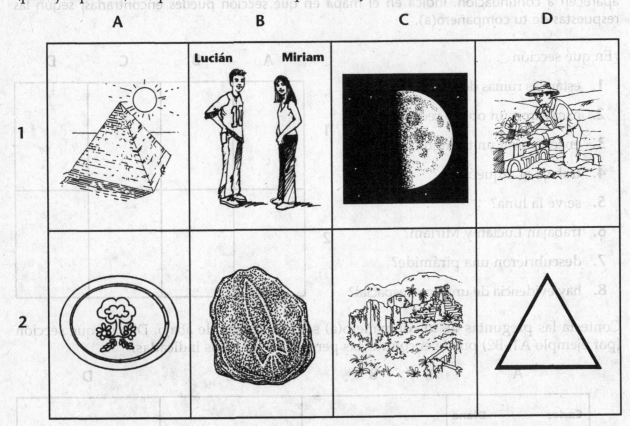

En el recuadro de abajo, haz un mapa del lugar donde se descubrieron ruinas de la civilización maya. Pregúntale a tu compañero(a) dónde puedes encontrar a las personas y las cosas que aparecen a continuación. Indica en el mapa en qué sección puedes encontrarlas, según las respuestas de tu compañero(a).

¿En qué sección . . .

1. está el observatorio?

2. trabajan Diana y Carlos?

3. encontraron un óvalo?

4. pesaron cosas?

5. se ve una máscara misteriosa?

6. trabaja la arqueóloga?

7. hay un rectángulo?

8. hay unas ruinas?

Realidades 3

Capítulo 7

Nombre _____

Fecha _____

Communicative Pair Activity **7-2**

Estudiantes **A y B**

En el mundo ha habido muchos fenómenos inexplicables. ¿Qué piensa tu compañero(a)? Pregúntale qué piensa de los fenómenos siguientes y apunta sus respuestas. Luego, responde sus preguntas.

—¿Crees que hay misterios por descubrir?

—Sí, estoy seguro de que hay misterios por descubrir. / Es posible que haya misterios por descubrir. / Dudo que haya misterios por descubrir.

	Estoy seguro(a)	Es posible	Dudo
haber extraterrestres			
existir monstruos			
una serpiente gigante / vivir en el Lago Ness			
Yeti / vivir en las montañas			
haber dragones			

Ahora, escribe un breve párrafo describiendo las opiniones de tus compañeros.

_____

_____

_____

_____

Realidades ③

Capítulo 7

Nombre

Fecha

Communicative Pair Activity **7-3**

Estudiante **A**

Imagina que eres el (la) presentador(a) del programa "Hechos misteriosos". Tu compañero(a) es la famosa científica Nieves Casas, a quien vas a entrevistar sobre un misterio. Hazle las siguientes preguntas y escribe sus respuestas en los espacios en blanco.

1. ¿Cuándo y cómo se enteró de este misterio? ¿Quién lo llamó?

2. ¿Quiénes la acompañaron?

3. ¿Ha hecho investigaciones parecidas en el pasado? ¿Es ésta diferente? ¿Por qué?

4. ¿Cómo es el animal? ¿Cuál es la creencia principal?

5. ¿Cree usted en la leyenda del Yeti?

6. ¿Qué otra evidencia va a investigar?

7. ¿Cómo es el símbolo? ¿Dónde apareció?

Imagina que eres el famoso científico Leonardo Pérez. Lee el artículo del periódico. Luego, contesta las preguntas de tu compañero(a) según la información del artículo. Si quieres, puedes añadir otros comentarios.

El misterio de la Selva Oscura

Dos chicos paseaban por un camino de la Selva Oscura, cuando vieron una figura misteriosa. No sabían qué hacer, pero pensaron que era importante llamar a la policía. El científico Leonardo Pérez, que ha ayudado a la policía en otras investigaciones, dijo: "Es un fenómeno inexplicable. No sé cómo esta figura apareció aquí".

Según el doctor Pérez, la figura es de piedra y puede ser un dios. Tiene unos símbolos que parecen representar el universo. Además, desde que la descubrieron, la figura se ha movido de lugar.

Una de las creencias sobre la misteriosa figura es que puede venir de otro planeta. "Dudo que sea de otro planeta", explicó Pérez, "pero nada es imposible. Nuestra teoría es que la piedra es de una civilización antigua. Tenemos que estudiar toda la evidencia antes de resolver este misterio". El doctor Pérez también dijo que es posible que astrónomos antiguos usaran esta piedra para estudiar los eclipses".

Realidades 3

Capítulo 7

Nombre _____

Fecha _____

Communicative Pair Activity **7-3**

Estudiante **B**

Imagina que eres la famosa científica Nieves Casas. Lee el artículo del periódico. Luego, contesta las preguntas de tu compañero(a) según la información del artículo. Si quieres, puedes añadir otros comentarios.

Un Yeti en el parque del pueblo

A Cristina Rojas le gusta pasear por el parque de su pueblo. Un día encontró unas marcas gigantes en la tierra. Pensó que podía ser un conejo pero ¡eran demasiado grandes! Cristina llamó a la famosa científica Nieves Casas, especialista en casos misteriosos. Ella y sus ayudantes empezaron una investigación. "He recibido muchas llamadas parecidas, pero nunca he visto evidencia tan clara. Tenemos la creencia de que un animal gigantesco dejó estas marcas". Los habitantes del lugar tienen otra teoría: el mito del Yeti vive en su pueblo. Pero la doctora Casas dijo: "No creo que sea el Yeti. Puede ser cualquier gorila". El único problema con la teoría de la doctora Casas es que no hay gorilas en la región.

La doctora piensa que las marcas también pueden ser el símbolo de un animal sagrado, según una leyenda indígena de la zona. "Es un hecho increíble. No creo ni en el Yeti ni en los extraterrestres, pero no hay nada que explique las marcas en el parque", dijo Casas. "Lo más extraño es que ha aparecido un símbolo geométrico junto a las marcas, pero todavía no sabemos qué puede representar".

Imagina que eres el (la) presentador(a) del programa "Hechos misteriosos". Tú compañero(a) es el famoso científico Leonardo Pérez, a quien vas a entrevistar sobre un misterio. Hazle las siguientes preguntas y escribe sus respuestas en los espacios en blanco.

1. ¿Cómo supo del misterioso fenómeno? ¿Quién le llamó? _____

   _____

2. ¿Cómo es la figura? ¿Qué puede ser? _____

   _____

3. ¿Hay algo escrito en la figura? _____

4. ¿Cuál es una de las creencias sobre la figura? _____

5. ¿Está usted de acuerdo con esta teoría? Si no, ¿cuál es la suya? _____

6. ¿Qué van a hacer ahora? _____

7. ¿Para qué pudieron usar esta piedra antiguamente? _____

   _____

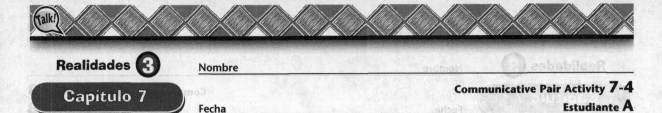

Realidades 3

Capítulo 7

Nombre _____

Fecha _____

Communicative Pair Activity 7-4

Estudiante A

Vas a investigar un mito azteca y necesitas cosas especiales y ayudantes muy preparados. Primero, traza una línea para unir un elemento de cada columna y formar una frase. Luego, escribe las seis frases completas y léeselas a tu compañero(a).

Esperar conseguir —————————— *estudiante* —————————— *ser inteligente*
Espero conseguir un estudiante que sea inteligente.

Columna 1	Columna 2	Columna 3
Buscar	ayudante	informar sobre la civilización azteca
Necesitar	persona	hablar español
Querer	libro	estudiar las ruinas
Hacer falta	arqueólogo(a)	tener mucha memoria
Desear	linterna	brillar mucho
Exigir	computadora	conocer los mitos aztecas

_____

_____

_____

_____

_____

_____

Tu compañero(a) también quiere hacer la misma investigación y necesita otro equipo. Él (ella) te va a leer algunas frases que escribió. Traza líneas para unir los elementos de cada columna, según la frase que escuches.

Columna 1	Columna 2	Columna 3
Buscar	alguien	saber calcular
Necesitar	tienda de acampar	creer en teorías misteriosas
Querer	astrónomo(a)	contribuir con dinero
Hacer falta	persona	tener mucha memoria
Desear	máquina	ser muy grande
Exigir	científico(a)	medir el diámetro de un círculo

Realidades ❸

Capítulo 7

Nombre

Fecha

Communicative Pair Activity 7-4

Estudiante B

Tu compañero(a) va a investigar un mito azteca y necesita cosas especiales y ayudantes muy preparados. Él (ella) te va a leer algunas frases que escribió. Traza líneas para unir los elementos de cada columna, según la frase que escuches.

Columna 1	Columna 2	Columna 3
Buscar	ayudante	informar sobre la civilización azteca
Necesitar	persona	hablar español
Querer	libro	estudiar las ruinas
Hacer falta	arqueólogo(a)	tener mucha memoria
Desear	linterna	brillar mucho
Exigir	computadora	conocer los mitos aztecas

Ahora tú vas a hacer la misma investigación y necesitas otro equipo. Primero, traza una línea para unir un elemento de cada columna y formar una frase. Luego, escribe las seis frases completas y léeselas a tu compañero(a).

Querer ———————— estudiante ———————— ser inteligente
Quiero un estudiante que sea inteligente.

Columna 1	Columna 2	Columna 3
Buscar	alguien	saber calcular
Necesitar	tienda de acampar	creer en teorías misteriosas
Querer	astrónomo(a)	contribuir con dinero
Hacer falta	persona	tener mucha memoria
Desear	máquina	ser muy grande
Exigir	científico(a)	medir el diámetro de un círculo

_____

_____

_____

_____

_____

Situation Cards

2A

Realidades 3

Capítulo 7

Dar opiniones sobre las civilizaciones antiguas

Estás hablando con un(a) amigo(a) de cómo eran las civilizaciones que vivieron hace muchos años.

— Pregúntale a tu amigo(a) qué le interesó más de las civilizaciones maya y azteca.

— Da tu opinión sobre lo que dijo tu amigo(a). Luego, pregúntale si conoce leyendas sobre otras civilizaciones antiguas.

— Responde la pregunta de tu amigo(a).

2B

Realidades 3

Capítulo 7

Dar opiniones sobre las civilizaciones antiguas

Estás hablando con un(a) amigo(a) de cómo eran las civilizaciones que vivieron hace muchos años.

— Responde la pregunta de tu amigo(a). Explica tu respuesta.

— Responde la pregunta de tu amigo(a) y da algunos ejemplos.

— Pregúntale a tu amigo(a) qué piensa que será de la civilización actual dentro de 1,000 años.

1A

Realidades 3

Capítulo 7

Hablar de lo que hacen los arqueólogos

Estás hablando con un(a) amigo(a) sobre lo que hacen los arqueólogos y la importancia de su trabajo.

— Pregúntale a tu compañero(a) por qué piensa que lo que hacen los arqueólogos es importante.

— Responde la pregunta de tu compañero(a).

— Luego, pregúntale cuál cree que es el misterio arqueológico más difícil de explicar y por qué.

— Haz comentarios sobre la respuesta de tu amigo(a). Di si estás de acuerdo o no y por qué.

1B

Realidades 3

Capítulo 7

Hablar de lo que hacen los arqueólogos

Estás hablando con un(a) amigo(a) sobre lo que hacen los arqueólogos y la importancia de su trabajo.

— Responde la pregunta de tu compañero(a).

— Luego, pregúntale a tu compañero(a) qué le interesó más de los descubrimientos arqueológicos en las ciudades antiguas.

— Responde la pregunta de tu compañero(a).

Vocabulary Clip Art

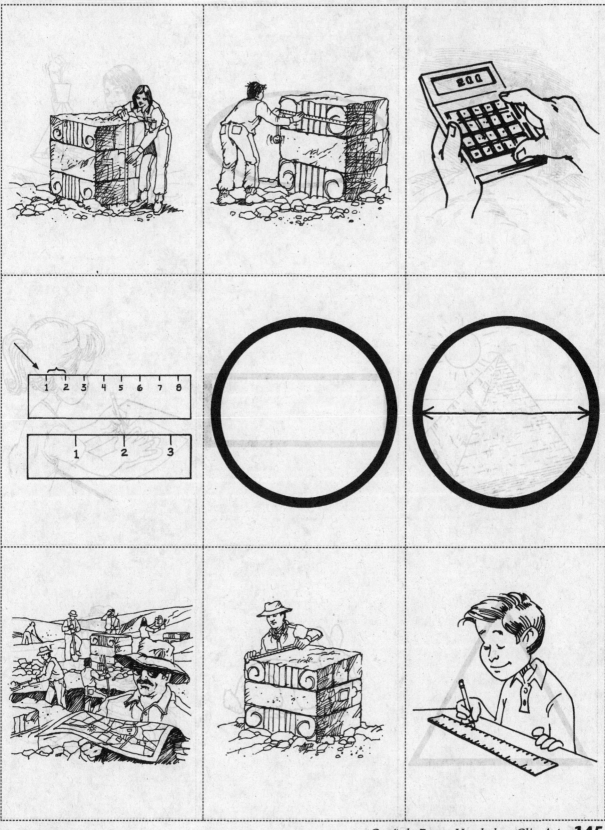

Vocabulary Clip Art

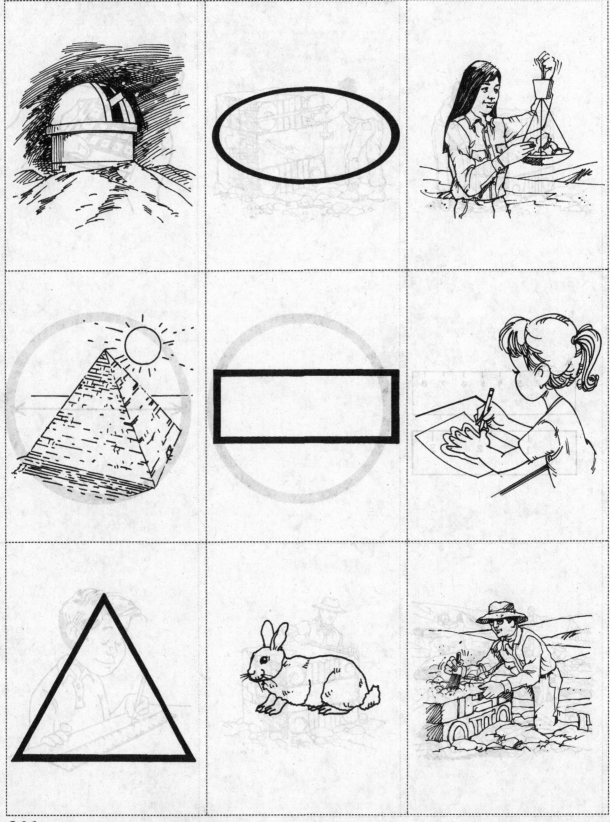

Vocabulary Clip Art

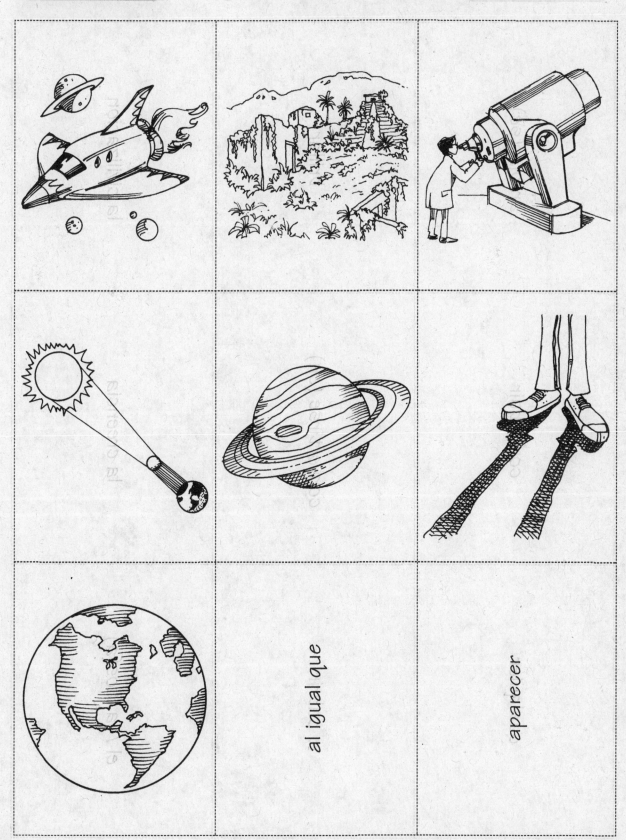

al igual que

aparecer

Vocabulary Clip Art

arrojar(se)

brillar

la civilización

contribuir

convertirse (en)

la creencia

cualquier

el cubrir

el / la dios(a)

Vocabulary Clip Art

el diseño	la distancia	dudar
la escritura	la estructura	la evidencia
existir	extraño, -a	el fenómeno

Vocabulary Clip Art

la función	geométrico, -a	el / la habitante
improbable	inexplicable	el intento
la leyenda	el misterio	misterioso, -a

el mito

o sea que

el origen

ponerse (el sol)

probable

el pueblo

redondo,-a

resolver

sagrado, -a

Vocabulary Clip Art

el símbolo	o sino	la teoría
la tonelada	el universo	ya que (loe)

Core Practice Answers

7-1

1. Vi algunos pájaros.
2. No vi ninguna escultura.
3. Vi algo en el mar.
4. Siempre cayeron relámpagos.
5. Nadie me explicó la historia del castillo.
6. No vi ningún mono.

7-2

1. edificio / No, el antiguo no. Quiero ver el moderno.
2. plaza / No, a la pequeña no. Quiero ir a la grande.
3. gatos / No, con los negros no. Quiero jugar con los grises.
4. peces / No, los horribles no. Quiero ver los hermosos.
5. hormigas / No, unas negras no. Quiero ver las rojas.
6. escaleras / No, las de la derecha no. Quiero subir las de la izquierda.

7-3

1. civilizaciones
2. observatorio
3. misterio
4. diseños
5. rectángulos
6. misterioso
7. dudan
8. cubría
9. la función
10. probable

7-4

1. Leonor mide el diámetro del círculo.
2. Antonio y sus ayudantes excavan.
3. Daniela mide el alto.
4. Mido el ancho.
5. Marisol pesa algo.
6. Teresa y Silvio estudian las ruinas.
7. El señor Bermúdez es arqueólogo.

7-5

1. Dudo que empecemos a excavar hoy.
2. Es evidente que estos diseños son antiguos.
3. No creo que hoy encontremos más ruinas.
4. No es probable que los científicos descubran el misterio.
5. Me parece dudoso que haya una ciudad antigua por aquí.
6. No dudamos que algún día sabremos por qué se construyeron estos edificios.
7. No es verdad que esto sea una evidencia de que hay extraterrestres.
8. No es posible que tracemos la distancia hoy.

7-6

1. movieron / Dudo que los indígenas hayan movido estas piedras enormes sin usar animales.
2. dibujaron / Es imposible que los indígenas hayan dibujado naves espaciales.
3. unieron / Es poco probable que hayan unido las piedras sin cemento.
4. midieron / No es posible que los arqueólogos hayan medido todas las piedras.
5. descubrimos / ¡No es cierto que hayamos descubierto el observatorio!
6. pesé / No creo que haya pesado toda la cerámica.
7. midió / Es dudoso que Ramón haya medido correctamente la distancia entre estos dos monumentos.
8. comprendimos / No es verdad que hayamos comprendido la función de estos óvalos.

7-7

2. No es verdad que haya excavado con los arqueólogos.
3. Estoy seguro(a) que han encontrado un observatorio.
4. No es probable que los extraterrestres hayan ayudado a este pueblo.
5. No es verdad que hayan pasado meses midiendo y pesando.
6. No es evidente que Isabel vuelva el invierno que viene.

7-8

1. habitantes
2. leyendas
3. origen
4. teorías
5. creencia
6. brillaba
7. sagrado
8. escritura
9. contribuyeron
10. mitos

7-9

1. Según la leyenda, le arrojaron un conejo a la Luna.
2. Según un mito la Tierra casi se destruyó.
3. Las personas que se dedican a observar los planetas y las estrellas se llaman astrónomos.
4. Los aztecas creían en dioses.
5. Los mayas observaban los eclipses.
6. Las civilizaciones antiguas usaban símbolos para escribir.

7-10

A.

1. pero
2. pero
3. sino
4. pero
5. sino
6. sino que
7. pero

8. pero

9. pero

10. sino que

B.

1. No sólo eran buenos agricultores, sino que eran astrónomos también.

2. No es el templo de la Luna, sino el del Sol.

3. Estos indígenas hablan no sólo el quiché, sino también el español.

4. Estas ruinas no son de los mayas, pero las otras sí.

7-11

2. Se busca un arqueólogo que conozca las culturas indígenas de México.

3. Se necesita un traductor que hable español y quiché.

4. Se solicita una médica que haya estudiado las enfermedades tropicales.

5. Se quiere contratar un secretario que sepa usar el correo electrónico.

6. Se necesitan trabajadores que sean cuidadosos.

7-12

A.

1. No, no hay nadie que hable idiomas indígenas.

2. No, no hay ningún trabajador que tenga experiencia excavando.

3. No, no hay nada que les haya interesado a los arqueólogos.

4. No, no hay nadie que sepa leer los números mayas.

5. No, no hay nada que haya servido de modelo.

B.

1. No sólo quiero estudiar, sino que también quiero trabajar.

2. Los dioses quisieron arrojarse al fuego, pero no pudieron.

3. No es escritor, sino arqueólogo.

4. El astrónomo no estudia el mar, sino que estudia los planetas.

7-13

Answers will vary.

7-14

1. Dudo (que)

Es posible (que)

Es dudoso (que)

No creo (que)

Es imposible (que)

2. Creo (que)

Estoy segura (que)

Es evidente (que)

Es verdad (que)

Sabemos (que)

3. The subjunctive is used in an adjective clause if you don't have a specific person or thing in mind, if you are not sure the person exists, such as *cualquier* or *cualquiera*, or when it describes a negative word such as *nadie, nada,* or *ninguno(a)*.

4. The Spanish equivalents to the word *but* are *pero* and *sino.*

5. The conjunction *sino* is used after a negative, in order to offer the idea of an alternative.

6. When there is a conjugated verb in the second part of the sentence *sino que* is used.

7. The Spanish equivalents to the expresion *not only . . . but also* is *no sólo sino también.*

Las construcciones negativas (p. 293)

• Look at the following lists of affirmative and negative words.

Affirmative		Negative	
algo	something	nada	nothing
alguien	someone	nadie	no one
alguno/a (pron.)	some	ninguno/a	none, not any
algún/alguna (adj.)	some	ningún/ninguna	none, not any
algunos/as (pron/adj)	some	ningunos/as (pron/adj)	none, not any
siempre	always	nunca	never
también	also	tampoco	either, neither

A. Learning words as opposites is a good strategy. Match each of the following affirmative words with the negative word that means the opposite.

C   1. alguien   A. nada

A   2. algo   B. tampoco

D   3. algunos   C. nadie

E   4. siempre   D. ningunos

B   5. también   E. nunca

B. Circle the correct affirmative or negative word to complete each sentence. Follow the model.

Modelo   No hay (algo /(nada)) interesante en esa plaza. Salgamos ahora.

1. (Siempre /(Nunca)) voy al desierto porque no me gusta el calor.

2. El Sr. Toledo encontró ((algún)/ ningún) artefacto de oro por estas partes.

3. —Me encanta acampar en las montañas.
   —A mí ((también)/ tampoco).

4. Mis vecinos se mudaron y ahora no vive ((nadie)/ alguien) en esa casa.

5. ((Ningún)/Algún) día voy a ser un cantante famoso porque practico todos los días.

realidades.com
• Web Code: jcd-0701

• It is important to remember that the adjectives **algún, alguna, algunos, algunas** and **ningún, ninguna, ningunos, ningunas** agree in number and gender with the noun they modify.

   Hay algunas esculturas en el templo.

   No hay ningún bosque en esa parte del país.

C. Complete the sentences with the correct affirmative word (**algún, alguna, algunos, algunas**) or negative word (**ningún, ninguna, ningunos, ningunas**). Follow the model.

Modelo   Vimos ___algunos___ ríos muy impresionantes.

1. No había ___ningún___ palacio antiguo en la ciudad.

2. Visitamos ___algunas___ montañas muy altas y bonitas.

3. ¿Hay ___algún___ edificio de piedra por aquí?

4. No conocíamos a ___ninguna___ persona en el pueblito.

5. Los arquitectos no han encontrado ___ningún___ objeto interesante en ese sitio.

6. Descubrimos ___algunos___ monumentos hermosos en el centro.

• Remember that to make a sentence negative in Spanish, you must put **no** in front of the conjugated verb.

   No olvidé nada para mi viaje.

• However, if a sentence starts with a negative word, like **nunca** or **nadie**, do not use the word **no** in front of the verb.

   Nadie puede explicar ese fenómeno increíble.

D. Change each of the following statements so they mean exactly the opposite.

Modelo   Conocimos a alguien interesante en la plaza.
   ___No conocimos a nadie interesante en la plaza.___

1. Siempre llevo aretes de plata.   ___Nunca llevo aretes de plata.___

2. Hay algún río por aquí.   ___No hay ningún río por aquí.___

3. Nadie sube la escalera.   ___Alguien sube la escalera.___

4. No hay nada en ese castillo.   ___Hay algo en ese castillo.___

5. Quiero hacer algo.   ___No quiero hacer nada.___

realidades.com
• Web Code: jcd-0701

Realidades 3

Nombre _____

Hora _____

Capítulo 7

Fecha _____

AVSR, Sheet 3

Los adjetivos usados como sustantivos (p. 295)

• When speaking about two similar things in Spanish you can avoid repetition by using the adjective as a noun. Look at the examples below.

  ¿Te gustan más los perros grandes o los pequeños?
  Do you like big dogs more or little ones?

  Tengo un pájaro blanco y uno rojo.
  I have a white bird and a red one.

• Note that you use the definite article (el, la, los, las) or indefinite article (un, una, unos, unas) and an adjective that agrees in gender and number with the noun it replaces.

• Note also that un becomes uno when it is not followed by a noun.

A. Read each sentence. The underlined adjective is being used as a noun to avoid repeating the original noun in the sentence. Circle the original noun. Follow the model.

Modelo   Me gustan (las camisas) azules pero no me gustan nada las amarillas.

1. Tengo miedo de (los animales) grandes pero no me molestan los pequeños.

2. Anoche hubo (una tormenta) fuerte y esta noche va a haber una pequeña.

3. En el parque zoológico hay (un elefante) viejo y uno joven.

4. Las hormigas) negras no pican pero las rojas sí.

5. La cebra) flaca no come mucho porque la gorda se come toda la comida.

6. En ese acuario hay (unos peces) anaranjados y unos azules.

B. Choose the correct form of each adjective being used as a noun. Follow the model.

Modelo   Los osos de color café son más grandes que ((los blancos)/ las blancas).

1. No quiero un cuaderno rojo. Quiero ((uno gris)/ una gris).

2. Las moscas grandes me molestan más que (los pequeños /(las pequeñas)).

3. El mono gris es más agresivo que (la negra /(el negro)).

4. Hubo un incendio pequeño en la ciudad y (una grande /(uno grande) en el campo.

5. Va a haber muchas flores de color rosa y ((unas amarillas)/ unos amarillos) en mi jardín esta primavera.

Realidades 3

Nombre _____

Hora _____

Capítulo 7

Fecha _____

AVSR, Sheet 4

• You can also use the definite or indefinite article with a prepositional phrase beginning with a, de, or para to avoid repetition.

  ¿Son más grandes los pájaros de Guatemala o los de Costa Rica?

  Esta comida es para un perro joven, no para uno viejo.

C. Cross out the noun that is repeated in each sentence. Then, write the remaining phrase including a, de, or para that replaces the repeated noun. Follow the model.

Modelo   La entrenadora de fútbol y la entrenadora de béisbol son buenas amigas.

___la de béisbol___

1. Las entradas del cine cuestan menos que las entradas de la obra de teatro.

___las de la obra de teatro___

2. Unos estudiantes de primer año y unos estudiantes de tercer año están de excursión hoy.

___unos de tercer año___

3. La clase de literatura y la clase de ciencias sociales tienen lugar en el teatro de la escuela.

___la de ciencias sociales___

4. El profesor de inglés es más exigente que el profesor de anatomía.

___el de anatomía___

5. Nos quedamos para este mes y no para el mes que viene.

___para el que viene___

• You can also place lo in front of a masculine singular adjective to make it into a noun. This creates the equivalent of "the (adjective) thing . . ." in English.

  Lo bueno del verano es que no hay clases.
  The good thing about summer is that there are no classes.

D. Use the adjectives in parentheses as nouns at the beginning of each of the following sentences. Follow the model.

Modelo   ___Lo___   ___cómico___   de la situación es que Lidia no es profesora. (cómico)

1. ___Lo___   ___malo___   de la clase es que hay mucha tarea. (malo)

2. ___Lo___   ___interesante___   del libro es que no tiene narrador. (interesante)

3. ___Lo___   ___divertido___   del invierno es que podemos esquiar. (divertido)

4. ___Lo___   ___difícil___   de esta tarea es que no comprendo el vocabulario. (difícil)

5. ___Lo___   ___impresionante___   de esos pájaros es que pueden volar por varias millas sin descansar. (impresionante)

realidades.com
• Web Code: jed-0701

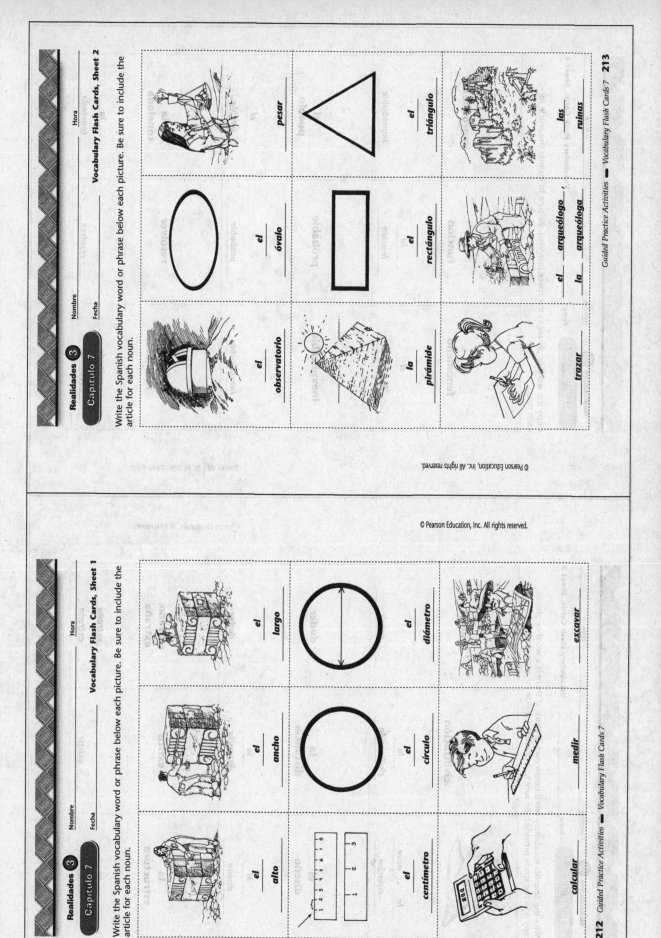

Capítulo 7

Vocabulary Flash Cards, Sheet 2

Write the Spanish vocabulary word or phrase below each picture. Be sure to include the article for each noun.

pesar

el triángulo

las ruinas

el óvalo

el rectángulo

el arqueólogo , la arqueóloga

el observatorio

la pirámide

trazar

Guided Practice Activities ● Vocabulary Flash Cards 7 **213**

Realidades 3 — Nombre — Hora

Capítulo 7

Vocabulary Flash Cards, Sheet 1

Write the Spanish vocabulary word or phrase below each picture. Be sure to include the article for each noun.

el largo

el diámetro

excavar

el ancho

el círculo

medir

el alto

el centímetro

calcular

212 Guided Practice Activities ● Vocabulary Flash Cards 7

Copy the word or phrase in the space provided. Be sure to include the article for each noun.

el fenómeno	**la función**	**improbable**
el _____ _fenómeno_	la _____ _función_	_improbable_
inexplicable	**probable**	**el pueblo**
inexplicable	_probable_	el _____ _pueblo_
redondo, redonda	**resolver**	**la tonelada**
redondo , _redonda_	_resolver_	la _____ _tonelada_

Write the Spanish vocabulary word below each picture. If there is a word or phrase, copy it in the space provided. Be sure to include the article for each noun.

la nave espacial	**la civilización**	**cubrir**
la _nave_ _espacial_	la _____ _civilización_	_cubrir_
el diseño	**la distancia**	**dudar**
el _____ _diseño_	la _____ _distancia_	_dudar_
la estructura	**existir**	**extraño, extraña**
la _____ _estructura_	_existir_	_extraño_ , _extraña_

Tear out this page. Write the English words on the lines. Fold the paper along the dotted line to see the correct answers so you can check your work.

el alto	*height*
el ancho	*width*
el arqueólogo, la arqueóloga	*archaeologist*
calcular	*to calculate, to compute*
el círculo	*circle*
la civilización	*civilization*
cubrir	*to cover*
el diámetro	*diameter*
el diseño	*design*
la distancia	*distance*
excavar	*to dig*
dudar	*to doubt*
extraño, extraña	*strange*
el fenómeno	*phenomenon*
la función	*function*
geométrico, geométrica	*geometric(al)*
improbable	*unlikely*

Fold In ↓

These blank cards can be used to write and practice other Spanish vocabulary for the chapter.

Capítulo 7 ■ *Guided Practice Answers*   **159**

Realidades 3

Capítulo 7

Nombre _____

Hora _____

Fecha _____

Vocabulary Check, Sheet 2

Tear out this page. Write the Spanish words on the lines. Fold the paper along the dotted line to see the correct answers so you can check your work.

height	*el alto*
width	*el ancho*
archaeologist	*el arqueólogo, la arqueóloga*
to calculate, to compute	*calcular*
circle	*el círculo*
civilization	*la civilización*
to cover	*cubrir*
diameter	*el diámetro*
design	*el diseño*
distance	*la distancia*
to dig	*excavar*
to doubt	*dudar*
strange	*extraño, extraña*
phenomenon	*el fenómeno*
function	*la función*
geometric(al)	*geométrico, geométrica*
unlikely	*improbable*

Fold In ↓

Realidades 3

Capítulo 7

Nombre _____

Hora _____

Fecha _____

Vocabulary Check, Sheet 3

Tear out this page. Write the English words on the lines. Fold the paper along the dotted line to see the correct answers so you can check your work.

inexplicable	*inexplicable*
el largo	*length*
medir (e→i)	*to measure*
la nave espacial	*spaceship*
el observatorio	*observatory*
el óvalo	*oval*
pesar	*to weigh*
la pirámide	*pyramid*
probable	*likely*
el pueblo	*people*
el rectángulo	*rectangle*
redondo, redonda	*round*
resolver (o→ue)	*to solve*
las ruinas	*ruins*
la tonelada	*ton*
el triángulo	*triangle*
trazar	*to trace, to draw*

Fold In ↓

Realidades 3

Capítulo 7

Nombre

Hora

Fecha

Guided Practice Activities, Sheet 1

El presente y el presente perfecto del subjuntivo con expresiones de duda (p. 306)

- When you want to express doubt, uncertainty, or disbelief about actions in the present, you use the present subjunctive.

  Dudo que los arqueólogos tengan todos sus instrumentos.
  I doubt the archaeologists have all their instruments.

  Other verbs and expressions that indicate doubt, uncertainty, and disbelief include:

No creer	Es improbable	Es dudoso
Es probable	Es imposible	

- In contrast, expressions of belief, knowledge, or certainty are usually followed by the indicative.

  Es verdad que los arqueólogos trabajan mucho.
  It's true that the archaeologists work a lot.

  Other verbs and expressions of belief, knowledge, or certainty include:

Creer	No dudar	Es cierto
Estar seguro/a de	Saber	Es evidente

A. Circle the verb in each of the following sentence endings. Then, choose the appropriate sentence starter. If the verb you circled is in the subjunctive or present perfect subjunctive, check the column that says "**Dudamos.**" If the verb is in the indicative, check the column that says "**Estamos seguros de.**"

Modelo   ... que los marcianos (viven) en nuestro planeta.
☐ Dudamos ...   ☑ Estamos seguros de ...

1. ... que Chichén Itza (es) el sitio arqueológico más famoso del mundo.
   ☐ Dudamos ...   ☑ Estamos seguros de ...

2. ... que muchas ruinas mayas (están) en el Yucatán.
   ☐ Dudamos ...   ☑ Estamos seguros de ...

3. ... que (existan) evidencias de una nave espacial.
   ☑ Dudamos ...   ☐ Estamos seguros de ...

4. ... que los arqueólogos (resuelvan) todos los misterios de la civilización maya.
   ☑ Dudamos ...   ☐ Estamos seguros de ...

5. ... que el observatorio (está) en el centro de la ciudad.
   ☐ Dudamos ...   ☑ Estamos seguros de ...

realidades.com
• Web Code: jed-0703

Realidades 3

Capítulo 7

Nombre

Hora

Fecha

Vocabulary Check, Sheet 4

Tear out this page. Write the Spanish words on the lines. Fold the paper along the dotted line to see the correct answers so you can check your work.

inexplicable	*inexplicable*
length	*el largo*
to measure	*medir (e→i)*
spaceship	*la nave espacial*
observatory	*el observatorio*
oval	*el óvalo*
to weigh	*pesar*
pyramid	*la pirámide*
likely	*probable*
people	*el pueblo*
rectangle	*el rectángulo*
round	*redondo, redonda*
to solve	*resolver (o→ue)*
ruins	*las ruinas*
ton	*la tonelada*
triangle	*el triángulo*
to trace, to draw	*trazar*

Fold In ↓

realidades.com
• Web Code: jed-0702

B. Find the expression that indicates doubt (subjunctive) or certainty (indicative) in each sentence below. Write **S** for subjunctive and **I** for indicative. Then, complete the sentences with the correct form of the verb in parentheses. Follow the model.

Modelo ___I___ Es cierto que nadie __puede__ explicar todo lo misterioso de nuestro universo. (**poder**)

1. ___S___ Es dudoso que los arqueólogos __excaven__ hoy porque llueve. (**excavar**)

2. ___I___ Creo que los diseños geométricos __tienen__ un diámetro de cinco metros. (**tener**)

3. ___I___ Los arqueólogos saben que nosotros __queremos__ investigar ese sitio. (**querer**)

4. ___I___ Es cierto que la arqueóloga __traza__ una línea entre los dos edificios. (**trazar**)

5. ___S___ Es posible que los estudiantes __vean__ unos fenómenos extraños durante su viaje a Perú. (**ver**)

• When you express doubt or uncertainty about actions that took place in the past, use the present perfect subjunctive.

Es dudoso que los arqueólogos hayan medido todas las pirámides.
It's doubtful that the archaeologists measured (have measured) all the pyramids.

• Use the present perfect indicative after expressions of belief, knowledge, or certainty.

Es verdad que los arqueólogos han encontrado unos objetos de cerámica.
It is true that the archaeologists found (have found) some ceramic objects.

C. First, underline the expression that indicates doubt or certainty in each sentence. Then, complete the sentences with the present perfect indicative or present perfect subjunctive. Follow the models.

Modelos (ver) No creo que ellos __hayan__ __visto__ una nave espacial.

(pesar) Es evidente que los científicos __han__ __pesado__ las piedras.

1. (estudiar) Es evidente que los mayas __han__ __estudiado__ mucho la astronomía.

2. (ver) Dudamos que tú __hayas__ __visto__ un extraterrestre.

3. (hacer) No es probable que ellos __hayan__ __hecho__ todos los viajes que planearon.

4. (ir) Estamos seguros que tú __has__ __ido__ a un sitio muy famoso.

5. (comunicar) Los científicos no creen que los incas se __hayan__ __comunicado__ con los extraterrestres.

realidades.com
• Web Code: jed-0703

Write the Spanish vocabulary word below each picture. If there is a word or phrase, copy it in the space provided. Be sure to include the article for each noun.

el __conejo__

el __planeta__

el __astrónomo__ , la __astrónoma__

la __Tierra__

el __eclipse__

la __sombra__

al __igual__ que

aparecer

al __igual__ que

arrojarse

aparecer

arrojarse

Realidades 3

Capítulo 7

Nombre _____

Fecha _____

Hora _____

Vocabulary Flash Cards, Sheet 8

Copy the word or phrase in the space provided. Be sure to include the article for each noun.

la leyenda	la Luna	el mito
la _____ leyenda	la _____ Luna	el _____ mito

o sea que	el origen	ponerse (el sol)
o _____ sea _____ que	el _____ origen	ponerse _____ (el sol)

sagrado, sagrada	el símbolo	sino (que)
sagrado _____ , sagrada _____	el _____ símbolo	sino (que) _____

Realidades 3

Capítulo 7

Nombre _____

Fecha _____

Hora _____

Vocabulary Flash Cards, Sheet 7

Copy the word or phrase in the space provided. Be sure to include the article for each noun.

brillar	contribuir	convertirse (en)
brillar _____	contribuir _____	convertirse (en) _____

la creencia	cualquier	el dios, la diosa
la _____ creencia	cualquier _____	el _____ dios, la _____ diosa

la escritura	el/la habitante	el intento
la _____ escritura	el/la _____ habitante	el _____ intento

Tear out this page. Write the English words on the lines. Fold the paper along the dotted line to see the correct answers so you can check your work.

al igual que	*as, like*
aparecer (zc)	*to appear*
arrojar(se)	*to throw (oneself)*
el astrónomo, la astrónoma	*astronomer*
brillar	*to shine*
convertirse (en)	*to turn (into); to become*
contribuir (u→y)	*to contribute*
la creencia	*belief*
cualquier, cualquiera	*any*
el dios, la diosa	*god, goddess*
la escritura	*writing*
el eclipse	*eclipse*
el/la habitante	*inhabitant*
el intento	*attempt*

Fold In ↓

Copy the word or phrase in the space provided. Be sure to include the article for each noun. The blank cards can be used to write and practice other Spanish vocabulary for the chapter.

la teoría	**el universo**	**ya que**
la teoría	*el universo*	*ya que*

Realidades 3

Capítulo 7

Nombre _____

Hora _____

Fecha _____

Vocabulary Check, Sheet 7

Tear out this page. Write the English words on the lines. Fold the paper along the dotted line to see the correct answers so you can check your work.

la leyenda	_legend_
la Luna	_moon_
el mito	_myth_
el origen	_origin_
o sea que	_in other words_
el planeta	_planet_
ponerse (el sol)	_to set (sun)_
sagrado, sagrada	_sacred_
el símbolo	_symbol_
sino (que)	_but; but instead_
la sombra	_shadow_
la teoría	_theory_
la Tierra	_Earth_
el universo	_universe_

- Fold In ↓

Realidades 3

Capítulo 7

Nombre _____

Hora _____

Fecha _____

Vocabulary Check, Sheet 6

Tear out this page. Write the Spanish words on the lines. Fold the paper along the dotted line to see the correct answers so you can check your work.

as, like	_al igual que_
to appear	_aparecer (zc)_
to throw (oneself)	_arrojar(se)_
astronomer	_el astrónomo,_ _la astrónoma_
to shine	_brillar_
to turn (into); to become	_convertirse (en)_
to contribute	_contribuir (u→y)_
belief	_la creencia_
any	_cualquier,_ _cualquiera_
god, goddess	_el dios, la diosa_
writing	_la escritura_
eclipse	_el eclipse_
inhabitant	_el/la habitante_
attempt	_el intento_

- Fold In ↓

Capítulo 7 — Guided Practice Answers   165

Realidades 3

Capítulo 7

Nombre _____

Hora _____

Fecha _____

Guided Practice Activities, Sheet 3

Pero y sino (p. 319)

• To say the word "but" in Spanish, you usually use the word **pero.**

  Hoy hace mal tiempo, pero vamos a visitar las pirámides.

However, there is another word in Spanish, **sino,** that also means "but." **Sino** is used after a negative, in order to offer the idea of an alternative: "not this, but rather that."

  Los aztecas no tenían un sólo dios sino muchos dioses diferentes.
  The Aztecs did not have only one god, but (rather) many different gods.

A. Underline the verb in the first part of each sentence. If the verb is affirmative, circle **pero** as the correct completion. If the verb is negative, circle **sino** as the correct completion. Note: if the verb is negative, you will also need to underline **"no"** if it is present. Follow the models.

Modelos Mi tío no es arquitecto ((sino) / pero) arqueólogo.

Mi hermano lee libros sobre las civilizaciones antiguas (sino (pero)) nunca ha visitado ninguna.

1. Esta escritura azteca me parece muy interesante (sino /(pero)) no la puedo leer.

2. Los mayas no estudiaban la arqueología ((sino) / pero) la astronomía.

3. Esta historia no es una autobiografía ((sino) / pero) una leyenda.

4. Los conejos son animales muy simpáticos (sino (pero)) mi mamá no me permite tener uno en casa.

5. Va a haber un eclipse lunar este viernes (sino (pero)) no podré verlo porque estaré dormido.

B. Choose either **pero** or **sino** to complete each of the following sentences.

Modelo Ese mito es divertido ((pero) / sino) no creo que sea cierto.

1. Los mayas no eran bárbaros (pero (sino)) muy intelectuales y poseían una cultura rica.

2. El alfabeto azteca no usaba letras (pero (sino)) símbolos y dibujos.

3. Los mayas y los aztecas no vivían en España (pero (sino)) en México.

4. Tengo que preparar un proyecto sobre los aztecas ((pero) / sino) no lo he terminado todavía.

5. Según los aztecas, uno de sus dioses se convirtió en el Sol ((pero) / sino) al principio no podía moverse.

realidades.com
• Web Code: jed-0707

Realidades 3

Capítulo 7

Nombre _____

Hora _____

Fecha _____

Vocabulary Check, Sheet 8

Tear out this page. Write the Spanish words on the lines. Fold the paper along the dotted line to see the correct answers so you can check your work.

legend	*la leyenda*
moon	*la Luna*
myth	*el mito*
origin	*el origen*
in other words	*o sea que*
planet	*el planeta*
to set (sun)	*ponerse (el sol)*
sacred	*sagrado, sagrada*
symbol	*el símbolo*
but; but instead	*sino (que)*
shadow	*la sombra*
theory	*la teoría*
Earth	*la Tierra*
universe	*el universo*

Fold In ↓

realidades.com
• Web Code: jed-0706

El subjuntivo en cláusulas adjetivas (p. 320)

• Sometimes you use an entire clause to describe a noun. This is called an adjective clause, because, like an adjective, it *describes*. When you are talking about a specific person or thing that definitely exists, you use the indicative.

Tengo unas fotos *que muestran los templos mayas*.
I have some photos that show the Mayan temples.

• If you are not talking about a specific person or thing, or if you are not sure whether the person or thing exists, you must use the subjunctive.

Busco un libro *que tenga información sobre el calendario maya*.
I am looking for a book that has information about the Mayan calendar.

Sometimes **cualquier(a)** is used in these expressions.

Podemos visitar cualquier templo *que nos interese*.
We can visit whatever temple interests us.

A. Circle the adjective clause in each of the following sentences. Follow the model.

Modelo Queremos leer un cuento (que sea más alegre)

1. Busco una leyenda (que explique el origen del mundo)
2. Los arqueólogos tienen unos artefactos (que son de cerámica)
3. Queremos tomar una clase (que trate de las culturas indígenas mexicanas)
4. Conocemos a un profesor (que pasa los veranos en México excavando en los sitios arqueológicos)
5. Los estudiantes necesitan unos artículos (que les ayuden a entender la escritura azteca)

B. First, find the adjective clause in each statement and decide whether it describes something that exists or possibly does not exist. Place an **X** in the appropriate column. Then, circle the correct verb to complete the sentence. Follow the model.

	Existe	Posiblemente no existe
Modelo Busco un artículo que (tiene /**tenga**) información sobre los mayas.		X
1. Necesito el artículo que (**está**/ esté) en esa carpeta.	X	
2. Visitamos un museo que (**tiene**/ tenga) una exhibición nueva.	X	
3. Voy a llevar cualquier vestido que (encuentro /**encuentre**) en el armario.		X
4. En mi clase hay un chico que (**puede**/ pueda) dibujar bien.	X	
5. Queremos ver unas pirámides que (son /**sean**) más altas que éstas.		X

realidades.com
• Web Code: jed-0708

Pero y sino (continued)

• **Sino** is also used in the expression **no sólo... sino también...**, which means *not only... but also*.

Los mayas no sólo estudiaban las matemáticas sino también la astronomía.

C. Finish each sentence with the "no sólo... sino también" pattern using the elements given. Follow the model.

Modelo Al niño *no sólo le gusta el helado sino también las galletas*
(le gusta el helado / galletas)

1. Hoy *no sólo hace sol sino también calor* (hace sol / calor)
2. Esta profesora *no sólo es cómica sino también inteligente* (es cómica / inteligente)
3. Las leyendas *no sólo son interesantes sino también informativas* (son interesantes / informativas)
4. Mis amigos *no sólo son comprensivos sino también divertidos* (son comprensivos / divertidos)
5. La comida mexicana *no sólo es nutritiva sino también deliciosa* (es nutritiva / deliciosa)

• When there is a conjugated verb in the second part of the sentence, you should use **sino que**.

Ella no perdió sus libros sino que se los prestó a una amiga.
She didn't lose her books but (rather) she lent them to a friend.

D. Choose either **sino** or **sino que** to complete each of the following sentences.

Modelo Los aztecas no tenían miedo de los fenómenos naturales (sino /**sino que**) trataban de explicarlos.

1. Los españoles no aceptaron a los aztecas (sino /**sino que**) destruyeron su imperio.
2. Según los aztecas, no se ve la cara de un hombre en la luna (**sino**/ sino que) un conejo.
3. Los arqueólogos no vendieron los artefactos (sino /**sino que**) los preservaron en un museo.
4. Esta leyenda no trata de la creación de los hombres (**sino**/ sino que) del origen del día y de la noche.

realidades.com
• Web Code: jed-0707

C. Complete each sentence using the present indicative or the present subjunctive mood of the verb in parentheses. Follow the model.

Modelo (tener)   Tengo una clase de arqueología que ___*tenga*___ más memoria.

1. (ser)   Tengo una clase de arqueología que ___*es*___ muy divertida.

2. (poder)   Buscamos una profesora que ___*pueda*___ ayudarnos con nuestro proyecto sobre los aztecas.

3. (medir)   En el museo de arte hay una estatua maya que ___*mide*___ más de dos metros.

4. (conocer)   Quiero un amigo que ___*conozca*___ todos los mitos indígenas.

5. (querer)   La sociedad arqueológica busca dos estudiantes que ___*quieran*___ ir a México este verano.

• The subjunctive is also used in adjective clauses when they describe something that doesn't exist, using a negative word such as **nadie, nada,** or **ninguno(a).**

     No hay nadie aquí que pueda interpretar el calendario maya.
     There is no one here who can interpret the Mayan calendar.

• When an adjective clause refers to something or someone unknown in the past, or something that does not exist or has not happened in the past, you can use the present perfect subjunctive.

     Quiero un profesor que haya estudiado el calendario maya.
     I want a professor who studied (has studied) the Mayan calendar.

D. First, read each sentence and determine if the adjective clause describes something that exists (affirmative) or something that may not exist (negative). Place a checkmark in either the "+" or "−" column to indicate your choice. Then, circle the correct verb for the sentence. Follow the model.

                                                       +   **−**

Modelo   Aquí tengo un libro que (**da**/ dé) información interesante ___✓___ ___ sobre los mayas.

1. No hay nada en este museo que (es /**sea**) de los mayas. ___ ___✓___

2. En México, D.F. hay unos murales que (**ilustran**/ ilustren) la vida de los indígenas. ___✓___ ___

3. Yo encontré un artefacto que (**tiene**/ tenga) un significado religioso. ___✓___ ___

4. En mi familia no hay nadie que (sabe /**sepa**) más que yo sobre las civilizaciones mesoamericanas. ___ ___✓___

5. Buscamos a alguien en la escuela que (ha visitado /**haya visitado**) Chichén Itzá. ___ ___✓___

realidades.com
• Web Code: jed-0708

Puente a la cultura (pp. 324–325)

A. Look at the photos of the Moai statues on page 324 and the Olmec head on page 325 in your textbook. Below are some ideas for what each photo might represent. Choose which you think is the best explanation for each artifact and explain why you chose it.

Polynesian people	Kings	Spanish conquistadors
extraterrestrials	Gods	athletic champions political figureheads

1. estatua moai   *Answers will vary.*

2. cabeza olmeca   *Answers will vary.*

B. Read the following excerpt and check off the sentence that best represents the main point.

> … *Allí se encuentran los moai, unas estatuas enormes de piedra que representan enormes cabezas con orejas largas y torsos pequeños. Se encuentran en toda la isla y miran hacia el cielo como esperando a algo o alguien. Pero la pregunta es ¿cómo las construyeron y las movieron los habitantes indígenas a la isla? Se sabe que no conocían ni el metal ni la rueda.*

a. ___ Las estatuas tienen orejas largas y torsos pequeños.

b. ___✓___ Nadie sabe cómo las estatuas llegaron allí.

c. ___ Las estatuas miran hacia el cielo.

d. ___ Los indígenas no conocían ni el metal ni la rueda.

C. After reading about the Olmecs and the Nazca lines, complete the following by writing an **O** next to the statement if it corresponds to the creations of the **olmecas** and an **N** if it refers to the **líneas de Nazca.**

1. ___**O**___ Vivieron en México.

2. ___**N**___ Sólo es posible verlas completamente desde un avión.

3. ___**O**___ Construyeron cabezas gigantescas.

4. ___**O**___ La primera gran civilización de Mesoamérica.

5. ___**N**___ Representan figuras y animales.

realidades.com
• Web Code: jed-0710

Lectura (pp. 330–332)

A. The excerpt you are about to read is from a well-known piece of literature about a man who *thinks* he is a knight. Think about what other depictions of knights you have seen in literature and/or movies.   **Answers will vary.**

1. What are knights usually like?

   Possible answers: strong, loyal, fierce, good at fighting, wear armor

2. Are the portrayals you have seen usually serious, comical, or both?

   Students may mention serious portrayals in literature and film or comical portrayals such as in the Monty Python films.

B. Look at the excerpt below from page 331 of your textbook and answer the questions that follow.

—Así es —dijo Sancho.

—Pues —dijo su amo [master]—, aquí puedo hacer mi tarea: deshacer fuerzas y ayudar a los miserables.

1. To whom is Sancho speaking?

   Sancho is speaking to his master, Don Quijote.

2. What does Sancho's master say is his duty?

   His master says that it is his duty to help the downtrodden and to fight against the people who force others (against their will).

3. Does this duty sound like something a knight would do?

   Yes, it does.

4. What kind of person or profession would do this duty in today's society?

   Possible answers: lawyers, judges, military or law enforcement personnel.

C. Read the following sentences about the reading in your textbook. Write C (for **cierto**) if they are true and F (for **falso**) if they are false.

F 1. Cuando Don Quijote ve a los hombres, él sabe que son prisioneros.

C 2. El primer prisionero con quien habla Don Quijote le dice que va a la prisión por amor.

F 3. El segundo prisionero con quien habla Don Quijote le dice que va a la prisión por robar una casa.

F 4. El tercer prisionero lleva más cadenas porque tiene más crímenes que todos.

C 5. A Don Quijote le parece injusto el tratamiento de los prisioneros.

C 6. Don Quijote y Sancho liberan a los prisioneros.

F 7. Don Quijote quiere que los prisioneros le den dinero.

C 8. Los prisioneros le tiran piedras a Don Quijote.

D. Read the following excerpt from the reading in your textbook and answer the questions that follow.

Don Quijote llamó entonces a los prisioneros y así les dijo:

—De gente bien educada es agradecer (to thank) los beneficios que reciben. Les pido que vayan a la ciudad del Toboso, y allí os presentéis ante la señora Dulcinea del Toboso y le digáis que su caballero, el de la Triste Figura, ha tenido esta famosa aventura.

1. First, find the following cognates in the passage above and circle them. Then write their meanings on the spaces below.

   a. aventura — **adventure**   c. educada — **educated**

   b. beneficios — **benefits**   d. prisioneros — **prisoners**

2. In this excerpt, Don Quijote uses the **vosotros** command form when addressing the prisoners. First, underline the following two commands in the passage above. Then choose the correct meaning for each.

   os presentéis

   ☑ present yourselves

   ☐ provide yourselves

   le digáis

   ☐ give her

   ☑ tell her

Actividad 2

Ana y Ramona hablan sobre unos fenómenos inexplicables. Escucha sus comentarios e indica con una X en la tabla si cada persona cree en el fenómeno descrito o si duda de él. Vas a oír los comentarios dos veces.

Fenómeno	Ana	Ramona
1. Las naves espaciales y los OVNIs (UFOs)	__X__ cree / ____ duda	____ cree / __X__ duda
2. El yeti ("Bigfoot")	____ cree / __X__ duda	__X__ cree / ____ duda
3. Los fantasmas y espíritus	__X__ cree / ____ duda	____ cree / __X__ duda
4. Los clarividentes (psychics)	__X__ cree / ____ duda	____ cree / __X__ duda

---

Actividad 1

Trabajas con un grupo de arqueólogos que están explorando unas ruinas indígenas. Tú debes tomar apuntes sobre los diferentes artefactos que se descubren durante las exploraciones. Vas a oír descripciones de tres objetos antiguos. Mientras escuchas, completa las tarjetas de identificación para cada objeto, añadiendo los detalles necesarios. Vas a oír cada descripción dos veces.

OBJETO 1

Forma (shape):	óvalo
Alto:	4 cm
Ancho:	12 cm
Largo:	17 cm

OBJETO 2

Forma:	rectángulo
Alto:	80 cm
Ancho:	2 cm
Largo:	30 cm

OBJETO 3

Forma:	triángulo
Alto:	23 cm
Ancho:	14 cm
Largo:	14 cm

Actividad 5

Estás participando en una excavación de unas ruinas muy importantes. Tu trabajo es organizar todos los artefactos para poder encontrarlos fácilmente en cualquier momento. Escucha los comentarios de varios científicos que buscan artefactos específicos. Basándote en sus descripciones, encierra en un círculo el dibujo del artefacto correcto en cada grupo. Vas a oír cada descripción dos veces.

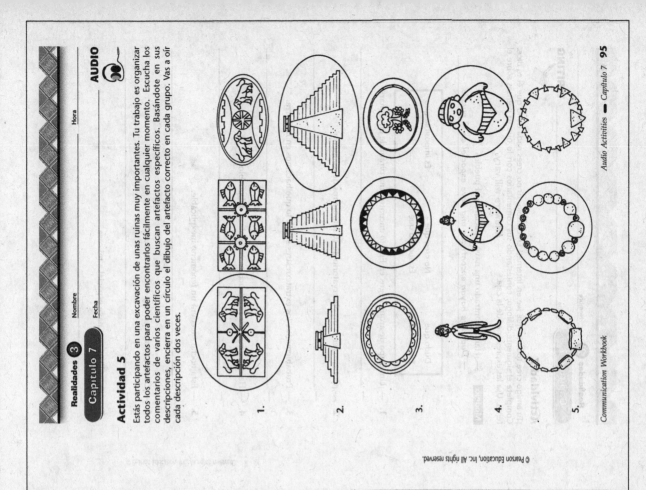

1.
2.
3.
4.
5.

Actividad 3

Vas a oír cinco comentarios sobre mitos y leyendas. Mientras escuchas, mira los dibujos. Escribe el número del comentario al lado del dibujo correspondiente. Solamente vas a escribir cinco números. Vas a oír cada comentario dos veces.

2 ___   5 ___   1 ___
4 ___   3 ___

Actividad 4

Un grupo de amigos del Colegio Principal quiere organizar un Club de arqueología. En la primera reunión, hablan de las cosas que necesitan. Escucha los comentarios de cada estudiante. Presta atención al uso del indicativo o del subjuntivo. Luego, indica en la tabla si la persona que habla conoce la cosa, o si no la conoce y la tiene que buscar. Vas a oír los comentarios de cada estudiante dos veces.

1.	____ Lo conoce	X No lo conoce
2.	X Lo conoce	____ No lo conoce
3.	____ Lo conoce	X No lo conoce
4.	____ Lo conoce	X No lo conoce
5.	X Lo conoce	____ No lo conoce
6.	X Lo conoce	____ No lo conoce

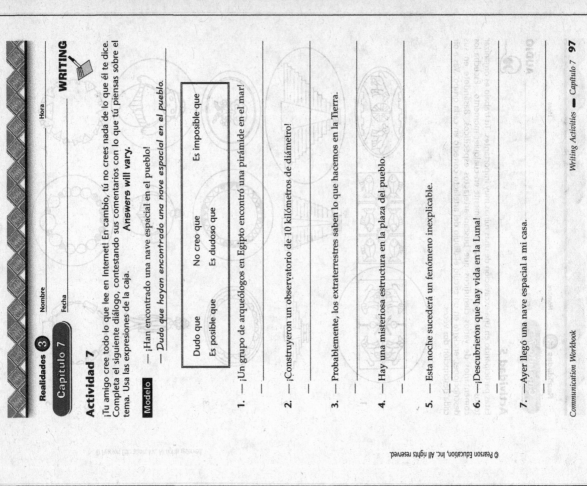

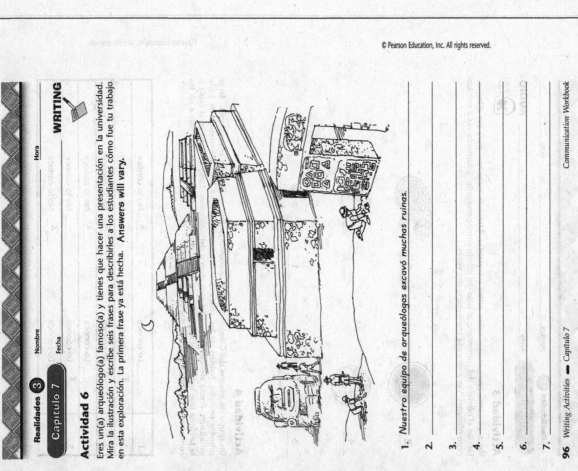

Actividad 7

¡Tu amigo cree todo lo que lee en Internet! En cambio, tú no crees nada de lo que él te dice. Completa el siguiente diálogo, contestando sus comentarios con lo que tú piensas sobre el tema. Usa las expresiones de la caja. **Answers will vary.**

Modelo
— ¡Han encontrado una nave espacial en el pueblo!
— *Dudo que hayan encontrado una nave espacial en el pueblo.*

Dudo que	No creo que	Es imposible que
Es posible que	Es dudoso que	

1. — ¡Un grupo de arqueólogos en Egipto encontró una pirámide en el mar!

2. — ¡Construyeron un observatorio de 10 kilómetros de diámetro!

3. — Probablemente, los extraterrestres saben lo que hacemos en la Tierra.

4. — Hay una misteriosa estructura en la plaza del pueblo.

5. — Esta noche sucederá un fenómeno inexplicable.

6. — ¡Descubrieron que hay vida en la Luna!

7. — Ayer llegó una nave espacial a mi casa.

Communication Workbook   Writing Activities — Capítulo 7 **97**

Actividad 6

Eres un(a) arqueólogo(a) famoso(a) y tienes que hacer una presentación en la universidad. Mira la ilustración y escribe seis frases para describirles a los estudiantes cómo fue tu trabajo en esta exploración. La primera frase ya está hecha. **Answers will vary.**

1. Nuestro equipo de arqueólogos excavó muchas ruinas.

2.

3.

4.

5.

6.

7.

96 Writing Activities — Capítulo 7   Communication Workbook

Realidades 3

Capítulo 7

Nombre _____

Hora _____

Fecha _____

WRITING

Actividad 9

Eres un(a) arqueólogo(a) que acaba de regresar de unas excavaciones en África. Escribe un artículo científico explicando la evidencia de las ruinas que encontraste. Describe las estructuras y ruinas con detalle y da tu opinión sobre los descubrimientos. ¡No te olvides de escribir los pies de foto (*captions*) de las ilustraciones! **Answers will vary.**

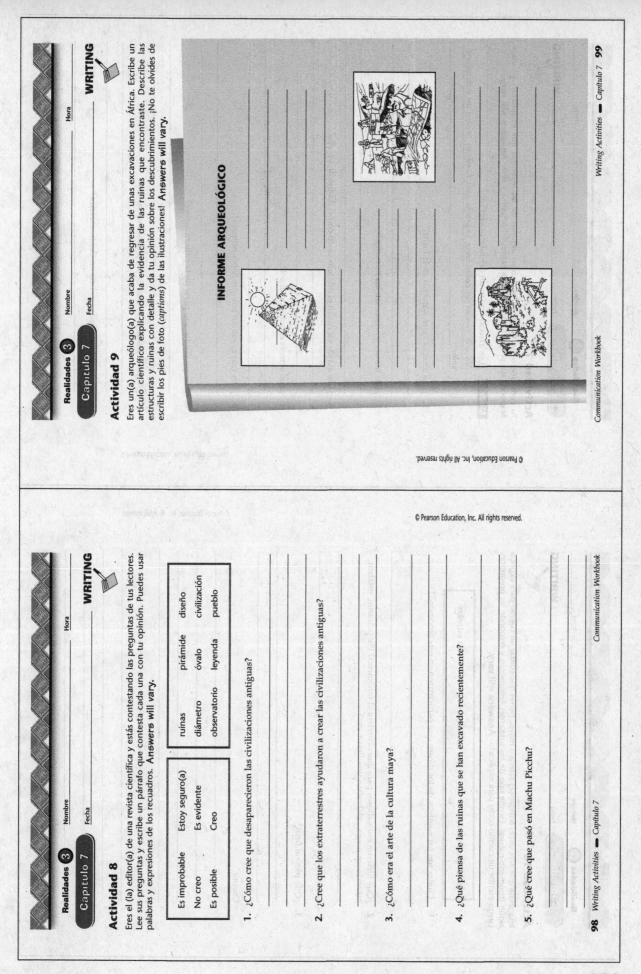

INFORME ARQUEOLÓGICO

Realidades 3

Capítulo 7

Nombre _____

Hora _____

Fecha _____

WRITING

Actividad 8

Eres el (la) editor(a) de una revista científica y estás contestando las preguntas de tus lectores. Lee sus preguntas y escribe un párrafo que contesta cada una con tu opinión. Puedes usar palabras y expresiones de los recuadros. **Answers will vary.**

Es improbable	Estoy seguro(a)	ruinas	pirámide	diseño
No creo	Es evidente	diámetro	óvalo	civilización
Es posible	Creo	observatorio	leyenda	pueblo

1. ¿Cómo cree que desaparecieron las civilizaciones antiguas?

_____

_____

2. ¿Cree que los extraterrestres ayudaron a crear las civilizaciones antiguas?

_____

_____

3. ¿Cómo era el arte de la cultura maya?

_____

_____

4. ¿Qué piensa de las ruinas que se han excavado recientemente?

_____

_____

5. ¿Qué cree que pasó en Machu Picchu?

_____

_____

Actividad 11

Tu compañero no entiende muy bien algunas de las leyendas que estudiaron en clase. Responde sus preguntas usando una expresión negativa y *sino*. **Answers will vary.**

Modelo ¿Los aztecas tenían un calendario sagrado?
No sólo tenían un calendario sagrado, sino también tenían un calendario solar.

1. ¿Los aztecas veían sombras en la Luna?

2. ¿Los mayas no conocían los números?

3. ¿Los mayas escribían el número cinco con el dibujo de un pie?

4. ¿Los aztecas estudiaron el sol?

5. ¿Los mayas sabían por qué había eclipses?

6. ¿Las pirámides son parte de la cultura azteca?

7. ¿Alguien habla la lengua de los mayas hoy en día?

8. ¿La civilización maya existía en Centroamérica?

Actividad 10

Imagínate que eres un(a) antiguo(a) azteca o maya. Tienes que contar un cuento para explicar algún fenómeno natural. Escoge uno de los siguientes fenómenos y responde las preguntas. Luego escribe un cuento corto para explicarlo. **Answers will vary.**

> los eclipses de sol   los terremotos   las estrellas

1. ¿Cuáles son los nombres de los dioses que participaron en este fenómeno?

2. ¿Qué hicieron estos dioses para que ocurriera el fenómeno? (Se pelearon, estaban jugando un juego, celebraban una fiesta, etc.)

3. ¿Qué pasó al final?

Cuento

Actividad 13

Ya tienes mucha de la información para el festival de mitos y leyendas. Ahora necesitas buscar a gente que te ayude el día del festival. Prepara un cartel que explique qué personas necesitas y qué cualidades deben tener y no tener.

Modelo *Busco a alguien que tenga conocimientos de la cultura azteca. No necesito un experto, sino alguien a quien le gusten las civilizaciones antiguas.*

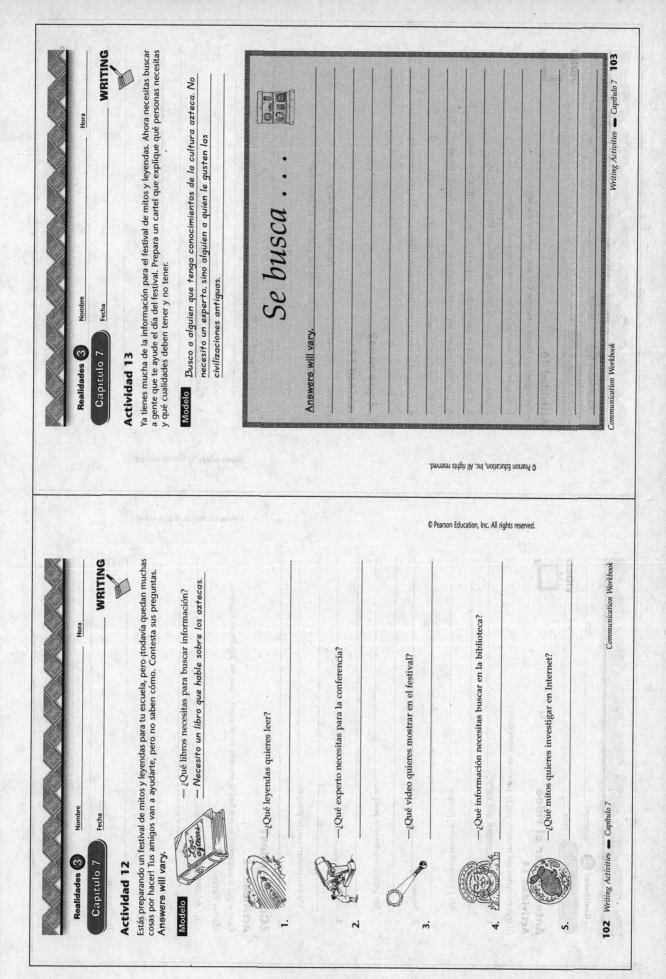

Se busca . . .

Answers will vary.

Actividad 12

Estás preparando un festival de mitos y leyendas para tu escuela, pero ¡todavía quedan muchas cosas por hacer! Tus amigos van a ayudarte, pero no saben cómo. Contesta sus preguntas. **Answers will vary.**

Modelo —¿Qué libros necesitas para buscar información?
—Necesito un libro que hable sobre los aztecas.

1. —¿Qué leyendas quieres leer?

2. —¿Qué experto necesitas para la conferencia?

3. —¿Qué video quieres mostrar en el festival?

4. —¿Qué información necesitas buscar en la biblioteca?

5. —¿Qué mitos quieres investigar en Internet?

Nombre _____ Hora _____

Fecha _____

VIDEO

Antes de ver el video
Actividad 14

Di tres misterios del mundo que te parezcan interesantes.

1. Misterio 1: Answers will vary.

   Me parece interesante porque...

2. Misterio 2:

   Me parece interesante porque...

3. Misterio 3:

   Me parece interesante porque...

¿Comprendes?
Actividad 15

Escribe dos frases sobre lo que has aprendido en el video sobre los siguientes lugares:

Machu Picchu:

1. Answers will vary.

2.

Chichén Itzá:

1.

2.

Teotihuacán:

1.

2.

Nombre _____ Hora _____

Fecha _____

VIDEO

Actividad 16

Lee las siguientes frases y escribe C si son ciertas o F si son falsas.

1. Machu Picchu está en las montañas de los Andes. __C__

2. No se sabe cuál era la función de Machu Picchu. __C__

3. Chichén Itzá es una ciudad importante de la civilización azteca. __F__

4. Chichén Itzá era un centro religioso y un observatorio lunar. __C__

5. En Teotihuacán están las pirámides del sol y de la luna. __C__

6. La leyenda cuenta que Teotihuacán fue construida por animales del mar. __C__

Y, ¿qué más?
Actividad 17

Responde las siguientes preguntas. Answers will vary.

1. ¿A cuál de los lugares del video te gustaría ir? ¿Por qué?

2. ¿Qué lugares hay en tu ciudad hoy en día para ceremonias religiosas?

3. Cuando eras pequeño(a), ¿qué te parecía misterioso?

4. Escribe una explicación inventada para uno de los misterios del video.

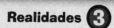

Test Preparation Answers

Reading Skills
p. 201   2. **A**
p. 202   2. **B**

Integrated Performance Assessment
p. 203
Answers will vary.

Practice Test: Una leyenda afrocubana
p. 205

1. C

2. J

3. C

4. G

5. Las respuestas variarán pero pueden incluir que la lengua simboliza la vida. La moraleja es que podemos usar nuestra vida para hacer cosas buenas o malas.

6. Las respuestas variarán pero pueden incluir: La leyenda empieza con una expresión de tiempo ("hace mucho tiempo"); se trata de un(a) anciano(a) que inventa un plan para averiguar cómo va a reaccionar un(a) joven; enseña una lección o moraleja.

Table of Contents

Capítulo 8: Encuentro entre culturas

Chapter Project

Imágenes del encuentro entre culturas

Overview:

You will create a poster or slide show about the arrival of the Spaniards or other explorers in the Americas. Focus on one of the many topics presented on pages 356–358. The poster or slide show must feature labeled photos or illustrations related to the topic you have selected. You will give an oral presentation of your project, describing briefly the culture you are showing and what happened during that period in history.

Resources:

digital or print photos, image editing and page layout software, and/or poster board, colored pencils, markers, glue, scissors

Sequence:

STEP 1. Review the instructions with your teacher.

STEP 2. Choose your topic and submit a rough sketch of your poster. Incorporate your teacher's suggestions into your sketch. Work with a partner and present your drafts to each other.

STEP 3. Do layouts. Try different arrangements before writing descriptions.

STEP 4. Submit a draft of your descriptions.

STEP 5. Complete and present your posters to the class. Describe one of the images in the photos or illustrations and give a brief summary of what is shown in the whole poster.

Assessment:

Your teacher will provide you with a rubric to assess this project.

Chapter 8 Project: Imágenes del encuentro entre culturas

Project Assessment Rubric

RUBRIC	Score 1	Score 3	Score 5
Your evidence of planning	You provide no preliminary proposal or description drafts.	Your preliminary proposal and descriptions are not revised.	You show evidence of corrected proposal and descriptions.
Your use of illustrations	Your photos or illustrations are incorrectly labeled.	Your photos or illustrations are disorganized.	Your photos or illustrations are organized. Your presentation is easy to read.
Your presentation	You do not include the required information.	You include most of the required information.	You include all of the required information.

21st Century Skills Rubric: Social and Cross-Cultural Skills

RUBRIC	Score 1	Score 3	Score 5
Preparation of questions	Does not prepare questions in advance of interview.	Prepares questions but none ask about cultural differences.	Prepares questions in advance including some that ask about cultural differences.
Interaction skills	Does not react to or follow up on responses.	Has minimal interaction; asks some follow-up questions.	Interacts extensively and asks several follow-up questions.
Seeking multiple sources of information	Interviews one partner.	Interviews two partners.	Interviews three partners.

School-to-Home Connection

Dear Parent or Guardian,

This chapter is called *Encuentro entre culturas* (Exchanges Between Cultures).

Upon completion of this chapter, your child will be able to:
- describe how different cultures interact
- talk about the fusion of cultures in Spain before 1492
- discuss the fusion of different cultures in the Americas

Also, your child will explore:
- using the conditional tense to talk about things that would happen if something else happened
- using the pluperfect tense to talk about events completed before a specific point in the past
- talking about hypothetical events in the past with the imperfect subjunctive
- using conjunctions to join subjunctive and indicative clauses

Realidades helps with the development of reading, writing, and speaking skills through the use of strategies, process speaking, and process writing. In this chapter, students will:
- read about the Spanish missions in California
- orally present touristic information about a multicultural city
- write a personal narrative about an intercultural experience

To reinforce and enhance learning, students can access a wide range of online resources on **realidades.com,** the personalized learning management system that accompanies the print and online Student Edition. Resources include the eText, textbook and workbook activities, audio files, videos, animations, songs, self-study tools, interactive maps, voice recording (RealTalk!), assessments, and other digital resources. Many learning tools can be accessed through the student Home Page on **realidades.com.** Other activities, specifically those that require grading, are assigned by the teacher and linked on the student Home Page within the calendar or the Assignments tab.

You will find specifications and guidelines for accessing **realidades.com** on home computers and mobile devices on MyPearsonTraining.com under the SuccessNet Plus tab.

For: Tips to Parents
Visit: www.realidades.com
Web Code: jce-0010

Check it Out! On a drive through your community, ask your child to talk about the various cultural influences evident there. Then have him or her explain these comments in English.

Sincerely,

Realidades 3

Capítulo 8

Pura vida Script

Episodio 10: ¡Tu salud es lo primero!

DOÑA MARÍA: ¿Patricio? ¿Qué te pasa?

PATRICIO: Tengo un fuerte dolor de cabeza… y de espalda…y de garganta…

DOÑA MARÍA: ¡Ay, mi hijo! Ah. ¡Lo que tú tienes la gripe! Tienes que tomar un poco de jarabe.

PATRICIO: Ya tomé jarabe, gracias. ¿No tiene una aspirina por ahí?

DOÑA MARÍA: Ahora te la traigo, pero no quiero que te quedes sentado ahí, mi hijo, quiero que te vayas a tu cuarto.

PATRICIO: Felipe y yo tenemos que irnos al parque dentro de una hora.

DOÑA MARÍA: No, tú lo que tienes que hacer es descansar. ¿Quieres que te traiga un vaso de agua?

PATRICIO: Sí, doña María. Bien fría por favor.

MARCELA: Hola, ¿qué tal?

PATRICIO: Eh, Marcela, ¿qué tal?

MARCELA: ¿Qué tal, Patricio? ¿Patricio? ¡Ay, Dios mío, estás ardiendo! ¿Qué te pasa?

DOÑA MARÍA: Es sólo gripe, eso es lo que le pasa.

MARCELA: ¿Cómo puede estar tan segura? Yo creo que hay que llamar a un médico.

DOÑA MARÍA: ¿Un médico? ¿Para qué? Lo que tenemos que hacer es dejarlo descansar.

MARCELA: ¿Cómo que para qué? ¡Pues para que le haga un diagnóstico! ¿Usted no ve qué mal está?

DOÑA MARÍA: Todo está bien, mi niña. Si quieres ayudar a tu amigo, puedes ir al mercado a comprar unas naranjas, un pollo y unas zanahorias.

MARCELA: ¿Alguna otra cosa, doña María?

DOÑA MARÍA: Sí, mi hija, y unas aspirinas en la farmacia. Ya casi no quedan, ah, y unas pastillas para la tos.

MARCELA: Muy bien.

DOÑA MARÍA: ¡Pero, espera mi hija, que tengo que darte dinero!

MARCELA: Ah, no, no se levante, doña María. No se preocupe. Luego me lo da.

DOÑA MARÍA: ¡Ah! ¡Pero mi hija! ¡Ay! ¡Se me olvidó pedirle azúcar para hacerte un jugo!

PATRICIO: No, por mí no, doña María. Quiero adelgazar.

DOÑA MARÍA: Sí, mi hijo, tienes que guardar la línea. Quiero que vayas a tu cuarto. ¡Me apasiona el dulce! Pero no puedo tomarlo. Padezco de diabetes.

MARCELA: Patri, ¿cómo estás?

PATRICIO: ¡Gordo! Tengo que hacer jogging.

MARCELA: ¿Tienes fiebre? Ay, Dios mío, te quema la frente.

PATRICIO: Lo único que necesito es descansar. Mañana voy a estar mucho mejor.

DOÑA MARÍA: No dejes que se levante, ¿ah? ¿Tomaste la aspirina? ¡Qué memoria! ¡Si no te la di! Toma, mi hijo. Dos. Eso es, así es. Y por la noche una buena sopita, ¿ah? Y mañana vas a estar como nuevo.

PATRICIO: ¡Ay, usted es un ángel, doña María!

DOÑA MARÍA: Espero que te mejores pronto. Y tú, cuida de él, ¿ah?

MARCELA: ¿Quieres otra cosa, Patricio? ¿Un calmante?

PATRICIO: No, gracias. Sólo quiero descansar.

MARCELA: ¡Ay qué fiebre tienes, Patricio!

PATRICIO: Ay, no te preocupes. Ya mañana voy a estar mucho mejor... ¿Y tú, qué tal, Marcela?

MARCELA: Bien… en la Asociación hay mucho trabajo pero no es muy interesante. Se trata de ayudar, ¿no? Y por lo demás, bien. Seguro Felipe ya te habló de Elvira. ¡Está enamorado! ¿Quién iba a decir, verdad?

Input Script

Presentation: *A primera vista 1*

Input Vocabulary, pp. 344–345: Come to class dressed as a tourist and carrying a suitcase or carry-on bag and a camera. Also bring travel books with vivid photographs of buildings and ruins in Spain that show Roman and Arabic influence. If you have such pictures from your own vacation, these would be even more fun to use. Say to students, "*Acabo de volver de un viaje buenísimo a España. Vi muchas cosas muy hermosas y aprendí mucho sobre la historia de España y la influencia que tuvieron otras culturas.*" Show a few of your pictures of Spain and comment briefly on each one.

Now say, "*Mi viaje fue tan interesante que quiero volver a España lo más pronto posible. Pero la próxima vez, voy a planear mi viaje especialmente para estudiar las influencias de tantos pueblos distintos que ha tenido el país, como por ejemplo la influencia de los judíos, los musulmanes y los cristianos. Me gustaría hablar con Uds. sobre algunas de estas influencias culturales.*" Distribute copies of the Clip Art and have students cut them into individual images. Place *Vocabulary and Grammar Transparency* 153 on the screen and introduce each section of the time line. For example: "*Aquí vemos el acueducto romano de Segovia. Los romanos dominaron la Península Ibérica durante ocho siglos.*" As you mention the various new vocabulary items, have students hold up the appropriate Clip Art or flashcard. Using *Vocabulary and Grammar Transparency* 154, follow a similar procedure for the rest of the timeline shown there.

Input Text, pp. 344–345: Place *Vocabulary and Grammar Transparency* 153 on the screen again. Call on different individuals to read the Introduction and the information at each section of the timeline. After each reading, check students' comprehension by asking questions such as those shown below.

Introduction: "*¿La influencia de qué culturas se encuentra en España? ¿En qué pueden verse?*"

Siglo III a.C - V d.C.: "*¿Quiénes dominaron la Península Ibérica del siglo III a.C hasta el siglo V d.C?*", "*Además de acueductos, ¿qué trajeron los romanos a España?*"

711: "*¿Quiénes vinieron a España en este año?*", "*De dónde vinieron?*", "*Según la información, los árabes ocuparon la península hasta qué siglo?*"

785: "*¿Los musulmanes trajeron una religión a España? ¿Cuál?*", "*¿Qué tipo de edificios construyeron los musulmanes?*"

1248: "*¿Qué tipo de edificios construyeron los cristianos en Sevilla? ¿Qué había antes en el mismo lugar que la Catedral?*", "*¿La Giralda es evidencia de qué tipo de arquitectura?*"

1315: "*¿Qué pasó en Córdoba en este año?*", "*¿Con qué combinaron los judíos sus propias decoraciones?*"

1377: "*¿Cuál fue la última ciudad que ocuparon los árabes en España?*", "*¿Qué edificio de Granada es una maravilla?*"

1492: "*¿A quiénes expulsaron los cristianos en este año? ¿Quiénes gobernaron España después de esta expulsión?*"

Comprehension Check

- Make a chart on the board. Label the columns *los romanos, los árabes,* and *los cristianos.* Have students tape Clip Art images and flashcards into the appropriate columns depending on which influence each one refers to. Use ambiguous terms such as *asimilaron* in a sentence first.

Presentation: *A primera vista 1 (continued)*

Input Vocabulary and Text, pp. 346–347: Continue pretending that you just returned from a vacation in Spain. Say, *"En mi próximo viaje, voy a visitar tres ciudades españolas: Sevilla, Toledo y Barcelona. Estas ciudades tienen una mezcla muy interesante de influencias culturales. Leamos un poco sobre ellas."*

Place *Vocabulary and Grammar Transparency* 155 on the screen. First, ask volunteers to point out the three cities on the map and establish in which *"región autónoma" (provincia)* each is found. Then have one or two students read the information about Sevilla. Check students' comprehension with questions such as, *"¿Qué grupos tuvieron una influencia en la arquitectura de Sevilla?"*, *"Además de la arquitectura, ¿dónde más vemos evidencia de la influencia árabe?"*, *"¿El estilo que se llama mudéjar muestra la influencia de qué culturas?"*, *"¿Hay influencia judía en Sevilla? ¿En qué barrio se ve?"*

Now place *Vocabulary and Grammar Transparency* 156 on the screen and follow a similar procedure. Following are comprehension questions to ask after students read the information:

Toledo: *"¿En qué año se fundó la Escuela de Traductores? ¿A qué grupo pertenecían los científicos y filósofos que trabajaban allí? ¿Qué hacían?"*

Barcelona: *"¿Barcelona es un ejemplo de la integración cultural moderna o antigua? ¿Qué otro país europeo tiene influencia en Cataluña?"*, *"¿Cómo se llama el idioma que se habla en Cataluña?"*

Comprehension Check

- Make TPR commands and requests, and have students bring to you or point out the appropriate Clip Art images or flashcards: *"Por favor, tráeme la imagen de un acueducto."*, *"Por favor, muéstrame una palabra que significa dejar evidencia de haber estado es un lugar"* (dejar huella).

Presentation: *A primera vista 2*

Input Vocabulary, pp. 356–357: Remind students that in their Social Studies classes they have studied various intercultural encounters, including those between Europeans and indigenous American peoples. Ask them to share what they know about the Spanish Conquistadores and missionaries in the new world.

Distribute copies of the Clip Art and have students cut them into individual images and flashcards. Place *Vocabulary and Grammar Transparency* 158 on the screen. Tell students you will talk about the Americas and the arrival of the Spanish there. Ask them to hold up Clip Art images and flashcards as they hear you mention the various vocabulary items. Point to the first image and say, "*Antes de la llegada de los españoles a México, sabemos que los aztecas tenían un gran imperio y muchas riquezas. Ellos establecieron su capital, Tenochtitlán, entre dos lagos.*" Refer to the second image. Point to one of the soldiers' rifles in particular and say, "*Los españoles que llegaron con Hernán Cortés en 1519 tenían armas de fuego que, por supuesto, los indígenas no tenían. Los españoles y los indígenas se enfrentaron en batallas terribles y eventualmente los aztecas perdieron su imperio.*"

Now place *Vocabulary and Grammar Transparency* 159 on the screen. Point to the first image and say, "*En los años que siguieron, los españoles establecieron colonias en muchos lugares de América, tanto en el norte como en el sur. Estas colonias estaban bajo el poder del imperio español. Las Américas tenían muchos productos hasta entonces desconocidos en Europa. Los españoles y otros europeos empezaron a mandar todos estos productos como mercancías a Europa.*" Point to the second image and say, "*Durante el siglo XVIII, los españoles establecieron misiones Católicas en lo que es hoy en día California. La tarea de los misioneros desde el siglo XVI era asegurar que los indígenas adoptaran la lengua, la religión y la cultura españolas.*"

Input Text, pp. 356–357: Continue to refer to the transparencies. Call on different students to read the introduction and the text at each picture. Check students' comprehension by asking questions such as the following:

Introduction: "*¿Quiénes llegaron a las Américas en el siglo XV?*", "*¿Qué cambió para siempre la vida en las Américas y en Europa?*"

1: "*¿Cómo se llamaba el grupo de indígenas que establecieron un gran imperio en Tenochtitlán?*", "*Según la información ¿en qué estaba basada la cultura azteca?*"

2: "*¿Quiénes acompañaron a Hernán Cortés a Tenochtitlán?*", "*¿Qué llevaron con ellos?*", "*¿De qué manera se enfrentaron los aztecas y los españoles?*", "*¿Quiénes perdieron su imperio poderoso?*"

3: "*¿Qué era la Nueva España?*", "*¿Qué se llevaron los españoles de las Américas? ¿Qué trajeron?*"

4: "*¿Qué querían los españoles de los indígenas americanos?*", "*Además de su religión ¿qué trajeron los españoles al Nuevo Mundo?*"

Comprehension Check

- Show *Vocabulary and Grammar Transparencies* 158–159. Call on students to sort Clip Art images by matching each one to a transparency picture to which it pertains.

Presentation: *A primera vista 2 (continued)*

Input Vocabulary, pp. 358–359: Say to students, *"Ya hablamos del encuentro entre los europeos y los indígenas americanos. Como sabemos, ese encuentro tuvo un efecto tan fuerte que ha durado hasta hoy. Hablemos un poco de este efecto."*

Place *Vocabulary and Grammar Transparency* 160 on the screen. Point to the first picture and say, *"Ésta es una foto de la celebración del Día de los Muertos en México. Esta celebración combina elementos de la religión católica e indígena."* Point to the second picture and say, *"Aquí tenemos la foto de una receta mexicana que se llama mole poblano. Esta receta también es evidencia de la gran variedad de influencias culturales en las Américas. La receta utiliza productos mexicanos, asiáticos y europeos."*

Now place *Vocabulary and Grammar Transparency* 161 on the screen and say, *"Esta joven es Sandra. Ella es también evidencia de la gran mezcla cultural en las Américas. Su herencia se compone de elementos europeos, africanos y también indígenas americanos."*

Input Text, pp. 358–359: Refer to the transparencies again and call on different students to read the various sections of the text. Follow up each reading with questions such as the following to check students' comprehension:

La fusión 1: *"Durante la época colonial, ¿de quiénes descienden las razas de América? ¿Qué celebración tiene lugar el dos de noviembre en México? ¿A quiénes recuerda la gente durante esta celebración?"*

La fusión 2: *"¿Los españoles tuvieron una influencia sobre la comida de los indígenas? ¿Qué comida es un ejemplo de esta influencia?"*

La herencia: *"¿Cuál es la herencia de Sandra?"*, *"¿Cuál es el reto de Sandra?"*

Comprehension Check

- Make true and false statements about the information on pp. 358–359: *"La alimentación de los indígenas cambió debido a la influencia de los europeos."*, *"A Sandra no le interesan sus antepasados."* Have students respond to each statement by saying *"cierto"* or *"falso."*

Audio Script

Audio DVD, Capítulo 8

Track 01: Libro del estudiante, pp. 344–345, *A primera vista 1,* Vocabulario y gramática en contexto **(4:43)**

Lee en tu libro mientras escuchas la narración.

MALE TEEN: Mis compañeros y yo fuimos de viaje a España. Visitamos las ciudades de Córdoba, Granada y Sevilla, y aprendimos mucho sobre la historia. Es interesante que hayan vivido allí judíos, musulmanes y cristianos. La influencia de cada cultura se puede ver en la arquitectura de los edificios y otras construcciones. ¡La mezcla de culturas es fascinante!

FEMALE ADULT: Siglo III antes de Cristo al siglo V después de Cristo

El imperio romano dominaba la península. Los romanos trajeron a España la unidad política, vías (calles), acueductos y puentes, y la religión cristiana.

MALE ADULT: Vas a escuchar cada palabra o frase dos veces. Después de la primera vez hay una pausa para que puedas pronunciar la palabra o frase, y luego vas a escuchar de nuevo la palabra o frase.

el acueducto

el arco

FEMALE ADULT: 711

Los árabes vinieron de África, invadieron España y conquistaron gran parte de la península. La ocuparon por casi 800 años.

785

Los árabes trajeron la religión musulmana a España. Durante la conquista, se construyeron impresionantes mezquitas, como la de Córdoba.

1248

Cuando los cristianos reconquistaron Sevilla, construyeron la Catedral de Sevilla donde anteriormente había una mezquita musulmana. La única parte de la construcción original que existe todavía es la torre, que se llama la Giralda.

1315

Se construyó la sinagoga de Córdoba, en donde se observa cómo los judíos asimilaron el arte árabe y lo combinaron con sus propias decoraciones.

1377

Los cristianos continuaron la Reconquista. Granada fue la última ciudad que ocuparon los árabes. Al final de esta época, se construyó el Patio de los Leones en la Alhambra, en Granada, que es una maravilla.

1492

Los cristianos expulsaron a los árabes de España. Isabel de Castilla y Fernando de Aragón, "los reyes católicos," gobernaron España. Cristóbal Colón llegó a América.

Track 02: Libro del estudiante, p. 345, Act. 1, *Estilos y culturas* **(2:41)**

Escucha lo que dicen los jóvenes y señala la fotografía que corresponda al lugar del que hablan. Vas a oír cada frase dos veces.

1. Los romanos trajeron la unidad política y religiosa a España.

2. Los cristianos construyeron una catedral impresionante donde antes había una mezquita musulmana.

3. El maravilloso Patio de los Leones está en la Alhambra, un palacio árabe muy bello.

4. Las decoraciones de la sinagoga de Córdoba asimilan el arte árabe con el arte judío.

5. Los romanos hicieron construcciones importantes como acueductos y puentes.

6. Los reyes cristianos expulsaron a los árabes de España y gobernaron todo el país de España.

7. Los árabes invadieron España y conquistaron muchas ciudades importantes.

Track 03: Libro del estudiante, p. 346, *A primera vista 1,* Vocabulario y gramática en contexto **(1:47)**

Lee en tu libro mientras escuchas la narración.

MALE ADULT: España, una gran mezcla de culturas

Sevilla

En la provincia de Andalucía y su capital, Sevilla, los romanos y los árabes, entre otros grupos, dejaron su huella en la arquitectura. También la dejaron en la gente y en el idioma, al que se asimilaron numerosas palabras árabes. En Sevilla, el Alcázar Real es una construcción de estilo mudéjar, una mezcla de la influencia cristiana y del islam. Tiene arcos con maravillosas decoraciones de azulejos. En el barrio de Triana, muchas de las casas tienen balcones adornados con hermosas rejas de hierro. El viejo barrio de Santa Cruz fue un barrio judío.

MALE ADULT: Vas a escuchar cada palabra o frase dos veces. Después de la primera vez hay una pausa para que puedas pronunciar la palabra o frase, y luego vas a escuchar de nuevo la palabra o frase.

balcón

rejas

Track 04: Libro del estudiante, p. 347, *A primera vista 1,* Vocabulario y gramática en contexto **(1:42)**

Lee en tu libro mientras escuchas la narración.

FEMALE ADULT: Barcelona

Un ejemplo de cómo se integran las culturas en la época moderna es la ciudad de Barcelona, capital de Cataluña. Por estar cerca de Francia la población de Cataluña tiene varias formas de expresión de influencia francesa.

Una es el idioma catalán, que ha tomado muchas palabras del francés. La otra es la comida, como la butifarra, similar al "saucisson" francés.

MALE ADULT: Toledo

La ciudad de Toledo es ejemplo de la colaboración entre diferentes grupos étnicos. En 1085, el rey Alfonso VI reunió en Toledo a los más importantes científicos y filósofos árabes, judíos y cristianos de la época. En este período se fundó la famosa Escuela de Traductores de Toledo. En ella se traducían al latín los libros que tenían gran demanda en Europa. Más tarde, en el siglo XIII, la ciudad fue centro cultural de España y de toda Europa.

Track 05: Writing, Audio & Video Workbook, p. 106, Audio Act. 1 (4:14)

Estás preparando un informe sobre las influencias arquitectónicas e históricas en España. Ya tienes todo escrito, pero necesitas poner estos dibujos dentro del informe. Tu amiga te lee la primera frase de cada párrafo del informe. Mientras escuchas, pon el número de la frase debajo del dibujo correspondiente. Vas a oír cada frase dos veces.

1. Bueno. . . el primer párrafo empieza así: Cuando los romanos dominaban la Península Ibérica, construyeron muchas obras: puentes, calles y acueductos, entre ellos, el acueducto famoso de Segovia.

2. Aquí viene la segunda frase. Dice: En el siglo VIII, los árabes invadieron España e influyeron mucho en la aquitectura de las ciudades del sur, como Sevilla, donde se pueden ver torres altas como ésta.

3. A ver . . . Ah, aquí está la tercera frase. Voy a leerla. Se nota la influencia árabe en muchos edificios de España, especialmente en Sevilla, Granada, Córdoba y Toledo, donde es posible ver detalles arquitectónicos como este arco.

4. Voy a leer la cuarta frase: También se puede ver la influencia árabe en las artes decorativas, como en este azulejo de Córdoba, con su diseño geométrico muy colorido.

5. Y por fin, llegamos al último párrafo, el número cinco. Comienza así: las influencias árabes en las artes decorativas también son muy evidentes en las rejas de las ventanas de las casas y los edificios en el sur de España.

Track 06: Writing, Audio & Video Workbook, p. 107, Audio Act. 2 (4:57)

Tres amigos hablan de las casas de sus sueños. Mientras escuchas lo que dice cada persona, marca con una X las cuatro cosas que él o ella quiere tener en su casa. Vas a oír cada comentario dos veces.

1. **FEMALE 1:** Hola, soy Luz. ¿Cómo sería la casa de mis sueños? Bueno, me gustaría tener una casa muy grande. Tendría un estilo árabe, pues me encanta la arquitectura árabe. Tendría muchos arcos. Al ir de un cuarto a otro, se pasaría por un arco en vez de por una puerta. Pondría muchas rejas en las ventanas, como en las casas

del sur de España. ¿Qué más? A ver . . . ah, sí, me gustaría tener muchos balcones para poder cenar al aire libre. ¡Qué ilusión!

2. **MALE 1:** Me llamo Eduardo. La casa de mis sueños sería una casa muy grande, pero muy moderna. No me gustan las casas viejas. Mi casa tendría una piscina muy grande con un diseño de azulejos geométricos en el borde. No me importa mucho el interior de la casa, pero tendría que ser muy moderna. También tendría un garaje grande, porque necesitaría mucho espacio para mi colección de automóviles deportivos. Ah, me puedo imaginar la casa . . . ¡Qué increíble!

3. **FEMALE 2:** Soy Graciela. A ver . . . mi casa ideal . . . Bueno, sería pequeña, muy tranquila . . . al estilo budista. Me encanta la arquitectura de China, todo muy integrado y ordenado. Tendría unos balcones pequeños para practicar la meditación por la mañana. ¿Qué más . . .? Bueno, construiría un jardín grande, con dos arcos en la entrada. El jardín sería al estilo chino, con muchas plantas y árboles. También me gustaría tener un pequeño lago dentro del jardín. Podría ir allí para observar la naturaleza y hacer yoga . . .

Track 07: Libro del estudiante, pp. 356–357, *A primera vista 2*, Vocabulario y gramática en contexto (4:27)

Lee en tu libro mientras escuchas la narración.

MALE ADULT: Con la llegada de los españoles y otros exploradores europeos a las Américas al final del siglo XV, se produjo un encuentro que iba a cambiar para siempre la vida en los dos hemisferios.

La llegada: los aztecas y Hernán Cortés

En el siglo XIII, llegó a la región central de México un grupo de indígenas llamados aztecas. Estos indígenas, más tarde llamados mexicas, establecieron entre dos lagos la ciudad de Tenochtitlán, la cual llegó a ser la capital de su imperio. En esta tierra creció el imperio azteca que dominó el centro y el sur de México a finales del siglo XV. El imperio azteca estaba basado en la agricultura, el comercio, la religión y la guerra.

FEMALE ADULT: En 1519, el español Hernán Cortés llegó a la costa de México cerca de Veracruz. Desde allí salió para Tenochtitlán con un grupo de soldados montados a caballo y con armas de fuego. Los aztecas se rebelaron contra los españoles, con quienes se enfrentaron y lucharon en numerosas batallas. En 1521, Hernán Cortés logró conquistar al poderoso imperio azteca y a su emperador, Moctezuma. Así se creó el gobierno español en las Américas, llamado virreinato. Éste duró hasta 1821, veintiuno, año en que México ganó su independencia de España.

MALE ADULT: la batalla

Lee en tu libro mientras escuchas la narración.

MALE ADULT: El intercambio

Al llegar los españoles, se estableció una colonia con el poder de España, que se llamó Nueva España. Después de poco tiempo, empezó un intercambio de mercancías

entre Europa y las Américas. Los españoles se llevaron café, chocolate y maíz, hasta entonces desconocidos en Europa, y trajeron a Nueva España caballos, pollo y arroz.

FEMALE ADULT: Los españoles cambiaron muchos aspectos de la vida de los indígenas. Ellos querían que los indígenas adoptaran su religión, su lengua y su cultura. Muchos religiosos de varias órdenes, como los Dominicanos y los Franciscanos, llegaron a la colonia. Esos misioneros construyeron misiones para enseñarles a los indígenas su religión. Los españoles también trajeron su arquitectura, su comida y sus tradiciones. Con la poca semejanza entre la cultura española y la indígena, el encuentro entre los dos mundos cambió para siempre la historia de las Américas.

MALE ADULT: Vas a escuchar cada palabra o frase dos veces. Después de la primera vez hay una pausa para que puedas pronunciar la palabra o frase, y luego vas a escuchar de nuevo la palabra o frase.

las mercancías   la misión   el misionero

Track 08: Libro del estudiante, p. 357, Act. 17, *Diferentes opiniones* (2:05)

Escribe los números del 1 al 6 en una hoja. Escucha cada frase sobre la historia del encuentro entre los aztecas y los españoles y escribe C si es cierta o F si es falsa. Vas a oír cada frase dos veces.

1. A finales del siglo X se produjo el encuentro entre los españoles y los aztecas.

2. Tenochtitlán estaba cerca del mar.

3. Los aztecas se rebelaron contra los españoles.

4. La colonia española en las Américas se llamó Nueva España.

5. Los españoles trajeron a Nueva España chocolate y maíz.

6. Los misioneros querían que los indígenas adoptaran su religión.

Track 09: Libro del estudiante, p. 358, *A primera vista 2*, Vocabulario y gramática en contexto **(1:51)**

Lee en tu libro mientras escuchas la narración.

MALE ADULT: La fusión

Durante la época colonial (1521 hasta 1821) se mezclaron diferentes razas, religiones y costumbres. No sólo había gente de descendencia europea, sino también indígena y africana. Como resultado de esta mezcla, hay una gran variedad de tradiciones y culturas en América.

Los indígenas influyeron en las prácticas religiosas cristianas que trajeron los españoles. En la celebración del Día de los Muertos, que tiene lugar el 2 de noviembre para recordar a los familiares que han muerto, se combinan elementos de las religiones católicas e indígenas.

FEMALE ADULT: Una de las cosas en que se vio la influencia española fue la comida. Durante la época colonial, la alimentación de los indígenas cambió debido a los productos traídos por los españoles. Es en esta época que aparecen muchos de los platos mexicanos de hoy día. Por ejemplo, el mole poblano, una salsa típica de la cocina mexicana, fue creado por las monjas de una misión utilizando productos mexicanos, asiáticos y europeos.

Track 10: Libro del estudiante, p. 359, *A primera vista 2*, Vocabulario y gramática en contexto **(1:13)**

Lee en tu libro mientras escuchas la narración.

MALE ADULT: La herencia

Esta mezcla de culturas sigue presente hoy en día.

FEMALE TEEN: Me llamo Sandra y vivo en los Estados Unidos. Mi herencia se compone de elementos de varias culturas diferentes. Los antepasados de mi familia representan lo más noble de la historia de las Américas: los indígenas americanos que vivían aquí desde hace mucho tiempo, los españoles que llegaron a la costa de México en el siglo XVI, y los africanos con sus tradiciones tan ricas. Estoy muy orgullosa de que mi herencia sea de estas tres culturas. Uno de mis retos es aprender sobre las contribuciones de estas culturas a mi país.

Track 11: Libro del estudiante, p. 360, Act. 21, *Cortés llega a Tenochtitlán* (2:28)

Escucha una descripción de la entrada de Cortés a Tenochtitlán. Después, lee cada frase y escribe si es cierta, C, o si es falsa, F. Si la frase es falsa, vuelve a escribirla para que diga algo cierto. Vas a oír la descripción dos veces.

MALE ADULT: El conquistador Hernán Cortés entró a Tenochtitlán con sus caballos y sin usar sus armas, después de que Moctezuma enviara sus mensajeros para invitarlo a entrar en la ciudad. Los mensajeros le mostraron el camino que debía seguir pero como los aztecas eran desconocidos, Cortés desconfió de ellos y se fue por un camino diferente. Sin embargo, Cortés llegó al lugar donde lo esperaba el líder del imperio azteca. El encuentro de Cortés con Moctezuma fue en un enorme palacio donde Moctezuma vivía con miles de personas a su servicio. Moctezuma le regaló riquezas impresionantes.

Disc 14, Track 3: Libro del estudiante, p. 363, *En voz alta*, El Águila y el nopal **(1:32)**

Llegaron al sitio donde se levanta el nopal salvaje
allí al borde de la cueva, y vieron tranquila
parada al Águila en el nopal salvaje:
allí come, allí devora y echa a la cueva los restos
de lo que come.

Y cuando el Águila vio a los mexicanos,
se inclinó profundamente.
Y el Águila veía desde lejos.
Su nido y su asiento era todo él de cuantas finas plumas hay;
plumas de azulejos, plumas de aves rojas y plumas de quetzal…

Les habló el dios y les dijo:
—¡Ah, mexicanos: aquí sí será! ¡México es aquí!

Y aunque no veían quién les hablaba, se pusieron a llorar y decían:
—¡Felices nosotros, dichosos al fin:
hemos visto ya dónde ha de ser nuestra ciudad!
¡Vamos y vengamos a reposar aquí!

Track 13: Writing, Audio & Video Workbook, p. 108, Audio Act. 3 (4:41)

En tu escuela, van a tener cuatro conferencias sobre las fusiones de diferentes culturas. Primero mira el anuncio para cada conferencia. Luego oirás parte de cada conferencia. Decide a qué anuncio se refiere y escribe el número de la conferencia al lado del anuncio correspondiente. Vas a oír cada parte dos veces.

1. No se puede hablar de una sola cultura indígena en este país; al contrario, existe una gran variedad de culturas indígenas mexicanas. La herencia indígena muestra una riqueza increíble en el arte y otras manifestaciones culturales. Hoy en día, más del quince por ciento de la población habla una lengua indígena.

2. Muchas personas no saben que hubo una gran inmigración europea a los países del sur de Latinoamérica, como Argentina, Chile y Uruguay. Muchas personas de España, Italia y Portugal se establecieron en estos países. El resultado se puede notar en los nombres y apellidos europeos de la descendencia de estos inmigrantes.

3. En los países de Honduras, Belice y Nicaragua hay poblaciones de descendencia africana. Se llaman los garífunas y sus antepasados son esclavos africanos que se escaparon. Estas personas no se han integrado a la sociedad hispana. Prefieren vivir un poco aislados para mantener vivas su cultura y tradiciones históricas.

4. Aunque todo el mundo habla de la inmigración china a los Estados Unidos durante el siglo XIX, muchas personas no saben que ocurrió algo similar en el Caribe y en América del Sur. Todavía hay influencias asiáticas muy fuertes en países como Perú, donde un ex-presidente tiene el apellido Fujimori.

Track 14: Writing, Audio & Video Workbook, p. 108, Audio Act. 4 (3:37)

Cinco jóvenes hablan acerca de lo que quisieran hacer. Mira los dibujos. Luego, mientras escuchas lo que dicen, escribe el número de cada comentario al lado del dibujo correspondiente. Vas a oír cada comentario dos veces.

1. **FEMALE 1:** Me encantaría saber más sobre los indígenas de México. Me dedicaría a estudiar la historia de sus imperios, y la herencia que han dejado. Creo que aprender sobre la riqueza de su cultura me ayudaría a ser mejor persona.

2. **MALE 1:** Yo quisiera investigar sobre mis antepasados. Lo único que sé es que son africanos. ¡Es como si no supiera nada de ellos! Me gustaría ir a la biblioteca para buscar en los libros de historia. Creo que el resultado me sorprendería.

3. **MALE 2:** A mí me gustaría visitar una misión. Si pudiera, me quedaría a vivir con los misioneros por un tiempo. Les ayudaría a cultivar la tierra. Tal vez les

hablaría de mi herencia. Podría haber un intercambio interesante de conocimientos. ¡Sería un reto para mí!

4. **FEMALE 2:** Si tuviera tiempo, visitaría el pueblo europeo donde nació mi abuela. Es un lugar casi desconocido. Al llegar, yo buscaría la casa donde ella vivió, y visitaría el parque donde ella jugaba de niña. Además, comería en uno de los restaurantes típicos del pueblo.

Track 15: Writing, Audio & Video Workbook, p. 109, Audio Act. 5 (7:17)

Tu amigo Fernando acaba de regresar de un pueblo antiguo que tiene una mezcla increíble de estilos de arquitectura. Fernando te habla de cuatro edificios que ustedes podrían visitar si fueras con él al pueblo. Mientras escuchas, mira cada pareja de dibujos y pon una X debajo del dibujo que mejor corresponde a la descripción de Fernando. Vas a oír cada descripción dos veces.

1. Si fuéramos al pueblo, la primera casa que veríamos es la que tiene una maravillosa arquitectura árabe. ¡Creo que te gustaría! Verías las influencias árabes por todas partes — en los arcos, en los azulejos, en las rejas . . . todo muestra la riqueza de este estilo. Las dos ventanas tienen rejas. Además, verías que los dos arcos tienen semejanzas con otras construcciones árabes. El único balcón de la casa está cubierto de hermosos azulejos. Yo quisiera vivir en esta casa.

2. No sé si te gustaría la segunda casa. La arquitectura china refleja la unidad entre el ser humano y la naturaleza. Si vieras la casa, entenderías cómo los ángulos de los edificios, las plantas de los jardines y los materiales de construcción reflejan la integración con el medio ambiente. Esta casa, con sus dos arcos y dos balcones, está abierta hacia el jardín central. Las cuatro ventanas permiten la entrada de la luz a la casa. Si yo viviera en esta casa, iría al jardín todos los días.

3. El tercer lugar que visitaríamos es un castillo que construyeron los antepasados europeos de este pueblo después de la conquista. Para visitarlo, tendríamos que comprar entradas. El castillo sirvió como casa y fortaleza para el dueño del castillo y su familia. Notarías que las dos ventanas son pequeñísimas y que tienen rejas fuertes. Esto no permitía la entrada de los enemigos durante las batallas. Te darías cuenta de que los dos balcones sirven para salir al aire libre, a la vez que permiten la entrada de luz al interior. Sin embargo, creo que lo que más te impresionaría serían las cuatro torres.

4. Lo último que veríamos sería la Torre Misteriosa. Verías que es una torre muy, muy alta que está en una plaza grande donde no hay más nada. La torre parece tener un estilo budista, pero nadie sabe quién la construyó. Verías que no tiene balcones ni arcos, ¡ni siquiera una puerta! Si miraras con cuidado, notarías que tiene una ventana muy pequeña en la parte de arriba. Creo que sería interesante tomarle una foto a esta torre.

Track 16: Libro del estudiante, p. 372, *¿Qué me cuentas?,* De leyendas y ciudades (5:39)

Escucha la leyenda. Después de cada párrafo vas a oír dos preguntas. Escoge la mejor respuesta para cada pregunta. Vas a oír cada párrafo dos veces.

Cuenta la leyenda que un señor azteca andaba una vez por un camino cuando encontró un bolso lleno de oro. Como el señor era muy pobre, comenzó a imaginarse las cosas que podría comprarse con él. Pero el oro no era suyo y decidió entonces devolvérselo a su dueño.

1. ¿Qué encontró el señor azteca mientras andaba por un camino?

2. ¿Qué decidió hacer con el bolso?

El señor azteca fue al pueblo y le preguntó a un señor español si el bolso era de él. El hombre le dijo que sí y comenzó a contar el oro. De repente le dijo que le faltaban dos monedas y lo acusó de ladrón. El señor azteca le contestó que eso no era posible, que él no había robado nada. Cuando se dio cuenta de que lo estaban buscando para acusarlo, el señor azteca decidió ir a ver al representante del rey, quien era un señor muy honesto.

3. ¿Por qué acusó de ladrón el señor español al señor azteca?

4. ¿A quién decidió ir a ver el señor azteca?

El señor azteca le contó al representante del rey su historia y éste envió a un mensajero a buscar al señor español. El señor español le dijo que en su bolso había 26 monedas en lugar de 28. Luego de unos minutos sin hablar, el representante del rey dijo que era claro que el señor azteca era un hombre honesto porque había devuelto el bolso. También le dijo al señor español que era claro que este bolso no era el suyo, ya que tenía 26 monedas y no 28. Por lo tanto, como no se podía encontrar al dueño, le dio el bolso al señor azteca, que fue quien lo encontró.

5. ¿Por qué dijo el representante del rey que el señor azteca era un hombre honesto?

6. ¿A quién le entregó el bolso de oro el representante del rey?

Track 17: Libro del estudiante, p. 380, *Repaso del capítulo,* Vocabulario y gramática (5:03)

Escucha las palabras y expresiones que has aprendido en este capítulo.

para hablar de construcciones

el acueducto	los balcones
el arco	la construcción
la arquitectura	la reja
el azulejo	la torre
el balcón	

para hablar de la llegada a las Américas

anteriormente	la misión
el arma	el misionero
las armas	la misionera
la batalla	la población
la colonia	el poder
la conquista	poderoso
el imperio	poderosa

el indígena	el reto
la indígena	la riqueza
la maravilla	la tierra

para hablar del encuentro de culturas

africano	el idioma
africana	la influencia
el antepasado	el intercambio
el árabe	el judío
la árabe	la judía
cristiano	la lengua
cristiana	la mercancía
la descendencia	la mezcla
desconocido	el musulmán
desconocida	la musulmana
el encuentro	el romano
la época	la romana
europeo	la raza
europea	el resultado
la guerra	la semejanza
el grupo étnico	la unidad
la herencia	la variedad

verbos

adoptar	fundar
asimilar	gobernar
componerse de	integrarse
conquistar	invadir
dejar huellas	luchar
dominar	ocupar
enfrentarse	rebelarse
establecer	reconquistar
expulsar	

otras expresiones y palabras

al llegar	la soldado
maravilloso	único
maravillosa	única
el soldado	

Track 18: Libro del estudiante, p. 383, *Preparación para el examen,* Escuchar (3:16)

La visitante describe su visita a un pueblo. (a) ¿Por qué es famoso ese pueblo? ¿Qué dice de la arquitectura? (b) ¿Qué le impresiona más? ¿Qué le recuerda el mercado? (c) ¿Qué otras cosas encuentra allí? (d) ¿Con qué compara al pueblo?

Female Teen: Llegamos a Valle de Bravo el viernes por la tarde. El pueblo tiene una arquitectura que es resultado de la influencia española durante la colonia. En las calles hay casas con enormes rejas y balcones. La población es principalmente indígena y el pueblo es famoso por su maravillosa artesanía. En la oficina de turismo, nos sugirieron que fuéramos al mercado. ¡Nunca he visto tantas mercancías juntas en un lugar! No tenía nada en común con lo que yo había visto antes. Vendían hamacas, joyas de plata y cerámica y también canoas. La semejanza de ese mercado con el que describió Hernán Cortés en sus Cartas de relación era impresionante. Los vestidos de las mujeres eran de hermosos colores y ellas conversaban muy animadas. Era fácil imaginar a sus antepasados haciendo lo mismo.

Video Script

Unas herencias ricas

NARRADOR (4:10): El encuentro del europeo, del indígena y del africano ha resultado en una herencia cultural de gran riqueza en Latinoamérica moderna.

Cada grupo de antepasados ha dejado sus huellas en la lengua, la comida y la arquitectura del continente.

Aunque el español es el idioma común de la mayoría de Latinoamérica, palabras indígenas todavía aparecen en el vocabulario. Por ejemplo, por la isla de Puerto Rico pasan muchas tormentas tropicales. La palabra "huracán" es derivada de la misma palabra en taino, una lengua indígena de Puerto Rico. Y en diferentes países latinoamericanos se pueden escuchar diferentes nombres para la misma cosa, dependiendo del idioma indígena original. Por ejemplo, la misma fruta que se llama "chinola" en la República Dominicana, se llama "parcha" en Puerto Rico y "maracuya" en Costa Rica o México.

El español también influye en el inglés de los Estados Unidos. Los españoles nombraron la Florida, un estado donde crecen muchas flores. Ellos también nombraron a Colorado, por sus rocas de color colorado, que es otro nombre para el color rojo.

Hasta el famoso "cowboy" norteamericano usa palabras del español, como "rodeo." "El rodeo" quería decir "reunir las vacas", y comenzó con los rancheros mexicanos. La arquitectura española existe al lado de la arquitectura indígena en Latinoamérica. Los mayas, los aztecas y los incas crearon pirámides, templos y ciudades que todavía existen. Los españoles crearon las misiones durante la época colonial en el nuevo mundo. Los balcones de hierro y las paredes de colores vivos en las calles del viejo San Juan en Puerto Rico se parecen mucho a las áreas de Sevilla en España.

Los azulejos de la Plaza de España en Sevilla tienen mucha semejanza al arte Talavera de Puebla, México. Los mexicanos son muy reconocidos por los diseños intrincados que caracterizan la famosa cerámica Talavera.

El intercambio de culturas también produjo la cocina única de Latinoamérica. La comida latinoamericana es una mezcla de influencias variadas. El frijol ocupa puesto primario en muchos menús especialmente en el Caribe. En los países andinos la cocina se basa principalmente en maíz, que se encuentra en platos típicos: como tortillas. Y los tostones tan populares por toda Latinoamérica son plátanos fritos, de herencia africana.

El mundo cultural de Latinoamérica revela lo mejor de sus antepasados étnicos. Adoptando las tradiciones de variadas poblaciones, Latinoamérica enfrenta el futuro con el poder de sus diversas raíces.

Realidades 3

Capítulo 8

Nombre

Fecha

Communicative Pair Activity **8-1**

Estudiante **A**

La clase de español fue a visitar varias ciudades en España, pero tú no pudiste ir. Hazle las siguientes preguntas a tu compañero(a) para saber lo que hicieron en la visita. Escribe sus respuestas en el espacio en blanco.

1. ¿Qué estructura de los romanos vieron en Segovia?

    _____

2. ¿Qué estructura de los judíos vieron en Toledo?

    _____

3. ¿Qué vieron en las casas de Sevilla?

    _____

4. ¿Qué decoración tiene el Alcázar Real?

    _____

5. ¿Qué es lo que más te gustó del viaje a España?

    _____

Imagina que hiciste un viaje a España con la clase de español. Tu compañero(a) no pudo ir, y ahora tiene muchas preguntas. Contéstalas según la información de abajo.

1.

2.

3.

4.

5. **¡Respuesta personal!**

Realidades ❸

Nombre _____

Fecha _____

Capítulo 8

Communicative Pair Activity 8-1

Estudiante B

Imagina que hiciste un viaje a España con la clase de español. Tu compañero(a) no pudo ir, y ahora tiene muchas preguntas. Contéstalas según la información de abajo.

1. _____

2. _____

3. _____

4. _____

5. **¡Respuesta personal!**

La clase de español fue a visitar varias ciudades en España, pero tú no pudiste ir. Hazle las siguientes preguntas a tu compañero(a) para saber lo que hicieron en la visita. Escribe sus respuestas en el espacio en blanco.

1. ¿Qué vieron en la entrada de las casas en Madrid?

_____

2. ¿Qué estructura es la Giralda?

_____

3. ¿Qué estructura de los musulmanes vieron en Córdoba?

_____

4. ¿Qué estructura de los cristianos vieron en Sevilla?

_____

5. ¿Qué es lo que más te gustó del viaje a España?

_____

Realidades **3**

Capítulo 8

Nombre _____

Fecha _____

Communicative Pair Activity **8-2**

Estudiantes **A y B**

Si mañana cancelaran las clases en tu escuela, ¿qué querrías hacer? Escoge cinco actividades de la lista. Escríbelas, usando frases completas, en la sección JUEGO UNO *(Jugaría al béisbol.)*. Luego, túrnate con tu compañero(a) para hacer preguntas *(¿Jugarías al béisbol?)* y ver quién es el primero en adivinar las cinco actividades que escogió el otro. Para el JUEGO DOS, escoge cinco actividades que no te gusta hacer *(No vería telenovelas.)* y sigue los pasos *(steps)* del JUEGO UNO. Usa las columnas 1 y 2 para escribir las respuestas de tu compañero(a).

1   **2**

_____ _____ jugar al béisbol

_____ _____ ver telenovelas

_____ _____ alquilar un video

_____ _____ ayudar en casa

_____ _____ hacer la tarea

_____ _____ ir de compras

_____ _____ ir al cine

_____ _____ ir a un museo

_____ _____ no salir de casa

_____ _____ leer un buen libro

_____ _____ querer trabajar de voluntario

_____ _____ hablar por teléfono con amigos

_____ _____ dormir hasta mediodía

_____ _____ comer con amigos

_____ _____ ir de compras

_____ _____ lavar el coche

_____ _____ ir a la biblioteca

_____ _____ visitar familiares

_____ _____ dibujar

JUEGO UNO

_____

_____

_____

_____

_____

JUEGO DOS

_____

_____

_____

_____

_____

REACCIONES

¡Estás loco(a)!

¡Qué divertido sería!

¿De verdad?

Yo también

Yo tampoco

Realidades **3**

Nombre _____

Capítulo 8

Fecha _____

Communicative Pair Activity 8-3

Estudiante A

Tú eres la **O** y tu compañero(a) es la **X**. Para empezar, tu compañero escogerá un número del 1 al 9. Lee la frase del cuadrado que escogió tu compañero(a) y espera a que él o ella diga la palabra a la que responde la definición. Si responde la palabra correcta, pon una **X** en el cuadrado. Si no, no pongas nada y no le digas la respuesta porque puede escoger ese número más tarde. Luego será tu turno de escoger un número y contestar la palabra o frase correcta. La primera persona en obtener tres respuestas correctas horizontal, vertical o diagonalmente gana la partida.

1. luchar contra los que gobiernan (rebelarse)	**2.** aztecas, mayas, incas (indígenas)	**3.** padres y abuelos (antepasados)
4. empezar o construir algo (establecer)	**5.** que tiene poder (poderoso, -a)	**6.** lucha entre dos o más países (guerra)
7. una persona que nació en África (africano, -a)	**8.** algo que se vende (mercancía)	**9.** pelear (luchar)

Tú eres la **X** y tu compañero(a) es la **O**. Para empezar, escogerás un número del 1 al 9. Contesta la palabra que responde a la definición. Luego será el turno de tu compañero de elegir un número. Lee la definición del número escogido. Si responde la palabra correcta, pon una **O** en el cuadrado. Si no, no pongas nada y no le digas la respuesta porque puede escoger ese número más tarde. La primera persona en obtener tres respuestas correctas horizontal, vertical o diagonalmente gana la partida.

1. persona que trabaja en una misión (misionero)	**2.** instrumento para luchar (arma)	**3.** los hijos y los hijos de los hijos (descendencia)
4. algo difícil de hacer (reto)	**5.** cosas diferentes juntas (mezcla)	**6.** estar hecho de algo (componerse de)
7. cuando dos ejércitos luchan (batalla)	**8.** cambio de unas cosas por otras (intercambio)	**9.** los franceses, italianos, españoles y alemanes son . . . (europeos)

Realidades 3

Capítulo 8

Nombre

Fecha

Communicative Pair Activity **8-4**
Estudiante **A**

Javier es muy mandón (*bossy*) y le gusta decirle a sus amigos lo que tienen que hacer. ¿A quién le dijo Javier que hiciera cada cosa? Pregúntale a tu compañero(a) y escribe sus respuestas en los espacios en blanco.

1. ¿A quién le dijo que trajera los antibióticos?

_____

2. ¿A quién le dijo que subiera a la torre?

_____

3. ¿A quién le dijo que tocara la trompeta?

_____

4. ¿A quién le dijo que pintara el cuadro?

_____

5. ¿A quién le dijo que viajara a la ciudad?

_____

Responde a las preguntas de tu compañero(a) según los dibujos.
Les dijo a Daniel y Sandra que prepararan la comida.

1. Joaquín y Merche

2.   Arturo

3.   Rosa

4.   Sofía y Raúl

5.   tú

Responde a las preguntas de tu compañero(a) según los dibujos.

Les dijo a Daniel y Sandra que prepararan la comida.

1.   ellos

2. Jimena y Eric

3.   Roberto

4.   Sara

5.   nosotros

Javier es muy mandón (*bossy*) y le gusta decirle a sus amigos lo que tienen que hacer. ¿A quién le dijo Javier que hiciera cada cosa? Pregúntale a tu compañero(a) y escribe sus respuestas en los espacios en blanco.

1. ¿A quién le dijo que preparara la comida?

_____

2. ¿A quién le dijo que alimentara los peces?

_____

3. ¿A quién le dijo que leyera el libro?

_____

4. ¿A quién le dijo que fuera a la marcha?

_____

5. ¿A quién le dijo que comprara el azulejo?

_____

2A

Realidades ③

Capítulo 8

Hablar de nuestra herencia

Estás hablando con otro(a) estudiante de la herencia cultural en tu comunidad.

— Pregúntale a tu compañero(a) qué culturas están representadas en tu comunidad.
— Opina sobre los comentarios de tu compañero(a). Agrega comentarios si tu compañero(a) no habló de alguna influencia que pienses que es importante.
— Responde la pregunta de tu compañero(a).

2B

Realidades ③

Capítulo 8

Hablar de nuestra herencia

Estás hablando con otro(a) estudiante de la herencia cultural en tu comunidad.

— Responde la pregunta de tu compañero(a). Explica tu respuesta y da ejemplos.
— Pregúntale a tu compañero(a) cómo benefician a la comunidad las diferentes culturas de las que hablaron.
— Opina sobre los comentarios de tu compañero(a).

1A

Realidades ③

Capítulo 8

Describir la mezcla de culturas en España

Estás hablando con un(a) amigo(a) de la influencia de diferentes culturas en España.

— Pídele a tu compañero(a) que dé algunos ejemplos que muestren las huellas de otras culturas en España.
— Responde la pregunta de tu compañero(a). Luego, hazle la misma pregunta.

1B

Realidades ③

Capítulo 8

Describir la mezcla de culturas en España

Estás hablando con un(a) amigo(a) de la influencia de diferentes culturas en España.

— Responde la pregunta de tu compañero(a). Explica tu respuesta.
— Luego, dile a tu compañero(a) que describa la arquitectura de España que le gusta más y diga qué influencia tiene de otras culturas.
— Responde la pregunta de tu compañero(a).

Vocabulary Clip Art

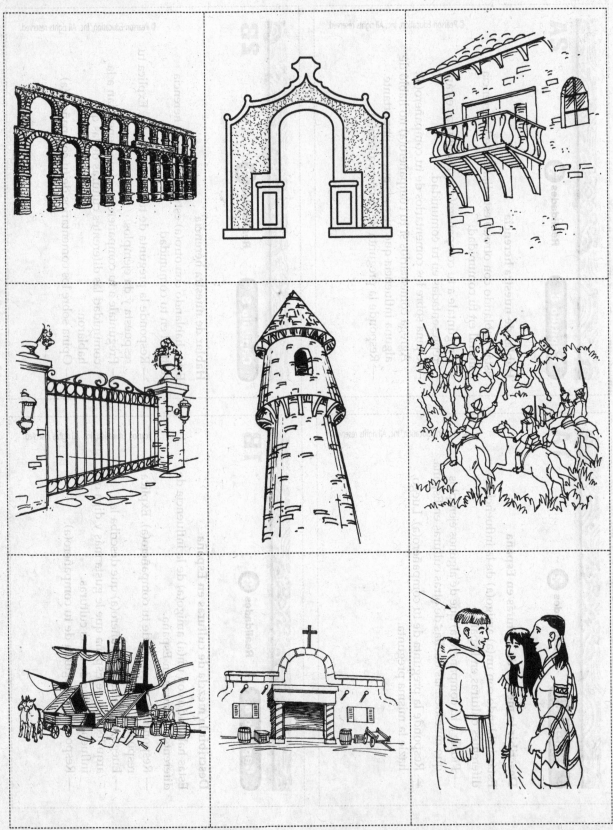

Vocabulary Clip Art

	adoptar	africano, -a
al llegar	los antepasados	anteriormente

Vocabulary Clip Art

el / la árabe

la arquitectura

asimilar(se)

la colonia

componerse de

conquistar

la conquista

la construcción

cristiano, -a

Realidades 3

Capítulo 8

Vocabulary Clip Art

dejar huellas	la descendencia	desconocido, -a
dominar	el encuentro	enfrentar(se)
la época	establecer(se)	el grupo étnico

Vocabulary Clip Art

europeo

expulsar

fundar

gobernar

la guerra

la herencia

el idioma

el imperio

el / la indígena

Vocabulary Clip Art

la influencia	integrarse	el intercambio
invadir	el / la judío(a)	la lengua
la maravilla	maravilloso, -a	la mezcla

Vocabulary Clip Art

el musulmán, la musulmana	ocupar	la población
el poder	poderoso, -a	la raza
rebelarse	reconquistar	el resultado

Vocabulary Clip Art

el reto

la riqueza

el / la romano(a)

la semejanza

la tierra

la unidad

único, -a

la variedad

Core Practice Answers

8-1

A.

1. La plaza está delante de la mezquita.

2. El monumento está al lado de la sinagoga.

3. La iglesia está detrás de la fuente.

4. El río está debajo del puente.

B.

1. ¿Cuándo fuiste al museo?

2. ¿Dónde está la escultura?

3. ¿Dónde vive tu amiga Luisa?

4. ¿De qué está hecha la artesanía?

8-2

A.

1. bien

2. conflicto

3. recientemente

4. enojó

5. joyas

6. plata

7. pagó

8. asustaron

B.

2. Martín se puso enojado cuando vio a su novia con Pedro.

3. Amalia y Pedro anduvieron por una tienda.

4. Amalia le pidió dinero prestado a Pedro.

5. Martín creyó que Amalia ya no lo quería.

8-3

1. acueducto

2. una torre

3. arcos

4. balcones

5. azulejos

6. reja

8-4

1. árabes

2. anteriormente

3. maravilla

4. influencia

5. judía

6. arquitectura

7. único

8. población

9. idioma

10. huella

8-5

1. Yo iría a Sevilla.

2. Nuestros profesores comprarían libros.

3. Nosotros haríamos muchas excursiones.

4. Víctor y Nacho podrían hablar español todo el día.

5. Marta querría ver ruinas romanas.

6. Tú vendrías con nosotros a Toledo.

7. Alejandro saldría todas las noches.

8. Valeria y yo nos divertiríamos mucho.

8-6

1. Sergio estudiaría catalán.

2. Nosotros visitaríamos la mezquita.

3. Eva y Sara comerían.

4. Las estudiantes jugarían al fútbol.

5. Luis y Ernesto dibujarían una torre.

6. Yo compraría azulejos.

7. Tú dormirías en el balcón.

8-7

2. Juan y Simón irían a Córdoba.

3. Juan y Pilar estudiarían español.

4. Beatriz iría a Toledo, tomaría fotos de la arquitectura y comería en restaurantes.

5. Simón compraría azulejos y Fernando compraría postales.

6. Marta vería el acueducto y saldría con amigos en Segovia.

8-8

1. misioneros / misiones

2. intercambio / mercancías

3. guerra

4. soldados / armas

5. batallas

8-9

1. establecieron

2. descendencia

3. imperio

4. desconocidas

5. indígenas

6. poderosos

7. europeos

8. colonia

9. batallas

10. se componen

11. adoptaron

12. lengua

8-10

1. —Pero yo te pedí que lo trajeras.

2. —Pero nadie me dijo que los estudiara.

3. —Pero creímos que era imposible que pudiera terminarlo (que lo pudiera terminar).

4. —Pero yo no quería que te la dijera.

5. —Pero nos prohibieron que saliéramos.

6. —Pero nadie le sugirió que la hiciera.

7. —Pero papá insistió en que las sembraras.

8. —Pero era necesario que las escribiera.

8-11

1. ¡Qué ridículo! Si pusiera atención, comprendería.

2. ¡Qué mal educada! Si llamara a sus amigos, no estarían enojados.

3. ¡Qué lástima! Si durmiera, no estaría siempre cansado.

4. ¡Qué aburrido! Si saliera con sus amigos, se divertiría.

5. ¡Qué peligroso! Si corriera con cuidado, no se lastimaría.

6. ¡Qué desordenada! Si arreglara su cuarto, encontraría sus libros.

7. ¡Qué tonto! Si no se despertara tarde, podría asistir a su clase.

8. ¡Qué tímida! Si no tuviera miedo de hablar con la gente, tendría amigos.

8-12

A

1. El profesor me dijo que aprendiera español.

2. El entrenador me sugirió que hiciera ejercicios.

3. El ingeniero me recomendó que construyera el puente.

4. Mi madre me dijo que tuviera paciencia.

B.

1. Porque habla como si fuera el jefe.

2. Porque planean excursiones como si conocieran España.

3. Porque caminas como si tuvieras prisa.

4. Porque regatean como si no tuvieran dinero.

8-13

Answers will vary.

8-14

1. The conditional tense is formed by adding the conditional endings to the infinitive.

2. All verbs that are irregular in the future tense have the same irregular stems in the conditional.

3.

viviría	viviríamos
vivirías	viviríais
viviría	vivirían

tendría	tendríamos
tendrías	tendríais
tendría	tendrían

4. To form the stem to which the endings of the imperfect subjunctive are added, use the *Uds. / ellos / ellas* form of the preterite without the ending *-ron*.

5.

-ra	-ras	-ra
-ramos	-ráis	-ran

6. Use the imperfect subjunctive in the same cases as the present subjunctive if the main verb is in the preterite or imperfect.

7. *Como si* means "as if", and is always followed by the imperfect subjunctive.

8.

adoptara	adoptáramos
adoptaras	adoptarais
adoptara	adoptaran

hiciera	hiciéramos
hicieras	hicierais
hiciera	hicieran

Las palabras interrogativas (p. 339)

Interrogative words are words used to ask questions. In Spanish, all interrogative words have a written accent mark. Look at the list of important interrogative words below.

¿cuándo? = when?	¿para qué? = for what reason/purpose?
¿dónde? = where?	¿qué? = what?
¿adónde? = to where?	¿por qué? = why?
¿cómo? = how?	

A. Circle the correct interrogative word in each short dialogue below. Follow the model.

Modelo —¿(Por qué /**Cuándo**) es el partido?
—Mañana a las cuatro.

1. —¿(**Dónde**/ Cuál) está José?
—En el museo.

2. —¿(**Cómo**/ Cuándo) se llama ese hombre viejo?
—Sr. Beltrán.

3. —¿(**Qué** /Por qué) vas al teatro?
—Necesito hablar con el director.

4. —¿(Cuándo /**Qué**) haces mañana?
—Voy a la plaza a ver unos monumentos.

• Some interrogative words must agree with the nouns they modify.
¿cuál?/¿cuáles?   ¿quién?/¿quiénes?
¿cuánto?/¿cuánta?   ¿cuántos?/¿cuántas?

• Note that ¿quién(es)? and ¿cuál(es)? must agree in number with the nouns they modify.
¿Quiénes son los actores?   ¿Cuál es el teatro nuevo?

• Note that ¿cuánto(s)? and ¿cuánta(s)? must agree in number *and* gender with the nouns they modify.
¿Cuánto tiempo?   ¿Cuántas sinagogas hay?

B. In each question below, underline the noun that is modified by the interrogative word. Then, circle the interrogative word that agrees with the noun you underlined.

Modelo ¿(Cuál /**Cuáles**) son los monumentos más antiguos?

1. ¿(Cuánto /**Cuánta**) gente hay en la sinagoga?
2. ¿(**Cuál**/ Cuáles) es la fecha de hoy?
3. ¿(**Quién**/ Quiénes) es el presidente de México?
4. ¿(Cuánto /**Cuánta**) tarea tienes esta noche?
5. ¿(Cuál **Cuáles**) son las calles que llevan al puente?

• When you need to use a preposition with an interrogative word, you must always place it ahead of the interrogative word.
¿Con quién vas a la mezquita?   *With whom are you going to the mosque?*
¿De dónde es Marta?   *Where is Marta from?*

• Note that with the word **Adónde**, the preposition, a, is attached to the interrogative word. In all other cases, however, the preposition is a separate word.

C. Circle the correct interrogative phrase to complete each dialogue below. Look at the responses given to each question to help you make your choice. Follow the model.

Modelo —¿(**De dónde**/ Adónde) es tu profesora de español?
—Ella es de Madrid.

1. —¿(**De quién**/ Con quién) es la mochila?
—Es de mi amiga Josefina.

2. —¿(**Para quién**/ De quién) es ese regalo?
—Es para mi hermano Roberto. Hoy es su cumpleaños.

3. —¿(**Adónde**/ De dónde) vas?
—Voy al edificio histórico para estudiar la arquitectura.

4. —¿(Por qué /**Para qué**) se usa un puente?
—Se usa para cruzar un río.

• When interrogative words are used in indirect questions, or statements that imply a question, they also have a written accent.
No sé dónde está el palacio.

D. Choose the interrogative word from the word bank that best completes each sentence and write it in the space provided. Follow the model.

cuál	cuántas	dónde	quién	por qué

Modelo Necesito saber _**cuál**_ de estos estudiantes es Juan.

1. Quiero saber _**dónde**_ está la iglesia.
2. Tenemos que saber _**quién**_ causó ese accidente horrible.
3. Mi profesor me preguntó _**por qué**_ no había asistido a clase.
4. Voy a averiguar _**cuántas**_ bebidas necesitamos comprar.

realidades.com
• Web Code: jed-0801

Verbos con cambios en el pretérito (p. 341)

- Remember that some verbs have a spelling change in the preterite. The verb **oír** and verbs that end in **-uir, -eer, -aer** have a "y" in the **Ud./él/ella** and **Uds./ellos/ellas** forms. The verb **leer** is conjugated below as an example.

leer	
leí	leímos
leíste	leísteis
leyó	leyeron

A. Complete each sentence with the correct preterite form of the verb in parentheses.

Modelo (oír) Los cajeros **oyeron** una explosión en el mercado.

1. (incluir) Yo **incluí** unas piedras preciosas en el collar que hice en la clase de arte.

2. (destruir) El dueño se puso enojado cuando un criminal **destruyó** su tienda.

3. (creer) Los policías no **creyeron** las mentiras del ladrón.

4. (caerse) Nosotros **nos caímos** cuando corríamos porque teníamos mucho miedo del oso.

5. (leer) Jorge **leyó** un artículo sobre cómo regatear en los mercados mexicanos.

- Remember that **-ar** and **-er** verbs have no stem changes in the preterite. Stem-changing **-ir** verbs have changes in the **Ud./él/ella** and **Uds./ellos/ellas** forms of the preterite.
- In verbs like **dormir** and **morir** (o→u), the stem changes from **o** to **u** in these forms. In verbs like **sentir** and **preferir** (e→ie), or **pedir** and **seguir** (e→i), the stem changes from **e** to **i** in these forms.

B. Give the correct form of each of the following verbs in the preterite. Be careful not to make any stem changes where you don't need them!

Modelo (él) morir **murió**

1. (nosotros) almorzar **almorzamos**   **5.** (tú) contar **contaste**

2. (los profesores) servir **sirvieron**   **6.** (Uds.) dormir **durmieron**

3. (yo) repetir **repetí**   **7.** (él) mentir **mintió**

4. (nosotros) perder **perdimos**   **8.** (tú) pedir **pediste**

- There are several irregular verbs in the preterite. Remember that some verbs such as **decir, traer,** and **traducir** have irregular stems in the preterite, but they share the same endings.

decir: **dij-**
traer: **traj-**
traducir: **traduj-**

Endings: -e, -iste, -o, -imos, -isteis, -eron

C. Complete each sentence with the appropriate form of the verb in the preterite tense.

Modelo (decir) (Yo) Le **dije** a mi mamá: «Estoy asustado».

1. (traducir) El traductor **tradujo** las instrucciones para el producto nuevo del español al inglés.

2. (traer) Nosotros **trajimos** algunos aretes de oro al mercado para venderlos.

3. (decir) Tú **dijiste** cosas terribles durante la pelea con tu novia.

4. (traer) Los dos estudiantes **trajeron** su parte del proyecto y colaboraron para terminarlo.

5. (traducir) Mis profesores de español **tradujeron** unos documentos y la compañía les pagó muy bien.

- Another set of irregular verb stems share a slightly different set of endings.

andar	estar	tener	poder	poner	saber	venir
anduv-	estuv-	tuv-	pud-	pus-	sup-	vin-

Endings: -e, -iste, -o, -imos, -isteis, -ieron.

- The verb **hacer** is also irregular in the preterite:
hice, hiciste, hizo, hicimos, hicisteis, hicieron
Notice that these verbs do not have written accent marks in the preterite.

D. Complete each sentence with the correct preterite form of the verb in parentheses.

Modelo (venir) Cuando estudiaba en España, mis padres **vinieron** a visitarme.

1. (estar) La policía capturó al ladrón y éste **estuvo** en la cárcel 20 años.

2. (poder) Nosotros no **pudimos** refugiarnos en la cueva porque había un oso allí.

3. (hacer) Ellos **hicieron** todo lo posible por resolver el conflicto.

4. (andar) ¿Tú **anduviste** solo por el bosque? ¿No tenías miedo?

5. (tener) Ayer yo **tuve** que salvar a mi hermanito porque se cayó en un río.

 realidades.com
• Web Code: jed-0801

Sheet 2 (page 243)

Copy the word or phrase in the space provided. Be sure to include the article for each noun.

asimilar(se)	**la conquista**	**conquistar**
asimilar(se)	*la conquista*	*conquistar*
la construcción	**cristiano, cristiana**	**dejar huellas**
la construcción	*cristiano cristiana*	*dejar huellas*
dominar	**la época**	**grupo étnico**
dominar	*la época*	*grupo étnico*

Sheet 1 (page 242)

Write the Spanish vocabulary word below each picture. If there is a word or phrase, copy it in the space provided. Be sure to include the article for each noun.

el *balcón*	**el** *arco*	**el** *acueducto*
el *azulejo*	**la** *torre*	**la** *reja*
la arquitectura	**el/la árabe**	**anteriormente**
la arquitectura	*el/la árabe*	*anteriormente*

Copy the word or phrase in the space provided. Be sure to include the article for each noun.

la maravilla	maravilloso, maravillosa	el musulmán, la musulmana
la _____ maravilla	_____ maravilloso , _____ maravillosa	el _____ musulmán , la _____ musulmana

ocupar	la población	reconquistar
_____ ocupar	la _____ población	_____ reconquistar

el romano, la romana	la unidad	único, única
el _____ romano , la _____ romana	la _____ unidad	_____ único , _____ única

---

Copy the word or phrase in the space provided. Be sure to include the article for each noun.

expulsar	fundar(se)	gobernar
_____ expulsar	_____ fundar(se)	_____ gobernar

el idioma	el imperio	la influencia
el _____ idioma	el _____ imperio	la _____ influencia

integrarse	invadir	el judío, la judía
_____ integrarse	_____ invadir	el _____ judío , la _____ judía

Capítulo 8   Fecha _____   **Vocabulary Check, Sheet 1**

Tear out this page. Write the English words on the lines. Fold the paper along the dotted line to see the correct answers so you can check your work.

el acueducto	*aqueduct*
anteriormente	*before*
el/la árabe	*Arab*
el arco	*arch*
la arquitectura	*architecture*
asimilar(se)	*to assimilate*
el azulejo	*tile*
el balcón, (pl. los balcones)	*balcony*
la conquista	*conquest*
conquistar	*to conquer*
la construcción	*construction*
cristiano, cristiana	*Christian*
dejar huellas	*to leave marks, traces*
dominar	*to dominate*
la época	*time, era*
expulsar	*to expel*
fundarse	*to found*
gobernar (ie)	*to rule, to govern*

Fold In ↓

Capítulo 8   Fecha _____   **Vocabulary Flash Cards, Sheet 5**

These blank cards can be used to write and practice other Spanish vocabulary for the chapter.

Realidades 3

Capítulo 8

Nombre _____ Hora _____

Fecha _____ **Vocabulary Check, Sheet 2**

Tear out this page. Write the Spanish words on the lines. Fold the paper along the dotted line to see the correct answers so you can check your work.

aqueduct	*el acueducto*
before	*anteriormente*
Arab	*el/la árabe*
arch	*el arco*
architecture	*la arquitectura*
to assimilate	*asimilar(se)*
tile	*el azulejo*
balcony	*el balcón, (pl. los balcones)*
conquest	*la conquista*
to conquer	*conquistar*
construction	*la construcción*
Christian	*cristiano, cristiana*
to leave marks, traces	*dejar huellas*
to dominate	*dominar*
time, era	*la época*
to expel	*expulsar*
to found	*fundarse*
to rule, to govern	*gobernar (ie)*

Realidades 3

Capítulo 8

Nombre _____ Hora _____

Fecha _____ **Vocabulary Check, Sheet 3**

Tear out this page. Write the English words on the lines. Fold the paper along the dotted line to see the correct answers so you can check your work.

el grupo étnico	*ethnic group*
el idioma	*language*
el imperio	*empire*
integrarse	*to integrate*
invadir	*to invade*
el judío, la judía	*Jewish*
la maravilla	*marvel, wonder*
maravilloso, maravillosa	*wonderful*
el musulmán, la musulmana	*Muslim*
ocupar	*to occupy*
la población	*population*
la reja	*railing, grille*
el romano, la romana	*Roman*
la torre	*tower*
la unidad	*unity*
único, única	*only*

El condicional (p. 352)

• To talk about what you *would* do in a hypothetical situation or what things *would* be like, you use the conditional tense in Spanish. To form the conditional of regular verbs, you add the endings to the infinitive of the verb. Look at the examples below.

fundar		invadir	
fundaría	fundaríamos	invadiría	invadiríamos
fundarías	fundaríais	invadirías	invadiríais
fundaría	fundarían	invadiría	invadirían

• Note that the endings are the same for -ar, -er, and -ir verbs.

A. Alejandro is thinking about what what his life would be like if he lived in Spain. Choose the correct form of the conditional tense to complete each sentence.

Modelo   (Yo) (comería / comerías) tortilla española todos los días.

1. Mis amigos y yo (hablarían /(hablaríamos) español perfectamente.

2. Mi familia (viviría/ vivirías) en una casa bonita con un jardín y muchas flores.

3. Mis hermanos (estudiarían)/ estudiaríamos) en la universidad de Madrid.

4. Mis profesores me (enseñarían/ enseñaría) sobre los Reyes Católicos.

5. Mis compañeros de clase y yo (prepararían /(prepararíamos) un proyecto sobre la conquista de España por los árabes.

B. Some students were interviewed about what they would do if they were studying abroad in a Spanish-speaking country. Complete each sentence with correct form of the verb in the conditional tense.

Modelo   (escribir) Yo les ___escribiría___ cartas a mis abuelos todos los días.

1. (visitar)   Mi mejor amigo ___visitaría___ todos los museos para aprender sobre las épocas pasadas.

2. (conocer)   Nosotros ___conoceríamos___ a personas de varios grupos étnicos.

3. (conversar)   Todos los estudiantes ___conversarían___ en español todo el día.

4. (estudiar)   ¿Tú ___estudiarías___ la influencia de las diferentes culturas en el país?

5. (sacar)   Un estudiante ___sacaría___ fotos de todos los lugares turísticos.

6. (ir)   Nosotros ___iríamos___ a ver todos los sitios históricos del país.

realidades.com
• Web Code: jed-0803

Tear out this page. Write the Spanish words on the lines. Fold the paper along the dotted line to see the correct answers so you can check your work.

ethnic group	*el grupo étnico*
language	*el idioma*
empire	*el imperio*
to integrate	*integrarse*
to invade	*invadir*
Jewish	*el judío, la judía*
marvel, wonder	*la maravilla*
wonderful	*maravilloso,* *maravillosa*
Muslim	*el musulmán,* *la musulmana*
to occupy	*ocupar*
population	*la población*
railing, grille	*la reja*
Roman	*el romano, la romana*
tower	*la torre*
unity	*la unidad*
only	*único, única*

Fold In ↓

realidades.com
• Web Code: jed-0802

Write the Spanish vocabulary word below each picture. If there is a word or phrase, copy it in the space provided. Be sure to include the article for each noun.

la **batalla**	las **mercancías**	la **misión**
el **misionero** la **misionera**	las **armas**	el **soldado**
luchar	**adoptar**	**africano, africana**

luchar	**adoptar**
	africano , **africana**

- Some verbs have irregular stems in the conditional. These are the same irregular stems used to form the future tense. Look at the list below to review them.

hacer: **har-**	decir: **dir-**
poder: **podr-**	saber: **sabr-**
poner: **pondr-**	componer: **compondr-**
salir: **saldr-**	querer: **querr-**
tener: **tendr-**	contener: **contendr-**
venir: **vendr-**	haber: **habr-**

C. Fill in the correct stems of the irregular conditional verbs to complete the sentences about what people would do on a family trip to Spain. Follow the model.

Modelo (querer) Mis padres y yo ____**querr**____ íamos ver los azulejos.

1. (salir) Yo ____**saldr**____ ía a las discotecas a bailar.

2. (poder) Mis hermanos ____**podr**____ ían ver los acueductos.

3. (tener) Tú ____**tendr**____ ías que acostumbrarte al acento español.

4. (decir) Nosotros ____**dir**____ íamos muchas cosas buenas sobre el Alcázar Real.

5. (hacer) Yo ____**har**____ ía un viaje a Barcelona.

6. (saber) Toda la familia ____**sabr**____ ía mucho más sobre la cultura española.

D. Conjugate the verb given in the conditional to write complete sentences about what would happen if people won the lottery.

Modelo Mis padres / no / tener / que trabajar más
Mis padres no tendrían que trabajar más.

1. Yo / poder / comprar / un carro nuevo
Yo podría comprar un carro nuevo.

2. Mis amigos / venir / a cenar / a mi casa / todas las noches
Mis amigos vendrían a cenar a mi casa todas las noches.

3. Nosotros / querer / donar / dinero / a las personas pobres
Nosotros querríamos donar dinero a las personas pobres.

4. Haber / una fuente / en el pasillo / de mi casa
Habría una fuente en el pasillo de mi casa.

5. Mi mamá / poner / pinturas de artistas famosos / en las paredes
Mi mamá pondría pinturas de artistas famosos en las paredes.

realidades.com
• Web Code: jed-0803

Copy the word or phrase in the space provided. Be sure to include the article for each noun.

al llegar	los antepasados	la colonia
__ al __ __ llegar __	__ los __ __ antepasados __	__ la __ __ colonia __

componerse de	la descendencia	desconocido, desconocida
__ componerse __ __ de __	__ la __ __ descendencia __	__ desconocido __ , __ desconocida __

el encuentro	enfrentar(se)	establecer(se)
__ el __ __ encuentro __	__ enfrentar(se) __	__ establecer(se) __

Copy the word or phrase in the space provided. Be sure to include the article for each noun.

europeo, europea	la guerra	la herencia
__ europeo __ , __ europea __	__ la __ __ guerra __	__ la __ __ herencia __

el/la indígena	el intercambio	la lengua
__ el/la __ __ indígena __	__ el __ __ intercambio __	__ la __ __ lengua __

la mezcla	el poder	poderoso, poderosa
__ la __ __ mezcla __	__ el __ __ poder __	__ poderoso __ , __ poderosa __

Realidades 3
Capítulo 8
Nombre
Hora
Fecha
Vocabulary Check, Sheet 5

Tear out this page. Write the English words on the lines. Fold the paper along the dotted line to see the correct answers so you can check your work.

adoptar	*to adopt*
africano, africana	*African*
el antepasado	*ancestor*
el arma (*pl.* las armas)	*weapon*
la batalla	*battle*
la colonia	*colony*
componerse de	*to be formed by*
desconocido, desconocida	*unknown*
enfrentarse	*to face, to confront*
el encuentro	*meeting*
establecer (zc)	*to establish*
europeo, europea	*European*
la guerra	*war*
la herencia	*heritage*
el/la indígena	*native*
el intercambio	*exchange*

Fold In ↓

Realidades 3
Capítulo 8
Nombre
Hora
Fecha
Vocabulary Flash Cards, Sheet 9

Copy the word or phrase in the space provided. Be sure to include the article for each noun. The blank card can be used to write and practice another Spanish vocabulary word or phrase for the chapter.

la raza	rebelarse	el resultado
la ___ raza	___ rebelarse	el ___ resultado
el reto	la riqueza	la semejanza
el ___ reto	la ___ riqueza	la ___ semejanza
la tierra	la variedad	
la ___ tierra	la ___ variedad	

Tear out this page. Write the English words on the lines. Fold the paper along the
dotted line to see the correct answers so you can check your work.

la lengua	*language, tongue*
luchar	*to fight*
la mercancía	*merchandise*
la mezcla	*mix*
la misión	*mission*
el misionero, la misionera	*missionary*
el poder	*power*
poderoso, poderosa	*powerful*
la raza	*race*
rebelarse	*to rebel, to revolt*
el resultado	*result, outcome*
el reto	*challenge*
la riqueza	*wealth*
la semejanza	*similarity*
el/la soldado	*soldier*
la tierra	*land*
la variedad	*variety*

↓ Fold In

Tear out this page. Write the Spanish words on the lines. Fold the paper along the
dotted line to see the correct answers so you can check your work.

to adopt	*adoptar*
African	*africano, africana*
ancestor	*el antepasado*
weapon	*el arma (pl. las armas)*
battle	*la batalla*
colony	*la colonia*
to be formed by	*componerse de*
unknown	*desconocido, desconocida*
to face, to confront	*enfrentarse*
meeting	*el encuentro*
to establish	*establecer (zc)*
European	*europeo, europea*
war	*la guerra*
heritage	*la herencia*
native	*el/la indígena*
exchange	*el intercambio*

↓ Fold In

El imperfecto del subjuntivo (p. 364)

- You have already learned how to use the subjunctive to persuade someone else to do something, to express emotions about situations, and to express doubt and uncertainty. If the main verb is in the present tense, you use the present subjunctive.

  Nos alegramos de que la fiesta sea *We are happy the party is fun.*
  divertida.

- If the main verb is in the preterite or imperfect, you must use the *imperfect subjunctive* in the second part of the sentence.

  Él se alegró de que comieran *He was happy they ate authentic food.*
  buena comida.

- To form the imperfect subjunctive, first put a verb in the **ellos/ellas/Uds.** form of the preterite tense and remove the **-ron**. Then, add the imperfect subjunctive endings. Look at the two examples below.

luchar (ellos) = lucharon (pretérito)		establecer (ellas) = establecieron	
lucharon		**establecieron**	
luchara	lucháramos	estableciera	estableciéramos
lucharas	lucharais	establecieras	establecierais
luchara	lucharan	estableciera	establecieran

- Note: The **nosotros** form of each verb has an accent at the end of the stem.

A. Circle the correct form of the imperfect subjunctive to complete the following sentences.

Modelo La profesora recomendó que los estudiantes (estudiara / (estudiaran) los aztecas.

1. A los conquistadores no les gustaba que los aztecas (practicara /(practicaran)) una religión diferente.

2. El rey español quería que Hernán Cortés ((enseñara)/ enseñaras) su religión a los aztecas.

3. Fue excelente que nosotros (miraran /(miráramos) una película sobre el imperio azteca.

4. Los españoles dudaban que el rey azteca (se rebelara /(se rebelara)), pero eso fue lo que ocurrió.

realidades.com
• Web Code: jed-0807

Tear out this page. Write the Spanish words on the lines. Fold the paper along the dotted line to see the correct answers so you can check your work.

language, tongue	*la lengua*
to fight	*luchar*
merchandise	*la mercancía*
mix	*la mezcla*
mission	*la misión*
missionary	*el misionero,*
	la misionera
power	*el poder*
powerful	*poderoso,*
	poderosa
race	*la raza*
to rebel, to revolt	*rebelarse*
result, outcome	*el resultado*
challenge	*el reto*
wealth	*la riqueza*
similarity	*la semejanza*
soldier	*el/la soldado*
land	*la tierra*
variety	*la variedad*

Fold In ↓

realidades.com
• Web Code: jed-0806

El imperfecto del subjuntivo con si (p. 367)

- The two tenses you have learned in this chapter, the conditional and the imperfect subjunctive, are often combined in sentences where you talk about hypothetical, unlikely, or untrue events. These sentences include the word si ("if") followed by the imperfect subjunctive and a main clause with a verb in the conditional tense. Look at the following examples.

Si viviera en España, podría ver la influencia árabe en la arquitectura.
If I lived in Spain, I would be able to see the arabic influence in the architecture.

Haríamos un viaje a México para ver las pirámides si tuviéramos tiempo.
We would take a trip to México to see the pyramids if we had time.

- Notice that the order of the phrase can vary, but the imperfect subjunctive must always be paired with the si.

A. Complete the sentences with the conditional of the verb in parentheses. Follow the model.

Modelo (comprar) Si tuviera un millón de dólares, yo _compraría_ un carro.

1. (ir) Si tuviera un avión, yo _iría_ a una isla privada.

2. (ser) Si pudiera tener cualquier trabajo, yo _sería_ embajador a España.

3. (ver) Si pudiera ver cualquier película esta noche, yo _vería_ una romántica.

4. (sentirse) Si tuviera que tomar cinco exámenes hoy, yo _me sentiría_ enfermo.

B. What would happen if you participated in an exchange program in Mexico? Read the following statements and decide which part of the sentence would use the imperfect subjunctive form of the verb and which part would use the conditional. Circle your choice in each part of the sentence. Follow the model.

Modelo Si (comiera)/comería) en un restaurante mexicano, (pidiera /(pediría) platos auténticos.

1. Si nuestros profesores ((fueran)/ serían) más exigentes, nos (dieran /(darían)) exámenes todos los días.

2. Yo (fuera /(fría)) a las montañas si ((tuviera)/ tendría) un caballo.

3. Si nosotros ((trabajáramos)/ trabajaríamos) para el gobierno, (fuéramos /(seríamos)) muy poderosos.

4. Si tú ((vendieras)/ venderías) unas mercancías, (ganaras /(ganarías)) mucho dinero.

realidades.com
• Web Code: jed-0808

- Any verbs that have stem changes, spelling changes, or irregular conjugation in the ellos/ellas/Uds. form of the preterite will also have these changes in the imperfect subjunctive. Look at a few examples of stems below.

leer-	leyeron-	leye-	ir-	fueron-	fue-
hacer-	hicieron-	hicie-	dormir-	durmieron-	durmie-

B. In the first space, write the ellos/ellas/Uds. preterite form of the verb. Then, conjugate the verb in the él/ella/Ud. form of the imperfect subjunctive. Follow the model.

Modelo (construir) _construyeron_ : el trabajador _construyera_

1. (dar) _dieron_ : el rey _diera_

2. (ir) _fueron_ : la reina _fuera_

3. (poder) _pudieron_ : Papá _pudiera_

4. (morir) _murieron_ : Ud. _muriera_

5. (sentir) _sintieron_ : Juanita _sintiera_

6. (andar) _anduvieron_ : Carlitos _anduviera_

C. In the following sentences, conjugate the first verb in the imperfect indicative and the second verb in the imperfect subjunctive to create complete sentences. Follow the model.

Modelo Yo / querer / que / mi profesor / mostrar / un vídeo / sobre los aztecas
Yo quería que mi profesor mostrara un vídeo sobre los aztecas.

1. Ser / necesario / que / los aztecas / defender / su imperio.
Era necesario que los aztecas defendieran su imperio.

2. Los aztecas / dudar / que / Hernán Cortés / tener razón
Los aztecas dudaban que Hernán Cortés tuviera razón.

3. Yo / alegrarse / de que / los estudiantes / estar / interesados / en la cultura azteca
Yo me alegraba de que los estudiantes estuvieran interesados en la cultura azteca.

4. Nosotros / no estar seguros / de que / los aztecas / poder / preservar todas sus tradiciones
Nosotros no estábamos seguros de que los aztecas pudieran preservar todas sus tradiciones.

5. Ser / malo / que / muchos aztecas / morirse / de enfermedades
Era malo que muchos aztecas murieran de enfermedades.

realidades.com
• Web Code: jed-0807

Puente a la cultura (pp. 370–371)

A. You are about to read an article about missions established in California in the 18th century. Check off all of the items in the following list that you think would be found in these missions. You can use the pictures in your textbook to give you ideas.

soldier barracks ✔ dance halls _____ a pool _____

eating areas ✔ a church ✔ rooms for priests ✔

B. Look at the following excerpts from your reading and decide which is the best definition for each highlighted word. Circle your answer.

1. «...*tenían la función de recibir y alimentar a las personas que viajaban a través del territorio desconocido*»

   a. educar   b. aconsejar   c.) dar comida

2. «*Las misiones incluían una iglesia, cuartos para los sacerdotes, depósitos, casas para mujeres solteras...*»

   a. tristes   b.) no son casadas   c. con sombra

3. «*Muchas personas recorren hoy el Camino Real...*»

   a.) viajar por   b. correr rápidamente   c. nadar

C. Read the following excerpt from the reading. List the three functions of the missions mentioned.

Las misiones fueron creadas no solo para enseñar la religión cristiana a los indígenas sino también para enseñarles tareas que pudieran realizar en la nueva sociedad española. Asimismo (Likewise) tenían la función de recibir y alimentar a las personas que viajaban a través del territorio desconocido de California.

1. ___*enseñar la religión cristiana a los indígenas*___

2. ___*enseñarles tareas a los indígenas*___

3. ___*recibir y alimentar a las personas que viajaban por California*___

D. Look at the paragraph on page 371 of the reading and fill in the key pieces of information below.

1. El nombre del hombre que fundó las misiones: ___*Fray Junípero Serra*___

2. El número de misiones que fundó: ___*9*___

3. El nombre de la ruta en la que se encuentran las misiones: ___*El Camino Real*___

realidades.com
• Web Code: jed-0810

El imperfecto del subjuntivo con si (continued)

C. Conjugate the boldface verbs in the imperfect subjunctive and the underlined verbs in the conditional tense to form complete sentences. Follow the model.

Modelo Si / yo / **tener** / dinero / <u>comprar</u> / unas joyas preciosas.

___*Si yo tuviera dinero, compraría unas joyas preciosas.*___

1. Si / nosotros / **hablar** / con nuestros antepasados / <u>aprender</u> / cosas interesantes

   ___*Si nosotros habláramos con nuestros antepasados, aprenderíamos cosas interesantes.*___

2. Si / tú / **ir** / a México / el 1 de noviembre / <u>celebrar</u> / el Día de los Muertos

   ___*Si tú fueras a México el 1 de noviembre, celebrarías el Día de los Muertos.*___

3. Si / yo / **tener** / un examen sobre los aztecas / <u>sacar</u> / una buena nota

   ___*Si yo tuviera un examen sobre los aztecas, sacaría una buena nota.*___

4. Si / mis amigos / **tocar** / instrumentos / <u>tener</u> / una banda

   ___*Si mis amigos tocaran instrumentos, tendrían una banda.*___

5. Si / yo / **hacer** / un viaje a la Costa del Sol / <u>nadar</u> en el mar

   ___*Si yo hiciera un viaje a la Costa del Sol, nadaría en el mar.*___

• After **como si** ("as if") you must **always** use the imperfect subjunctive. The other verb can be in either the present or the past tense.

   Martín habla como si fuera un hombre poderoso.
   Martín speaks as if he were a powerful man.

   La comida del restaurante era tan buena que él se sentía como si estuviera en España.
   The food at the restaurant was so good that he felt as if he were in Spain.

D. Complete each of the following sentences with the imperfect subjunctive form of the verb given. Follow the model.

Modelo (tener) Juan Pablo Fernández tiene 80 años, pero baila como si ___*tuviera*___ 20.

1. (hacer) Hace calor hoy, pero Pepita está vestida como si ___*hiciera*___ frío.

2. (querer) Marta hablaba de México como si ___*quisiera*___ vivir allí.

3. (ser) Rafael cocinaba como si ___*fuera*___ un chef profesional.

4. (estar) ¡Mi mamá habla como si ___*estuviera*___ enojada conmigo!

5. (tener) Conchita gasta dinero como si ___*tuviera*___ un millón de dólares.

realidades.com
• Web Code: jed-0808

Sheet 2

Lectura (pp. 376–378)

A. In this story, a modern-day teenager is transported into the world of the Aztecs just prior to the arrival of Hernán Cortés. What background information do you remember about the Aztecs from what you have learned in this chapter? List two elements in each category below.

1. religion: *Possible answers: the Aztecs placed great importance on religion, they had many gods, which were mainly some form of animal, and they sometimes wore elaborate costumes for ceremonies (sacrifices)*

2. architecture: *Possible answers: the pyramids of Teotihuacán, other Aztec ruins such as the ball court, or even Mayan structures that influenced Aztec architecture.*

B. The first part of this story finds the protagonist, Daniel, in a very confusing situation. How does he figure out where he is? Check off all of the clues below that he uses to try to determine where, and when he is.

- ☑ está durmiendo en un *petate* y no en su cama
- ☐ lleva jeans y una camiseta
- ☐ el emperador Moctezuma está en su casa
- ☑ habla un idioma extraño
- ☑ su novia lo llama "Tozani" y "esposo"

C. Daniel determines the date by using his knowledge of the Aztec calendar and the Aztec dates his "wife" gives him. Read the excerpt and fill in the dates below in the Aztec and then the modern form.

—*Acatl. El año 1-Caña, el día de 2-Casas. Trato de recordar el calendario azteca. Un escalofrío (chill) me invade el cuerpo cuando por fin descifro el significado de aquella fecha. Acatl, equivalente al año 1519 del calendario cristiano. El día 2-Casas, o sea, el 29, probablemente del mes de junio. Un mes antes de la entrada de Hernán Cortés en Tenochtitlán.*

Azteca		Moderna	
El año	1-Caña	El año	El año 1519
El día	el día de 2-Casas	El día	el día 29 de junio

Sheet 3

D. According to this account, does it seem the "beings" look more like humans or animals? Give examples below from the excerpt.

Los mensajeros de Moctezuma que han visto a estos seres, cuentan que son grandes de estatura, que tienen la cara cubierta de cabello. Y algunos de ellos tienen cuatro patas enormes y dos cabezas, una de animal y otra de hombre.

1. According to this passage, who has seen these "beings"? **Moctezuma's messengers**

2. What does it seem the "beings" look more like, man or animal, according to this account? Give examples.
   Suggested answer: It seems that they are more animal than man—hair covering their faces, four large feet.

3. These beings are described as tall and some as "two-headed." Why might Moctezuma think they were gods?
   Suggested answer: He might think that they were gods because Aztec gods were mainly animals sometimes with odd features, such as Quetzalcoatl (the feathered serpent)

E. As you read the story, you have gone on a path of discovery with Daniel to find out who he is, where he is, and what he is supposed to do. By the end of the story, he has his situation figured out, but does not like the task he is given. Number the following statements in the order in which Daniel experiences them. Then, answer the question that follows.

3 Daniel se da cuenta de que su misión es llevar regalos a los «dioses blancos» y guiarlos a la ciudad de Tenochtitlán.

1 Daniel se da cuenta de que su nombre es «Tozani» y que tiene una esposa llamada «Chalchi».

2 Daniel se da cuenta de que tiene que ir a un lago y luego al Templo Mayor.

When Daniel has realized who he is and what he has been told to do, what is his reaction? Why does he react this way? (*Hint: does he know something others do not?*)
Suggested answer: Daniel is very upset because he knows that the Spanish are not "gods" and that they end up conquering the Aztecs and wiping out much of their civilization.

Realidades 3

Capítulo 8

Nombre _____

Fecha _____

Hora _____

AUDIO

Actividad 2

Tres amigos hablan de las casas de sus sueños. Mientras escuchas lo que dice cada persona, marca con una X las cuatro cosas que él o ella quiere tener en su casa. Vas a oír cada comentario dos veces.

Persona		Cosas que quiere...
Luz		X balcones
		X arquitectura árabe
		X arcos
		X rejas
		___ un patio grande
		___ torres altas
Eduardo		X una piscina
		X arquitectura moderna
		___ arcos
		X azulejos
		___ torres altas
		X un garaje grande
Graciela		X balcones
		X arquitectura árabe
		X arcos
		___ azulejos árabes
		X un jardín grande
		X un pequeño lago

Realidades 3

Capítulo 8

Nombre _____

Fecha _____

Hora _____

AUDIO

Actividad 1

Estás preparando un informe sobre las influencias arquitectónicas e históricas en España. Ya tienes todo escrito, pero necesitas poner estos dibujos dentro del informe. Tu amiga te lee la primera frase de cada párrafo del informe. Mientras escuchas, pon el número de la frase debajo del dibujo correspondiente. Vas a oír cada frase dos veces.

3	5	1	4	2

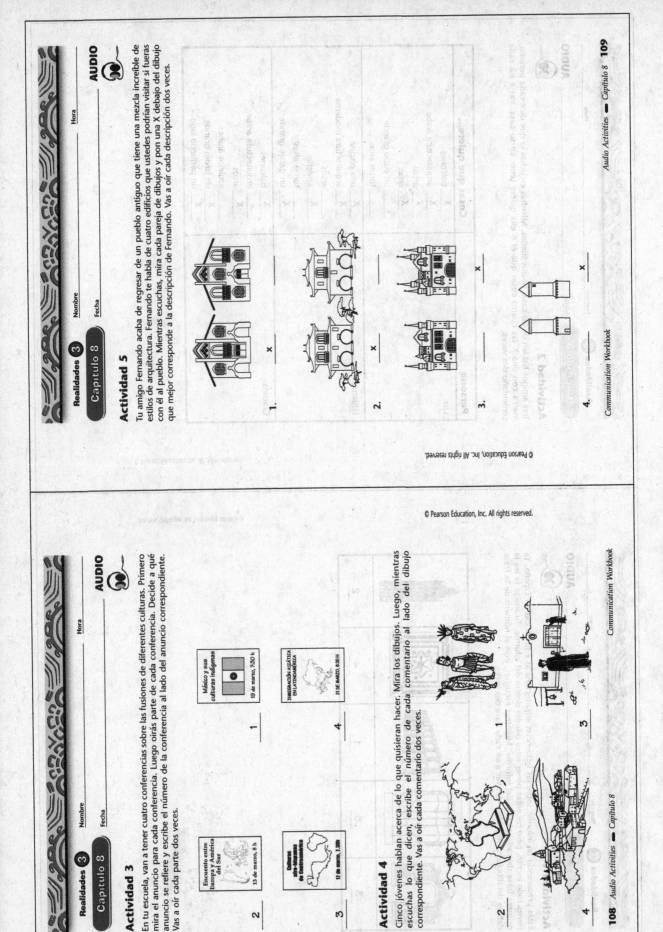

Actividad 5

Tu amigo Fernando acaba de regresar de un pueblo antiguo que tiene una mezcla increíble de estilos de arquitectura. Fernando te habla de cuatro edificios que ustedes podrían visitar si fueras con él al pueblo. Mientras escuchas, mira cada pareja de dibujos y pon una X debajo del dibujo que mejor corresponde a la descripción de Fernando. Vas a oír cada descripción dos veces.

1.

2.

3.

4.

Actividad 3

En tu escuela, van a tener cuatro conferencias sobre las fusiones de diferentes culturas. Primero mira el anuncio para cada conferencia. Luego oirás parte de cada conferencia. Decide a qué anuncio se refiere y escribe el número de la conferencia al lado del anuncio correspondiente. Vas a oír cada parte dos veces.

Encuentro entre Europa y América del Sur
13 de marzo, 8 h
2 ____

Culturas sino-indígenas de Centroamérica
17 de marzo, 7:30h
3 ____

México y sus culturas indígenas
19 de marzo, 7:30 h
1 ____

INMIGRACIÓN ASIÁTICA EN LATINOAMÉRICA
21 DE MARZO, 8:30 H
4 ____

Actividad 4

Cinco jóvenes hablan acerca de lo que quisieran hacer. Mira los dibujos. Luego, mientras escuchas lo que dicen, escribe el número de cada comentario al lado del dibujo correspondiente. Vas a oír cada comentario dos veces.

2 ____

4 ____

1 ____

3 ____

Nombre _____ Hora _____

Capítulo 8

WRITING

Actividad 7

Tu amigo(a) se ha ido de viaje a México y te llama explicándote algunos problemas que tiene. Mientras te cuenta cada uno, dile qué harías tú en su situación. Usa el condicional para escribir como mínimo dos frases para cada problema que te cuente tu amigo(a). **Answers will vary.**

Modelo   No encuentro ningún restaurante.
Yo preguntaría a alguien en el hotel. También hablaría con un habitante del lugar. Y miraría una guía de la ciudad. ¡Siempre tienen buenas ideas!

1. No sé qué visitar mañana.

2. ¡Quiero recordar los mejores momentos!

3. ¡Estoy cansado(a) de caminar tanto!

4. ¿Dónde puedo ir a dormir en la Ciudad de México?

5. Estoy aburrido(a) porque no conozco a nadie.

6. No sé qué ciudad visitar después de la Ciudad de México.

Realidades 3

Nombre _____ Hora _____

Capítulo 8

WRITING

Actividad 6

Has estado de viaje por España y ahora tienes que organizar las fotos que sacaste. Mira las fotos y escribe un pie de foto (caption) para cada una. Explica qué es cada cosa y cuenta algo que hiciste o que te sucedió en ese lugar. **Answers will vary.**

1.

2.

3.

4.

5.

6.

Realidades 3

Capítulo 8

Nombre _____

Hora _____

Fecha _____

WRITING

Actividad 9

A. Imagina cómo sería vivir en España durante los períodos en que llegaron otras culturas a ese país. Haz una lista de cinco cosas que harías en cada época. **Answers will vary.**

Modelo *Yo aprendería el idioma de los árabes. Mi familia y yo ayudaríamos a construir una mezquita.*

1. _____

2. _____

3. _____

4. _____

5. _____

B. Ahora, escribe frases sobre cómo te imaginas que sería la vida en cada período. Usa el condicional en las frases. **Answers will vary.**

1. _____

2. _____

3. _____

4. _____

5. _____

Realidades 3

Capítulo 8

Nombre _____

Hora _____

Fecha _____

WRITING

Actividad 8

Ahora eres tú quien está de viaje. Has visitado diferentes ciudades y les mandas tarjetas postales a tres amigos(as) y a tu profesor(a). Diles qué harían Uds. si cada uno(a) de ellos(as) estuviera contigo en esa ciudad y explícales algo de la cultura local. **Answers will vary.**

Buenos Aires

San Juan

Granada

Barcelona

Actividad 11

¿Cómo eras tú cuando eras niño(a)? ¿Qué cosas creías? ¿Qué te decían tus padres o tus amigos(as)? Contesta las siguientes preguntas. **Answers will vary.**

Modelo ¿Qué te dijo tu hermano sobre los deportes?
Mi hermano me dijo que jugara al fútbol. Pero yo dudaba que pudiera
jugar como él.

1. ¿Qué te sugerían tus padres cuando veías la televisión?

_____

2. ¿Qué te dijeron tus padres sobre tus notas en la escuela?

_____

3. ¿Qué te dijo la profesora sobre tu comportamiento en la biblioteca?

_____

4. ¿Qué te decían tus padres cuando ibas al parque?

_____

5. ¿Qué decían tus padres sobre la música que escuchabas?

_____

6. ¿Qué te sugirieron tus padres que hicieras para poder estudiar en la universidad?

_____

Actividad 10

¿Qué sabes de la historia de América Latina? Mira la ilustración y escribe ocho frases que describen lo que ves. **Answers will vary.**

1. _____

2. _____

3. _____

4. _____

5. _____

6. _____

7. _____

8. _____

Actividad 13

Imagina que eres un(a) europeo(a) que viaja a América en la época colonial.

A. Primero, contesta las siguientes preguntas. **Answers will vary.**

1. ¿A qué ciudad irías?

_____

2. ¿A quién te encontrarías allí?

_____

3. ¿Qué te sorprendería?

_____

4. ¿Qué te gustaría más de tu visita?

_____

B. Ahora, escribe un breve relato explicando lo que harías, verías y pensarías del lugar que visitas.

Answers will vary.

_____
_____
_____
_____
_____
_____
_____

Actividad 12

¿Qué harías en estas situaciones? Escoge cinco situaciones del recuadro y, para cada una, escribe tres o cuatro frases sobre lo que harías. **Answers will vary.**

Modelo   *Si yo viviera en el año 2075, tendría una casa en las nubes. Si pudiera, viajaría a todos lados en un auto que volara.*

vivir en el año 2075	tener mi propio negocio
establecerme en otra cultura	tener un barco de mercancías
hablar muchos idiomas	encontrarme con un(a) antepasado(a)
ir a un viaje cultural	visitar una misión

1. _____

2. _____

3. _____

4. _____

5. _____

Realidades 3

Capítulo 8

Nombre _____

Fecha _____

Hora _____

VIDEO

Antes de ver el video

Actividad 14

Completa la tabla de abajo, con las influencias de otras culturas en los Estados Unidos. Puedes consultar con un(a) compañero(a). **Answers will vary.**

Palabras de otros idiomas	Comidas de otras culturas	Costumbres de otras culturas

¿Comprendes?

Actividad 15

Lee las siguientes frases y escribe C si son ciertas o F si son falsas, según el video.

1. Los europeos, los indígenas y los africanos no mezclaron sus culturas en América.
   __F__

2. Los grupos de antepasados dejaron huellas en la arquitectura, la lengua y la comida de América. __C__

3. En los países latinoamericanos donde se habla el español, se usan siempre los mismos nombres para las cosas. __F__

4. La arquitectura colonial es herencia de los españoles. __C__

5. El frijol es un alimento muy importante en la comida caribeña. __F__

6. El chocolate y el maíz llegaron a Europa de América. __C__

Communication Workbook

© Pearson Education, Inc. All rights reserved.

Realidades 3

Capítulo 8

Nombre _____

Fecha _____

Hora _____

VIDEO

Actividad 16

Contesta las preguntas, según la información del video.

1. ¿En qué países hispanohablantes se comen muchos frijoles?
   en los países del Caribe

2. ¿Cuál es un plato típico que se prepara con maíz?
   tortillas

3. Da un ejemplo de una palabra que viene de una lengua indígena.
   huracán

4. ¿De dónde viene la tradición de los "cowboys"?
   de México

5. ¿Dónde dejaron sus huellas los españoles?
   en la arquitectura de la época colonial

Y, ¿qué más?

Actividad 17 **Answers will vary.**

1. ¿De dónde viene tu familia?
   _____

2. ¿Qué tradiciones culturales sigue tu familia?
   _____

3. De las comidas en el video, ¿cuáles probaste alguna vez? ¿Cuáles te gustaría probar?
   _____

4. ¿Qué te ha parecido más interesante sobre el video? ¿Por qué?
   _____

Communication Workbook

© Pearson Education, Inc. All rights reserved.

Test Preparation Answers

Reading Skills
p. 207   2. **C**
p. 208   2. **B**

Integrated Performance Assessment
p. 209
Answers will vary.

Practice Test: La herencia hispana en los Estados Unidos
p. 211

1. D
2. G
3. A
4. G
5. Las respuestas variarán, pero asegúrese de que los estudiantes den razones que apoyen su respuesta.
6. Las respuestas variarán, pero algunos ejemplos de la herencia hispana en el oeste, sudoeste y sudeste de los Estados Unidos pueden ser los nombres de las calles o de distritos en la comunidad, murales en los edificios, o zonas comerciales o residenciales de hispanohablantes. Si la comunidad no tiene herencia hispana, los estudiantes deben decir por qué no. Por ejemplo, los estudiantes pueden decir que su comunidad fue fundada por personas de otros países.

Table of Contents

Capítulo 9: Cuidemos nuestro planeta

Chapter Project

Visita un parque nacional

Overview:

You will create a digital or print brochure for a national park in Central or South America featuring the flora and fauna of the area, as well as conservation programs sponsored by the park. Include illustrations of some species found in the area accompanied by a brief description of each. You can obtain illustrations from magazines or travel brochures or download them from the Web. You will give an oral presentation of your brochure describing the park and trying to convince your listeners to support the conservation program sponsored by the park.

Resources:

digital or print photos, image editing and page layout software, and/or construction paper, magazines, travel brochures, scissors, glue, colored pencils, and markers

Sequence:

STEP 1. Review the instructions with your teacher.

STEP 2. Submit a rough sketch of your brochure. Incorporate your teacher's suggestions into your sketch. Work with a partner and present your sketches to each other.

STEP 3. Create layout. Work in pencil first and try different arrangements before writing the contents of the brochure.

STEP 4. Submit a draft of your brochure.

STEP 5. Complete and present your brochure to the class, trying to convince your fellow students to support the conservation program sponsored by the park.

Assessment:

Your teacher will provide you with a rubric to assess this project.

Chapter 9 Project: Visita un parque nacional

Project Assessment Rubric

RUBRIC	Score 1	Score 3	Score 5
Your evidence of planning	You provided no written draft or page layout.	Your draft and layout were created, but not corrected.	You showed evidence of corrected draft and layout.
Your use of illustrations	You included no photos or visuals.	You included photos or visuals, but your layout is disorganized.	Your brochure was easy to read, complete, and accurate.
Your presentation	You included little or no required information.	You included some of the required information. You attempted to convince.	You included all of the required information. You convinced us to support the program.

21st Century Skills Rubric: Information Literacy

RUBRIC	Score 1	Score 3	Score 5
Research Web sites	Reviews and references up to two Web sites.	Reviews and references three to four Web sites.	Reviews and references at least five Web sites.
Create list of ideas from research	Creates a list of three or fewer ideas and images.	Creates a list of four to six ideas and images.	Creates a list of seven or more ideas and images.
Integrates evidence of research	No integration of ideas and images in project.	Integrates some ideas and images in project.	Integrates many ideas and images in project.

School-to-Home Connection

Dear Parent or Guardian,

This chapter is called *Cuidemos nuestro planeta* (Let's Take Care of Our Planet).

Upon completion of this chapter, your child will be able to:

- talk about environmental problems
- discuss measures to protect the environment and conserve natural resources
- talk about wildlife habitats and species in danger of extinction

Also, your child will explore:

- using conjunctions to join subjunctive and indicative clauses
- joining clauses with relative pronouns

Realidades helps with the development of reading, writing, and speaking skills through the use of strategies, process speaking, and process writing. In this chapter, students will:

- read about the Galapagos Islands and monarch butterflies
- deliver a persuasive speech about cleaning up your community
- write a letter to an oil company suggesting measures to take in order to protect the oceans

To reinforce and enhance learning, students can access a wide range of online resources on **realidades.com,** the personalized learning management system that accompanies the print and online Student Edition. Resources include the eText, textbook and workbook activities, audio files, videos, animations, songs, self-study tools, interactive maps, voice recording (RealTalk!), assessments, and other digital resources. Many learning tools can be accessed through the student Home Page on **realidades.com.** Other activities, specifically those that require grading, are assigned by the teacher and linked on the student Home Page within the calendar or the Assignments tab.

You will find specifications and guidelines for accessing **realidades.com** on home computers and mobile devices on MyPearsonTraining.com under the SuccessNet Plus tab.

realidades.com ▼

For: Tips to Parents
Visit: www.realidades.com
Web Code: jce-0010

Check it Out! Ask your child to make a chart showing environmental problems on the left side and possible solutions on the right. Ask him or her to explain the chart in English.

Sincerely,

Pura vida Script

Episodio 11:
¿Para qué profesión te preparas?

DAVID: En CREFASI necesitamos personas con su perfil profesional. Necesitamos gente joven, entusiasta y capaz. Sus referencias son excelentes.

PATRICIO: Yo soy joven, entusiasta y capaz. ¿En qué consiste el trabajo exactamente?

DAVID: CREFASI participa en un programa del gobierno para recuperar la población de guacamayos. Hasta ahora hemos curado los pájaros. Pero queremos quitarlos de sus nidos y criarlos nosotros.

PATRICIO: ¿Quitarlos de sus nidos? Aún no entiendo lo que propone.

DAVID: Los guacamayos están en peligro de extinción.

PATRICIO: Sí, lo sé.

DAVID: Unos pocos se convierten en mascotas. Pero la mayoría se mueren durante ese proceso.

PATRICIO: Ah, pues si puedo hacer algo para evitarlo, cuente conmigo.

DAVID: Sí puede, Patricio. Su formación profesional es brillante. Y, su experiencia nos será muy útil.

PATRICIO: Bueno, no es que sea el mejor biólogo del mundo, pero mi compromiso con la conservación ambiental es firme.

DAVID: Lo que queremos en el Centro es anticipar a los robos de animales.

PATRICIO: ¿Anticiparlos?

DAVID: Sí. Los guacamayos están a punto de extinguirse. Cuando la policía agarra a un ladrón, nos trae los pájaros a nosotros. La mayoría están heridos.

PATRICIO: Así es.

DAVID: Vamos a llevárnoslos antes que los ladrones. Luego vamos a criarlos, y dejarlos en la selva.

PATRICIO: ¿Y, en qué puedo ayudarles yo?

DAVID: Estamos buscando un coordinador de operaciones. Queremos que traiga las crías antes de …

PATRICIO: Antes de que se las lleven los ladrones.

DAVID: Exacto. El coordinador tiene cinco empleados a su cargo. ¡Queremos que usted les enseñe lo que sabe!

PATRICIO: Interesante. A situaciones radicales, medidas radicales.¿Pero, necesitan un biólogo para eso?

DAVID: El trabajo requiere la supervisión de un científico. También es indispensable que el coordinador conozca la selva.

PATRICIO: Si hay algo que tengo yo es experiencia en la selva.

DAVID: Disculpe, un momento. ¿Alo? Hola, don Antonio, sí estoy con él. Todavía no. Luego le cuento. Sí lo tengo todo. Voy en media hora. Por favor, dígale a su socio que no se retrase. Y que traiga el dinero. Hasta luego. Tengo que irme. Olvidé que tenía una reunión muy importante. Pero, qué me dice. ¿Acepta el trabajo?

PATRICIO: Es un trabajo interesante, pero tengo que pensarlo.

DAVID: Le ofrecemos una bonificación anual, un plan de retiro y, por supuesto, seguro médico.

PATRICIO: ¿Y el salario?

DAVID: Le pagamos el doble de lo que gana ahora.

PATRICIO: ¿El doble? Ay, caramba, tienen mucha plata, ¿no?

DAVID: Tenemos buenos patrocinadores. Pero lo importante es que esto es una gran oportunidad para usted. Es posible que se le abran muchas puertas.

PATRICIO: ¿Y el horario del trabajo?

DAVID: Olvídese de horarios. Éste no es un trabajo de oficina. Va a trabajar por su cuenta.

PATRICIO: ¿Por mi cuenta?

DAVID: Sí, queremos que sea su propio jefe. Usted y otro compañero de la Universidad de Cornell. Es un trabajo de responsabilidad.

PATRICIO: No, no me asusta la responsabilidad. Lo que me molesta es la idea de sacar crías de guacamayos de la selva tropical.

DAVID: Es necesario, Patricio. Es la única solución.

PATRICIO: Quizás.

DAVID: Bueno, en cuanto tome una decisión avísenos. Tiene hasta el lunes para pensarlo.

DAVID: Gracias.

PATRICIO: Gracias.

Episodio 12: El futuro es tuyo

FELIPE: Tengo el buzón de correo electrónico lleno de basura. ¿Por qué no hay un mensaje como, le regalo una camioneta nueva? Eso es lo que me haría feliz.

SILVIA: Ya tienes una camioneta.

MARCELA: ¿Vas a dejar ahora a tu compañera de viaje?

FELIPE: No tiene arreglo. La he tenido que vender.

SILVIA: No creo que te la regalen, pero seguro que encuentras una camioneta barata.

FELIPE: Sí, ¿pero cómo?

The script for Episodio 12 is continued on page 352.

Input Script

Presentation: *A primera vista 1*

Input Vocabulary and Dialogues, pp. 390–391: One or two days before the presentation, ask a group of six volunteers to help you prepare for it. Help four of them practice reading the lines of the people who interview *Dr(a). Biente*. The fifth volunteer will play *Dr(a). Biente* and the sixth will read the introduction. Also have ready props that will help clarify the meaning of visualized vocabulary. These might include a bottle with a skull-and-crossbones label *(veneno)*; rubbish, including containers full of liquids *(desperdicios)*; a labeled bottle with a dark heavy thick liquid looking like petroleum *(petróleo)*; and a poster containing several pictures of such things as rivers, forests, and farms *(recursos naturales)*. Rehearse each dialogue as a personal interview and incorporate the props or images.

On the day of the presentation have the student playing *Dr(a). Biente* dress in a lab coat and carry a clipboard. Introduce the dramatization as follows: *"Buenos días. Les presento al (a la) Dr(a). Biente, especialista en el medio ambiente. Uds. ya saben que entre los temas más importantes de nuestra época figuran la protección del medio ambiente y la conservación de los recursos naturales. ¿Qué haríamos si fuera a acabarse el agua de nuestro planeta? ¿Qué haremos cuando ya no haya más petróleo? Hoy tenemos una dramatización sobre éstas y otras preguntas."*

Place *Vocabulary and Grammar Transparencies* 169–170 on the screen as needed. Point to the appropriate images as your group of volunteers reads the introduction and acts out the dialogues. Have those watching hold up appropriate Clip Art images and flashcards as they hear the various vocabulary items mentioned. Have the group act out all four dialogues and the monologue once through first.

Then have them read the introduction and act out the dialogues again. This time pause after each section and check students' comprehension by asking questions such as the following. Incorporate the props you have prepared whenever appropriate.

Introduction: *"¿De qué problema se trata?", "¿Qué va a hacer el (la) Dr(a). Biente?"*

Monologue 1: *"¿La contaminación es un problema de importancia menor o un problema grave?", "¿Quién tiene que tomar medidas para reducirla?"*

Dialogue 2: *"¿Qué produce la fábrica?", "¿Qué arroja la fábrica al río?", "¿Por qué es posible que se mueran los peces del río?", "Según el (la) Dr.(a) Biente ¿qué no debemos hacer?"*

Dialogue 3: *"¿De cuál recurso natural se habla?", "En el futuro, ¿por qué no podremos depender del petróleo para producir energía?", "Según el (la) Dr.(a) Biente, ¿qué medida es necesario tomar?", "Según el (la) Dr.(a) Biente, ¿cómo serán los coches del futuro?"*

Dialogue 4: *"¿La población de la Tierra está creciendo o disminuyendo?", "Qué podemos hacer para evitar una escasez de recursos naturales?"*

Dialogue 5: *"¿A cargo de qué está el gobierno?", "¿Con qué castiga el gobierno a los que no obedecen las leyes?", "Según el (la) Dr.(a) Biente ¿quién tiene la responsabilidad de cuidar el medio ambiente?"*

Comprehension Check

- Give students TPR commands or situations that involve new vocabulary: *"Arroja unos desperdicios al río.", "Dame un ejemplo de un recurso natural.", "Tú estás a cargo de limpiar el pizarrón. Hazlo."*

Presentation: *A primera vista 1 (continued)*

Input Vocabulary and Text, pp. 392–393: Have ready the following props: glass and plastic containers and a recycling bin for them, one or more batteries, a trash can, a television or VCR monitor, a paper recycling bin, and various containers of household chemicals.

On the day of the presentation, say to students, "*Antes de irse para continuar su gira, el (la) Dr(a). Biente me pidió que les mostrara un par de cosas interesantes sobre cómo cuidar nuestro planeta. Primero tenemos una encuesta sobre lo que podemos hacer para proteger el medio ambiente.*" Then place *Vocabulary and Grammar Transparency* 171 on the screen. Cover the *Resultados* portion with a piece of paper. Allow students a few moments to read the survey silently first, then call on students to read the questions aloud. As each question is read, perform an action to clarify meaning: place the recyclable materials in the appropriate bins; begin to throw the batteries in the rubbish in the trash, then stop and keep them separate; mime turning off a faucet; turn off the lights and shut the classroom door, as though you are leaving; and so on.

Then allow students time to number a piece of paper from 1 to 10 and take the survey on their own. When they are finished, reveal the *Resultados* portion of the transparency and call on students to read it aloud. Ask questions to check students' comprehension and then discuss the results of the survey.

Place *Vocabulary and Grammar Transparency* 172 on the screen. Call on students to read the article and then check comprehension with questions such as, "*¿Qué problema tiene Puerto Rico por ser una isla?*", "*¿A qué se dedica el ICPRO?*", "*¿Quiénes participan en Basurarte?*", "*¿Qué hacen?*", "*¿Para qué sirven las obras de arte producidas en este concurso?*"

Comprehension Check

- Use circumlocution, synonyms, antonyms, and gestures to demonstrate the meanings of various vocabulary items: "*Esta palabra significa tirar deshechos a la basura*" (*desperdiciar*). "*Lo contrario de coleccionar*" (*deshacerse*). Have students demonstrate comprehension by holding up the appropriate Clip Art flashcard.

Presentation: *A primera vista 2*

Input Vocabulary and Text, pp. 404–405: Come to class dressed as a nature show host or hostess, in khaki pants or shorts and knee socks, hiking boots, an outdoors vest, a cap or hat, and binoculars around your neck. If you wish, give your character a catchy name, such as Elena Turaleza or Félix Tinción. In front of the classroom, hang a large butcher paper sign that says *Organización Salvaplanetas*.

Begin by introducing yourself as the president of *Organización Salvaplanetas*. Continue by saying, "*Estoy buscando jóvenes para estudiar con nuestra organización después de la escuela secundaria. Quiero presentarles algunos datos para darles una idea de quiénes somos y para ver si les interesa trabajar con nosotros.*"

Place *Vocabulary and Grammar Transparency* 175 on the screen and say, "*Ya saben que nuestro planeta tiene varios climas. Díganme, ¿el clima del Caribe es caluroso o frío? ¿Y el clima de la Antártida?*" Point to the image 1 and say, "*Pero todo esto puede cambiar si no tenemos cuidado. Existe, por ejemplo, el efecto invernadero que amenaza todo el planeta. Si no actuamos pronto, las temperaturas del planeta subirán debido a este fenómeno. Salvaplanetas quiere ayudar.*"

Point to image 2 and say, "*Otro problema serio con el que trabajamos es el daño que producen los derrames de petróleo. Nuestra organización está a cargo de la limpieza después de estos accidentes terribles y el rescate de los animales.*"

Place *Vocabulary and Grammar Transparency* 176 on the screen. Continue your presentation as the president of Salvaplanetas, introducing the problems of extinction and global warming as part of the work of your organization. Incorporate as much as possible of the new vocabulary in your presentation.

Continue to refer to the transparencies and call on individual students to read the various parts of the text on pp. 404–405. Follow each reading with questions to check students' comprehension. For section 3 on p. 404, for example, ask, "*¿Cuáles son unas razones por las que ciertos animales salvajes están en peligro de extinción?*", "*¿Qué lugar del planeta ha sido explotado sin control?*", "*¿El número de especies que viven allí ha crecido o disminuido?*" For image 4 on the same page, ask, "*¿Cuál es otra manera de decir el aumento de la temperatura en todo el planeta?*", "*Si la temperatura sigue aumentando, ¿qué se va a derretir? ¿Cómo afectará esto a muchas ciudades?*"

Comprehension Check

- Place in a bag the Clip Art images and flashcards that correspond to the presentation on pp. 404–405. Call on different students to draw a Clip Art image or flashcard and demonstrate the meaning, either via pantomime, gestures, a quick sketch on the board, or a short statement. Their classmates guess which vocabulary item was drawn and hold up the matching card.

Presentation: *A primera vista 2 (continued)*

Input Vocabulary and Text, p. 406: Continue the presentation in character as a nature show host or hostess recruiting people for *Organización Salvaplanetas*. Say to students, *"Tengo conmigo un artículo interesante que quiero que leamos juntos."* Place *Vocabulary and Grammar Transparency* 177 on the screen. Point to the blue area that shows the hole in the ozone layer and say, *"Se trata del agujero en la capa de ozono en la atmósfera. Este problema afecta las regiones del sur de la planeta, especialmente Chile."*

Call on students to read the article in sections and follow up with comprehension questions such as *"¿Qué productos que usamos todos los días causan este problema?"*, *"¿Bajo qué amenaza vive la gente de Punta Arenas, Chile?"*, *"¿Qué tienen que hacer los habitantes de Punta Arenas si los niveles de ozono son muy altos?"*

Now place *Vocabulary and Grammar Transparency* 178 on the screen and say, *"Ahora vamos a un país pequeño de América Central."* Point to the map in image 1 and ask, *"¿Cuál es este país?"* Once students have identified the country as Costa Rica, continue by saying, *"Cada año Costa Rica se vuelve más y más popular por su ecoturismo. Uno de los parques nacionales con más visitantes es el Parque Nacional de Guanacaste."* Point to image 2 and say, *"Guanacaste es una reserva natural para muchas especies, como esta colorida lagartija. Como miembro de la Organización Salvaplanetas, Uds. podrían trabajar en un lugar así. ¿Les gustaría?"*

Continue to refer to the transparency as you call on individual students to read the sections of text on p. 407. Follow up with comprehension questions such as, *"¿Qué desean los turistas ecológicos?"*, *"¿Qué les gusta aprender?"*, *"¿Qué hacen durante su visita al parque?"*, *"¿En Guanacaste se encuentran 5,000 especies de monos o de mariposas?"*

Wrap up your "visit" to the class by saying, *"Bueno, ha sido un placer pasar una hora con Uds. Espero que consideren una carrera con la Organización Salvaplanetas después de que terminen la escuela secundaria."*

Comprehension Check

- Say vocabulary words and expressions. Have students demonstrate their comprehension by providing a synonym, a brief definition, a chalkboard sketch, or a pantomime. For example: *una amenaza* (student says, *"un peligro"*); *un agujero* (student punches a hole through a piece of paper with a pencil); *tomar conciencia de algo* (student taps his or her head or says, *"tener algo en mente"* or *"pensar en algo"*).

Audio Script

Audio DVD, Capítulo 9

Track 01: Libro del estudiante, pp. 390–391, *A primera vista 1,* Vocabulario y gramática en contexto **(4:58)**

Lee en tu libro mientras escuchas la narración.

FEMALE ADULT: La contaminación del aire, de los ríos y de los mares es un problema gigante. En estas páginas el Doctor Biente contesta algunas preguntas sobre este problema y sobre lo que podemos hacer para ayudar a resolverlo.

MALE ADULT: La contaminación es uno de los problemas más graves del mundo. Hasta que tomemos medidas apropiadas para reducirla, este hermoso planeta estará en peligro.

MALE ADULT: Vas a escuchar cada palabra o frase dos veces. Después de la primera vez hay una pausa para que puedas pronunciar la palabra o frase, y luego vas a escuchar de nuevo la palabra o frase.

los desperdicios
veneno
la fábrica

MALE TEEN: Doctor Biente, en mi barrio hay una fábrica de pesticidas y otros productos químicos que arroja los desperdicios al río. ¿Cree que es peligroso?

MALE ADULT: ¡Claro! Debido a estas prácticas peligrosas, los peces del río pueden morir en las aguas contaminadas. No debemos echar desperdicios en los ríos.

FEMALE TEEN: Doctor Biente, ¿qué haremos cuando no haya recursos naturales tan importantes como el petróleo? ¿Cómo podremos usar los coches?

MALE ADULT: En el futuro no podremos depender del petróleo para producir energía; algún día se agotará. Tenemos que fomentar el uso de fuentes de energía más eficientes tan pronto como sea posible. Creo que en el futuro todos los coches serán eléctricos, pues son económicos y limpios.

Lee en tu libro mientras escuchas la narración.

FEMALE TEEN: La población está creciendo y cada día hay más gente en el planeta. ¿Cómo vamos a evitar que haya una escasez, o sea, una falta de recursos naturales?

MALE ADULT: Es cierto que nos amenaza el peligro de la escasez. Por eso todos los seres humanos tenemos que tomar medidas para conservar los recursos que tenemos.

MALE TEEN: ¿Y el gobierno no puede hacer nada para proteger el medio ambiente?

MALE ADULT: El gobierno está a cargo de hacer leyes para proteger el ambiente y castigar con multas a quienes no las obedezcan. Pero recuerden, no podemos esperar hasta que el gobierno haga algo, nosotros tenemos que cuidar el ambiente cada día.

Track 02: Libro del estudiante, p. 391, Act. 1, *Cómo cuidar el medio ambiente* **(2:11)**

Escribe los números del 1 al 6 en una hoja. Escucha lo que dice cada persona y di si es cierto o falso. Vas a oír cada frase dos veces.

1. Los pesticidas limpian las aguas de los ríos.

2. Si el agua de los ríos se contamina, algunos animales pueden morir.

3. El gobierno está a cargo de castigar a las personas que no obedecen las leyes para proteger el medio ambiente.

4. Tenemos que tomar medidas desde ahora si queremos que el futuro sea mejor.

5. El gobierno está a cargo de contaminar el medio ambiente.

6. Debemos esperar unos años antes de fomentar nuevas fuentes de energía.

Track 03: Libro del estudiante, p. 392, *A primera vista 1,* Vocabulario y gramática en contexto **(2:51)**

Lee en tu libro mientras escuchas la narración.

MALE ADULT: ¿Cómo cuidas tu planeta? Contesta las preguntas para ver si estás haciendo todo lo que puedes por la protección del medio ambiente.

MALE ADULT:

1. ¿Colocas los recipientes plásticos y de vidrio en el depósito de reciclaje?

2. ¿Evitas poner las pilas (baterías) viejas con el resto de la basura?

3. ¿Apagas el televisor cuando no lo estás viendo?

4. ¿Cierras la llave del agua cuando te lavas los dientes?

5. ¿Apagas las luces antes de salir de una habitación para ahorrar electricidad?

6. Cuando vas a acampar, ¿evitas dejar basura en el campo?

7. ¿Usas papel reciclado? ¿Tratas de no desperdiciar papel?

8. ¿Tratas de usar el transporte público?

9. ¿Sabes lo suficiente sobre los problemas de contaminación de tu comunidad? ¿Tratas de conservar el medio ambiente?

10. ¿Tratas de limitar el uso de productos que contaminen el medio ambiente?

FEMALE ADULT: Resultados

Por cada sí que respondiste, cuenta dos puntos.

Entre quince y veinte puntos: Eres una persona preocupada por el medio ambiente. Sabes lo que puedes hacer para reducir la contaminación ambiental y lo haces cuando puedes.

Entre diez y catorce puntos: Te preocupas por el medio ambiente y no haces nada que sepas que lo puede dañar

pero no tienes toda la información necesaria.

Menos de diez puntos: Como no tienes mucha información, haces cosas que podrían aumentar la contaminación en vez de reducirla. Debes buscar más información sobre este tema en cuanto puedas.

Track 04: Libro del estudiante, p. 393, *A primera vista 1,* Vocabulario y gramática en contexto **(1:53)**

Lee en tu libro mientras escuchas la narración.

FEMALE ADULT: Puerto Rico: cómo conservar bella la isla

Como todos sabemos, Puerto Rico es famoso por sus bellos paisajes y sus playas de aguas azules y calientes. Sin embargo, para cuidar esa belleza el gobierno y los habitantes de la isla han tenido que buscar desde hace años nuevas maneras de deshacerse de la basura.

Con este objetivo, un grupo de hombres y mujeres de negocios decidió unirse en 1993 para formar el programa Industria y Comercio Pro-Reciclaje (ICPRO). Esta organización se dedica a promover programas educativos sobre el ahorro y reciclaje de recursos en escuelas y comunidades alrededor de la isla.

MALE ADULT: El ICPRO también ha organizado un concurso de artes plásticas llamado "Basurarte" para los jóvenes de escuela secundaria y la universidad. Los jóvenes artistas tratan de hacer obras de arte con materiales recogidos en la basura. Con sus obras de arte, los jóvenes quieren educar a la gente sobre la importancia del reciclaje y el cuidado del medio ambiente.

Track 05: Writing, Audio & Video Workbook, p. 120, Audio Act. 1 (4:20)

Vas a oír a cinco estudiantes describir cuál, en su opinión, es el peor problema con relación al medio ambiente. Mientras escuchas, mira los dibujos y escoge el que mejor represente una solución para cada problema. Escribe el número del o de la estudiante que describe el problema al lado del dibujo apropiado. No todos los dibujos se usan. Vas a oír cada descripción dos veces.

1. Yo creo que el peor problema ecológico es que los ríos y océanos están contaminados. Tenemos que dejar de echar desperdicios en ellos y tratar de limpiarlos tan pronto como sea posible.

2. En mi opinión, el peor problema que enfrentamos es que muchos animales y plantas están amenazados y pueden morir. Tenemos que protegerlos y conservar los bosques, las montañas y los otros lugares donde viven.

3. ¿Cuál es el peor problema ecológico? Bueno, creo que dependemos demasiado del petróleo para producir energía. Muchas personas tienen coches y necesitan comprar gasolina, pero no es una fuente de energía muy limpia ni muy económica. Necesitamos otras fuentes de energía.

4. A ver . . . pienso que el gobierno tiene que hacer un esfuerzo para proteger el medio ambiente. Creo que el gobierno no ha hecho suficientes leyes para castigar con multas a las personas que no conservan los recursos naturales. Hace falta tomar medidas más estrictas.

5. Yo creo que un problema muy grave es el uso de los pesticidas en la agricultura. No me gusta nada la idea de comer frutas y verduras que estén contaminadas. Prefiero comer productos sin químicos.

Track 06: Writing, Audio & Video Workbook, p. 121, Audio Act. 2 (4:12)

Vas a oír dos discursos breves de los dos candidatos para presidente del Club del Medio Ambiente de la escuela. Mientras escuchas los discursos, decide si las frases de la tabla son ciertas o falsas, según lo que opina cada estudiante. Marca con una C las frases que son ciertas y con una F las frases que son falsas. Vas a oír cada discurso dos veces.

1. **FEMALE TEEN:** Hola, me llamo Susana Montoya. Bueno, todos sabemos que hay contaminación por todas partes. Esto seguirá siendo un problema mientras las fábricas echen pesticidas en los ríos. Como esta ciudad es un centro agrícola, eso afecta a los árboles y a las plantas. Debemos encontrar una solución antes de que sea demasiado tarde. Las fábricas sólo dejarán de contaminar cuando el gobierno les ponga multas. Tan pronto como me elijan, organizaré una manifestación estudiantil para promover la protección de nuestros ríos. Por eso quiero ser presidenta del Club del Medio Ambiente.

2. **MALE TEEN:** Hola. Soy Óscar Lezama. Yo creo que el problema más grande que tenemos es el uso de la energía. Debemos encontrar fuentes de energía eficientes y económicas. Hasta que encontremos otras fuentes de energía, vamos a depender del petróleo. Es un recurso natural que se agotará. Cuando ya no usemos el petróleo, habrá menos contaminación. Pero creo que mientras se use el petróleo, no se fomentará el uso de los coches eléctricos. En cuanto yo sea presidente, promoveré el uso de coches eléctricos en nuestra ciudad. Voten por mí.

Track 07: Libro del estudiante, pp. 404–405, *A primera vista 2,* Vocabulario y gramática en contexto **(4:19)**

Lee en tu libro mientras escuchas la narración.

MALE ADULT: ¿Has escuchado decir alguna vez que el clima de la Antártida es muy frío o que en el Caribe hace mucho calor? Cada región del planeta tiene su propio clima. La flora y la fauna de cada región, es decir las plantas y los animales que viven en ella, están adaptados a su clima.

FEMALE ADULT: La actividad de los seres humanos puede cambiar el clima de una región o de todo el planeta. Por ejemplo, el CO_2 que producen los automóviles y las plantas generadoras de energía atrapa el calor del sol en la atmósfera. Este fenómeno, llamado efecto invernadero, ha hecho que las temperaturas de muchas regiones aumenten.

MALE ADULT: Los seres humanos también pueden causar

cambios en las condiciones de vida de un lugar. Cuando se produce un derrame de petróleo, muchos peces y otros animales marinos de la región pueden morir. La limpieza de estos derrames y el rescate de los animales de esa región cuesta mucho trabajo y dinero.

FEMALE ADULT: Vas a escuchar cada palabra o frase dos veces. Después de la primera vez, hay una pausa para que puedas pronunciar la palabra o frase, y luego vas a escuchar de nuevo la palabra o frase.

la piel   la foca
el ave   la pluma

Lee en tu libro mientras escuchas la narración.

MALE ADULT: Los cambios en el clima, además de la caza y la pesca excesivas han puesto muchos animales salvajes en peligro de extinción. La escasez de alimentos y la falta de agua son dos resultados principales de la expansión de las ciudades y de otras actividades humanas. La selva tropical es un lugar que ha sido explotado sin control. Se han cortado tantos árboles que el número de especies que viven allí ha disminuido. La preservación de todas las especies es nuestra responsabilidad y podemos hacer cambios con tal que hagamos un esfuerzo.

FEMALE ADULT: Vas a escuchar cada palabra o frase dos veces. Después de la primera vez hay una pausa para que puedas pronunciar la palabra o frase, y luego vas a escuchar de nuevo la palabra o frase.

Animales en peligro de extinción
el águila calva
la ballena

FEMALE ADULT: Los científicos dicen que el recalentamiento global, es decir, el aumento de las temperaturas en todo el planeta, puede derretir la nieve y el hielo de los polos y las montañas. Muchas ciudades quedarán bajo el agua a menos que detengamos el recalentamiento global.

Track 08: Libro del estudiante, p. 405, Act. 20, ¿Será cierto? (2:19)

Escribe los números del 1 al 6 en una hoja. Escucha cada frase y escribe C o F. En el caso de las falsas, vuelve a escribir la frase para que sea cierta. Vas a oír cada frase dos veces.

1. Cuando se produce un derrame de petróleo, muchos peces y otros animales marinos pueden morir.

2. Si no detenemos el recalentamiento global, muchas ciudades se quedarán sin agua.

3. Muchas especies están en peligro a causa de la falta de sol.

4. La caza y la pesca excesivas han puesto a muchos animales en peligro de extinción.

5. El fenómeno llamado efecto invernadero ha hecho que las temperaturas aumenten.

6. Las selvas tropicales han sido explotadas sin control.

Track 09: Libro del estudiante, p. 406, A primera vista 2, Vocabulario y gramática en contexto (1:49)

Lee en tu libro mientras escuchas la narración.

MALE ADULT: Punta Arenas: miedo al sol

¿Has oído hablar de la capa de ozono? El ozono es un gas que forma una capa en la atmósfera que nos protege de los rayos ultravioleta del sol. A veces esta capa contiene agujeros a causa del uso excesivo de productos que usamos todos los días, como los aerosoles. Es importante tomar conciencia de este problema, ya que afecta nuestra vida diaria.

FEMALE ADULT: Punta Arenas, en Chile, es la ciudad más cercana al polo Sur. Y es en esa región donde está el agujero más grande de la capa de ozono.

Desde hace años, los habitantes de Punta Arenas viven bajo la amenaza de los rayos ultravioleta y ajustan sus vidas a los niveles de ozono de la atmósfera. Si las noticias del tiempo indican que los niveles de ozono son muy altos, se recomienda llevar ropa que proteja todo el cuerpo, ponerse anteojos de sol y loción protectora para el sol.

Los científicos no saben aún cómo afectará este fenómeno en el futuro a los habitantes de esta ciudad.

Track 10: Libro del estudiante, p. 407, A primera vista 2, Vocabulario y gramática en contexto (2:00)

Lee en tu libro mientras escuchas la narración.

MALE ADULT: El Parque nacional de Guanacaste

En los últimos años se ha hecho muy popular el ecoturismo. Los turistas ecológicos no sólo quieren visitar lugares hermosos, sino que desean aprender sobre la fauna y la flora de la región, las características del terreno y su clima. Este tipo de turista desea ayudar a cuidar y preservar la naturaleza.

FEMALE ADULT: Uno de los países que promueve el ecoturismo es Costa Rica. El Parque Nacional de Guanacaste, en la región del Pacífico Norte, por ejemplo, es un refugio para muchos animales y plantas, pero también es uno de los lugares favoritos de los ecoturistas. En los años ochenta, se creó un Programa de Ecoturismo para que los visitantes pudieran disfrutar de los hermosos paisajes mientras participan en los programas educativos.

MALE ADULT: Guanacaste es una reserva natural para muchos animales y plantas, pues en sus tierras hay varios tipos de bosques. Según los científicos, este parque tiene tres mil tipos de plantas, trescientas especies de aves y mamíferos, como el armadillo, el puma y el mono de cara blanca, y cinco mil especies de mariposas.

Track 11: Writing, Audio & Video Workbook, p. 122, Audio Act. 3 (4:56)

Vas a escuchar cuatro descripciones de animales que están en peligro de extinción. Mientras escuchas, escribe el número de la descripción al lado del dibujo que mejor corresponde. Vas a oír cada descripción dos veces.

1. Este animal está en peligro de extinción por varias razones, pero uno de los problemas más grandes que tiene es la caza. Aunque no se permite la caza de estos

animales en Estados Unidos, todavía está permitido en otros países del mundo. Además, estos animales viven en el océano, que está cambiando por la pesca excesiva, la contaminación y el efecto invernadero.

2. Los esfuerzos para proteger a esta ave salvaje han resultado en un aumento de su población en los Estados Unidos. Hace veinte años, casi no era posible verlas fuera de los parques zoológicos. Pero ahora es común verlas volando en los cielos de algunas regiones del país. Hay que tomar conciencia de la preservación de este símbolo nacional de los Estados Unidos. Sería una vergüenza que desapareciera.

3. Este animal sigue en peligro de extinción, aunque se han hecho muchos esfuerzos para protegerlo. Las reservas naturales de bambú, que es su alimento preferido, han ido disminuyendo. Este animal está en varios zoológicos en los Estados Unidos y es muy popular porque parece un oso. Pero la amenaza que existe para este animal es seria. Hay que trabajar duro por su rescate.

4. En África, la caza de este animal ha sido un problema muy serio. Además, esta especie tiene cada vez menos reservas naturales donde vivir. Los gobiernos de muchos países africanos han tratado de detener la caza de este animal, pero ha sido difícil atrapar a las personas responsables.

Track 12: Writing, Audio & Video Workbook, p. 122, Audio Act. 4 (4:54)

Vas a oír a cuatro estudiantes describir sus emociones y sentimientos sobre el medio ambiente, los animales en peligro de extinción y la preservación de los recursos. Mientras escuchas, selecciona el problema de la lista que describe cada estudiante y escribe su número a lado del nombre de la persona que habla. No se usan todos los problemas. Vas a oír cada comentario dos veces.

1. **FEMALE TEEN 1:** Hola, yo me llamo María. Pienso mucho en el medio ambiente y me preocupa la protección del planeta. Temo que a menos que hagamos algo de inmediato, no tendremos más árboles. Muchos países han explotado sus recursos naturales y ahora éstos están disminuyendo rápidamente. Es un problema muy serio. Necesitamos proteger los árboles y las demás plantas.

2. **MALE TEEN 1:** Hola, habla Alejandro. Para mí, lo más problemático son los accidentes que tienen los barcos que transportan petróleo. Aunque limpiemos la escena del accidente y rescatemos los animales, siempre mueren muchos. Además, estos esfuerzos cuestan mucho trabajo y dinero. ¡Hay que tener mucho cuidado!

3. **MALE TEEN 2:** Hola, yo soy Ernesto. Yo veo un futuro muy incierto si no hacemos algo ahora mismo para combatir el gasto exagerado de agua en muchas partes del planeta. Aunque algunas regiones tienen muchos ríos y lagos, hay otras que casi no los tienen. Y aunque llueva más en el futuro, esto no va a solucionar el problema completamente. ¡Tenemos que conservar!

4. **FEMALE TEEN 1:** Les habla Juliana. Bueno, para mí el problema que más me afecta es la protección de la fauna del planeta. A menos que dejemos de dañar el medio ambiente, muchas especies desaparecerán. Cuando cortamos los árboles o contaminamos los océanos, estamos poniendo en peligro a muchas especies. Tenemos que cuidar a los animales.

Track 13: Libro del estudiante, p. 413, *En voz alta* **(0:36)**

MALE ADULT: De *Versos sencillos* de José Martí

Yo soy un hombre sincero
de donde crece la palma,
y antes de morirme, quiero
echar mis versos del alma.

Yo vengo de todas partes,
y hacia todas partes voy;
arte soy entre las artes,
en los montes, monte soy.

Track 14: Writing, Audio & Video Workbook, p. 123, Audio Act. 5 (4:30)

Vas a oír descripciones de cinco problemas del medio ambiente. Mientras escuchas, mira la siguiente escena y escribe el número del problema en el sitio donde está pasando. Vas a oír cada problema dos veces.

1. Muchos agricultores echan pesticidas a las plantas desde los aviones. Aunque esto es muy común en los Estados Unidos, resulta en la contaminación del aire y de la tierra, porque los pesticidas pueden ir más allá de donde se echaron.

2. El efecto invernadero se debe a los agujeros en la capa de ozono. Estos agujeros causan el recalentamiento global, que, por su parte, causa que el hielo de los polos se derrita. Es un problema importante que afecta el clima en todo el planeta. A menos que se haga algo, el resultado sería terrible.

3. La ciudad de México, que tiene una población de más de quince millones de personas, es una de las ciudades con el aire más contaminado del mundo. Gran parte de la contaminacíon viene de los coches de esta ciudad capital.

4. La destrucción de las selvas tropicales es un problema que afecta a todo el mundo, no solamente a los países donde ocurre, como Brasil y Venezuela, que tienen selvas amazónicas. Hay plantas y animales muy especiales allí. Además, el oxígeno de los árboles ayuda a proteger la capa de ozono.

5. Los derrames del petróleo causan muchos problemas para las aves y los peces; también afectan a los océanos y a las playas. Hace unos años, muchos animales murieron después de que un barco grande tuviera un derrame de petróleo cerca de Alaska.

Track 15: Libro del estudiante, p. 418, *¿Qué me cuentas?,* **Unas vacaciones involvidables (5:23)**

Escucha estas descripciones. Después de cada párrafo vas a

oír dos preguntas. Escoge la mejor respuesta para cada una. Vas a oír cada párrafo dos veces.

Cuando estaba de vacaciones en Chile, Catalina pasó un día entero en el sol sin llevar crema protectora. Su piel estaba completamente roja y el cuerpo le hervía. Sus amigas se asustaron mucho y decidieron llevarla al hospital. Allí la revisó una doctora, quien le dijo que se había quemado demasiado a causa del sol. La doctora le explicó que en esa zona del planeta existía un agujero en la capa de ozono y el sol era muy peligroso para la piel.

1. ¿Qué le pasó a Catalina en Chile?

2. ¿Qué le explicó la doctora a Catalina que existía en esa zona del planeta?

La doctora también le dijo a Catalina que usara siempre crema protectora para que el sol no la quemara. Le aconsejó que por unos días no fuera a la playa a menos que usara ropa que le cubriera todo el cuerpo. Catalina tuvo que hacer lo que le dijo la doctora. Le tomó unos cuantos días recuperarse sin ir a la playa.

3. ¿Qué le aconsejó la doctora a Catalina?

4. ¿Qué hizo Catalina después de visitar a la doctora?

Esas vacaciones cambiaron la forma en que Catalina pensaba acerca del medio ambiente. Hasta ese momento, Catalina no había pensado en la preservación del planeta.

Su experiencia en Chile le hizo tomar conciencia del peligro de los agujeros en la capa de ozono. Después del viaje, Catalina decidió limitar su uso de aerosoles y empezó a hacer un esfuerzo para conservar los recursos naturales de su comunidad.

5. ¿En qué empezó a pensar Catalina como resultado de su experiencia en Chile?

6. ¿Qué decidió hacer Catalina después del viaje?

Track 16: Libro del estudiante, p. 426, *Repaso del capítulo,* Vocabulario **(4:56)**

Escucha las palabras y expresiones que has aprendido en este capítulo.

sobre la contaminación

el aerosol	el pesticida
la contaminación	el petróleo
contaminado	la pila
contaminada	químico
el derrame de petróleo	química
el desperdicio	el recipiente
la fábrica	el veneno

sobre los recursos naturales

económico	el recurso natural
económica	suficiente
la protección	

sobre el medio ambiente

la atmósfera	el recalentamiento global
la capa de ozono	el rescate
el clima	la reserva natural
el efecto invernadero	la selva tropical

el hielo	la tierra
la preservación	

animales

el ave	la ballena
el águila calva	la especie
las águilas calvas	la foca

sobre los animales

la caza	la pluma
en peligro de extinción	salvaje
la piel	

otras palabras y expresiones

el agujero	excesivo
la amenaza	excesiva
a menos que	la falta
con tal que	el gobierno
debido a	grave
la electricidad	la limpieza
en cuanto	tan pronto como
la escasez	tomar conciencia de
estar a cargo de	

verbos

afectar	deshacerse de
agotar	desperdiciar
amenazar	detener
atrapar	disminuir
castigar	echar
colocar	explotar
conservar	fomentar
crecer	limitar
dañar	producir
depender de	promover
derretir	

Track 17: Libro del estudiante, p. 429, *Preparación para el examen,* Escuchar **(3:14)**

Escucha a las personas que llaman al locutor de un programa popular en la radio. Ellas quieren expresar sus opiniones sobre los problemas y las soluciones del medio ambiente. Identifica (a) el problema que menciona y (b) la solución que sugiere.

FEMALE ADULT: Mucha gente no se da cuenta que la contaminación de nuestros ríos es un problema muy grave. La causa mayor de esta contaminación son las fábricas de pesticidas que echan venenos y productos químicos al agua. Si el gobierno no toma medidas apropiadas para castigar a las fábricas que continúan echando desperdicios al agua, no habrá más peces y no podremos disfrutar de agua pura.

MALE ADULT: Otro problema que sufre el planeta es el recalentamiento global. Si la nieve y el hielo de los polos se derrite, muchas ciudades quedarán bajo el agua. También se destruirán los recursos naturales de los cuales dependemos y la vida animal y vegetal. Creo que el gobierno debe informar a la población sobre estas consecuencias graves. Mi propuesta sería hacer una campaña mundial, en todos los países, para buscar soluciones a este problema.

Video Script

Exploremos la naturaleza fascinante

NARRADOR (3:00): En Latinoamérica hay una abundancia de especies de animales y plantas. Se encuentran plantas curativas para la medicina y material primo para la industria. Las selvas tropicales sirven para producir una gran porción del oxígeno de nuestro planeta. Los recursos naturales se explotan en Latinoamérica por razones económicas, por ejemplo la extracción de petróleo o la exportación de maderas raras al exterior.

Es importante establecer un balance entre las necesidades económicas y nuestro deseo de proteger el medio ambiente. Las zonas tropicales de Costa Rica se consideran una de las regiones más diversas del mundo por su abundancia de especies. En Centroamérica, Costa Rica es un líder de la preservación de reservas naturales, con más de 25 parques nacionales.

En San Ramón, la universidad de Costa Rica mantiene un parque para la protección y educación ambiental. Una de las reservas biológicas más impresionantes del mundo son las islas Galápagos. Este archipiélago volcánico cuenta con 125 islas que pertenecen al Ecuador.

Miles de turistas vienen cada año para observar los cientos de especies de aves raras y los animales marinos, como las focas y las tortugas inmensas. Estas tortugas famosas viven más de cien años. Las islas Galápagos son la principal atracción turística de Ecuador, pero el gobierno tiene que limitar el número de visitantes para no amenazar el balance natural. La salud de nuestro planeta depende del equilibrio ecológico de la naturaleza. El mundo salvaje de Latinoamérica es un tesoro global.

Realidades 3

Capítulo 9

Nombre

Fecha

Communicative Pair Activity **9-1**

Estudiante **A**

Vas a completar estas frases con tus opiniones sobre la contaminación y el medio ambiente. Primero, completa la primera parte con *tan pronto como, después de que, en cuanto, mientras, cuando* o *hasta que*. Después, completa la segunda parte con tu opinión. Lee tus opiniones y escucha las reacciones de tu compañero(a). Según su reacción, pon una marca en la columna adecuada. Cuando tu compañero(a) te dé su opinión, responde con una reacción de abajo.

Mi compañero(a)

. . . está de acuerdo | **. . . no está de acuerdo**

En mi opinión . . .

1. _____ las fábricas _____

   _____ ☐ ☐

2. _____ los recursos naturales _____

   _____ ☐ ☐

3. _____ las aguas contaminadas _____

   _____ ☐ ☐

4. _____ el petróleo _____

   _____ ☐ ☐

5. _____ los pesticidas _____

   _____ ☐ ☐

6. _____ el gobierno _____

   _____ ☐ ☐

7. _____ la población _____

   _____ ☐ ☐

8. _____ la escasez de recursos _____

   _____ ☐ ☐

REACCIONES

Creo que sí

¿Tú crees?

Sí, es una lástima.

Estoy de acuerdo.

Es probable que sí.

No tienes razón.

¡No es verdad!

No estoy de acuerdo.

Realidades ❸

Capítulo 9

Nombre

Fecha

Communicative Pair Activity 9-1

Estudiante B

Vas a completar estas frases con tus opiniones sobre la contaminación y el medio ambiente. Primero, completa la primera parte con *tan pronto como, después de que, en cuanto, mientras, cuando* o *hasta que*. Después, completa la segunda parte con tu opinión. Lee tus opiniones y escucha las reacciones de tu compañero(a). Según su reacción, pon una marca en la columna adecuada. Cuando tu compañero(a) te dé su opinión, responde con una reacción de abajo.

	Mi compañero(a)	
En mi opinión . . .	**. . . está de acuerdo**	**. . . no está de acuerdo**
1. _____ la escasez de petróleo _____	☐	☐
2. _____ los desperdicios _____	☐	☐
3. _____ el veneno _____	☐	☐
4. _____ los productos químicos _____	☐	☐
5. _____ los recipientes de plástico _____	☐	☐
6. _____ las pilas _____	☐	☐
7. _____ los gobiernos _____	☐	☐
8. _____ la electricidad _____	☐	☐

REACCIONES

Yo también lo creo.	**Estoy de acuerdo.**	**No tienes razón.**
¿De verdad lo piensas?	Me parece que sí.	¡No creo!
Sí, es una lástima.		No estoy de acuerdo.

Realidades 3

Nombre _____

Capítulo 9

Fecha _____

Communicative Pair Activity **9-2**

Estudiantes **A** y **B**

Primero, lee las preguntas y escribe tus propias respuestas en frases completas en la línea A. Luego, túrnate con tu compañero(a) para leer y contestar las preguntas. Escribe las respuestas de tu compañero(a) en la línea B.

1. ¿Qué harás en cuanto te gradúes?

   A. _____

   B. _____

2. ¿Hasta cuándo seguirás estudiando?

   A. _____

   B. _____

3. ¿Qué planes tienes para después de que acabe la escuela?

   A. _____

   B. _____

4. ¿Qué comprarás tan pronto como consigas tu primer trabajo?

   A. _____

   B. _____

5. ¿Qué te gustaría hacer mientras estudies en la universidad?

   A. _____

   B. _____

6. ¿Qué metas tienes para antes de que termine el año?

   A. _____

   B. _____

7. ¿Adónde te gustaría ir de vacaciones, en cuanto tengas dinero?

   A. _____

   B. _____

Realidades 3

Capítulo 9

Nombre _____

Fecha _____

Communicative Pair Activity 9-3

Estudiante A

Mucha gente trabaja en la Asociación Ecológica. Pregúntale a tu compañero(a) quiénes hicieron las siguientes actividades. Escribe sus respuestas en los espacios en blanco.

1. ¿Quién ayuda a proteger las selvas tropicales?

_____

2. ¿Quién recoge información sobre el efecto invernadero?

_____

3. ¿Quién nos informa sobre el hielo que se derrite en las montañas?

_____

4. ¿Quién trabaja para proteger al águila calva?

_____

5. ¿Quién estudia los animales en peligro de extinción?

_____

Responde a las preguntas de tu compañero(a) según la información y los dibujos.

Lisa

Nuria y Alberto

Lorena y Gerardo

la clase de María

Enrique y Laura

Capítulo 9 ➡ *Communicative Activities* **253**

Realidades 3

Capítulo 9

Nombre _____

Fecha _____

Responde a las preguntas de tu compañero(a) según la información y los dibujos.

Sebastián y Pedro

Carmen y sus amigos

Delia

Martín y Cecilia

Ricardo

Mucha gente trabaja en la Asociación Ecológica. Pregúntale a tu compañero(a) quiénes hicieron las siguientes actividades. Escribe sus respuestas en los espacios en blanco.

1. ¿Quién colabora para limpiar los derrames de petróleo?

_____

2. ¿Quién lucha por la preservación de las ballenas azules?

_____

3. ¿Quién ayuda a reciclar cosas?

_____

4. ¿Quién ayuda en la limpieza de las reservas naturales?

_____

5. ¿Quién ayuda a detener la caza de focas?

_____

Realidades ③

Capítulo 9

Hazle las siguientes preguntas a tu compañero(a). Escribe sus respuestas en el espacio en blanco.

1. ¿Qué harás mañana aunque llueva?

   _____

2. ¿Para qué hay que evitar los aerosoles?

   _____

3. ¿Con tal de qué me prestarías tu coche?

   _____

4. ¿Qué harías sin que lo supieran tus padres?

   _____

5. ¿Qué pasará a menos que estudies?

   _____

Realidades ③

Hazle las siguientes preguntas a tu compañero(a). Escribe sus respuestas en el espacio en blanco.

1. ¿Qué cosa quieres hacer aunque sea difícil?

   _____

2. ¿Qué podemos hacer para que haya menos contaminación?

   _____

3. ¿Con tal de qué irías de vacaciones con alguien que no fuera amigo tuyo?

   _____

4. ¿Qué actividad harías sin que se enteraran tus amigos?

   _____

5. ¿Qué pasará a menos que detengamos el agujero de la capa de ozono?

   _____

Situation Cards

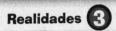

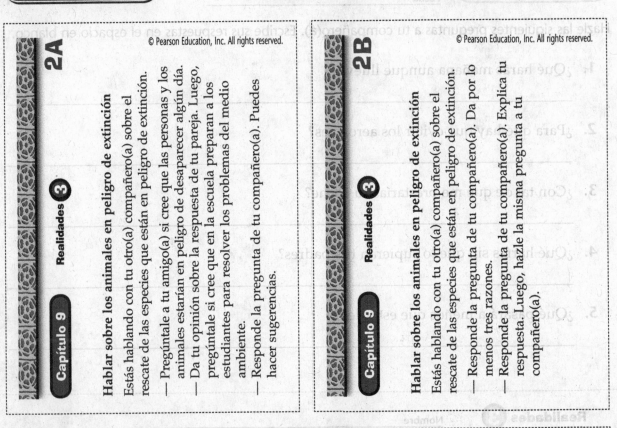

2A

Capítulo 9   **Realidades** ③

Hablar sobre los animales en peligro de extinción

Estás hablando con tu otro(a) compañero(a) sobre el rescate de las especies que están en peligro de extinción.

— Pregúntale a tu amigo(a) si cree que las personas y los animales estarían en peligro de desaparecer algún día.

— Da tu opinión sobre la respuesta de tu pareja. Luego, pregúntale si cree que en la escuela preparan a los estudiantes para resolver los problemas del medio ambiente.

— Responde la pregunta de tu compañero(a). Puedes hacer sugerencias.

2B

Capítulo 9   **Realidades** ③

Hablar sobre los animales en peligro de extinción

Estás hablando con tu otro(a) compañero(a) sobre el rescate de las especies que están en peligro de extinción.

— Responde la pregunta de tu compañero(a). Da por lo menos tres razones.

— Responde la pregunta de tu compañero(a). Explica tu respuesta. Luego, hazle la misma pregunta a tu compañero(a).

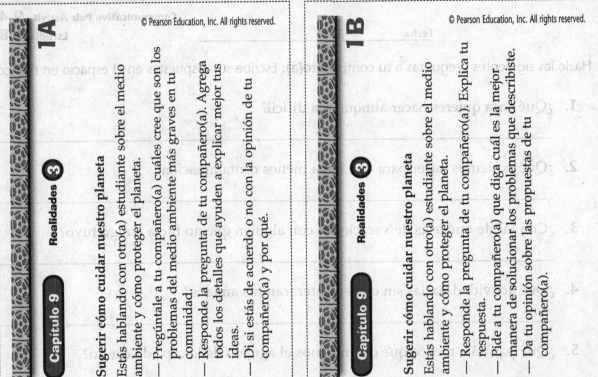

1A

Capítulo 9   **Realidades** ③

Sugerir cómo cuidar nuestro planeta

Estás hablando con otro(a) estudiante sobre el medio ambiente y cómo proteger el planeta.

— Pregúntale a tu compañero(a) cuáles cree que son los problemas del medio ambiente más graves en tu comunidad.

— Responde la pregunta de tu compañero(a). Agrega todos los detalles que ayuden a explicar mejor tus ideas.

— Di si estás de acuerdo o no con la opinión de tu compañero(a) y por qué.

1B

Capítulo 9   **Realidades** ③

Sugerir cómo cuidar nuestro planeta

Estás hablando con otro(a) estudiante sobre el medio ambiente y cómo proteger el planeta.

— Responde la pregunta de tu compañero(a). Explica tu respuesta.

— Pide a tu compañero(a) que diga cuál es la mejor manera de solucionar los problemas que describiste.

— Da tu opinión sobre las propuestas de tu compañero(a).

Realidades ❸
Capítulo 9

Vocabulary Clip Art

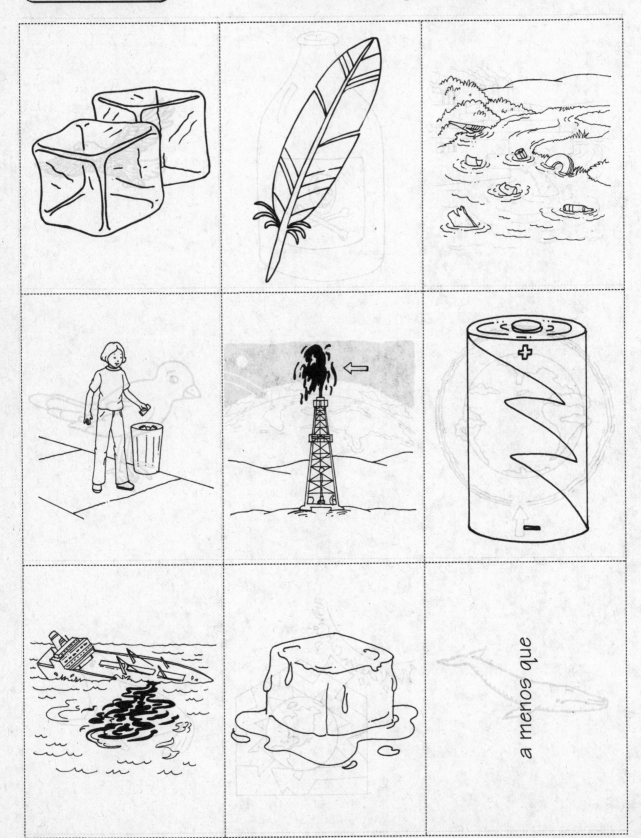

a menos que

Realidades 3

Capítulo 9

Vocabulary Clip Art

el aerosol	afectar	agotar(se)
la amenaza	amenazar	atrapar
la capa de ozono	castigar	la caza

Vocabulary Clip Art

el clima

colocar

con tal que

conservar

la contaminación

crecer

dañar

debido a

depender de

Vocabulary Clip Art

deshacerse de	desperdiciar	detener (e→ie)
disminuir	económico, -a	la electricidad
en cuanto	la escasez	la especie

Vocabulary Clip Art

estar a cargo (de)	excesivo, -a	explotar
la falta	fomentar	el gobierno
grave	limitar	la limpieza

Vocabulary Clip Art

(en) peligro de extinción

el pesticida

la piel

la preservación

producir

promover

la protección

químico

el recalentamiento global

Vocabulary Clip Art

el recipiente

el recurso natural

(su) el rescate

la reserva natural

salvaje

la selva tropical

suficiente

tan pronto como

tomar conciencia de

tomar medidas

Core Practice Answers

9-1

1. arroja / latas
2. mata / hormigas
3. incendio
4. cuidan / gato
5. capturan / tigre
6. recogen / botellas
7. recicla
8. prohíbe / los elefantes

9-2

1. Al estudiante le encantan las montañas.
2. A Lidia le interesa el pueblo.
3. A las personas les importa el océano.
4. A nosotros nos molestan las moscas.
5. A ti te preocupa el centro de reciclaje.
6. A Ud. le importa el elefante.
7. A él le gusta el conejo.
8. A ellas les encantan los perros.

9-3

1. económicos
2. dependemos
3. agotará
4. escasez
5. fomentar
6. recursos
7. tan pronto
9. grave
10. químicos
11. echan
12. Debido
13. contaminadas
14. gobierno
15. medidas
16. castigar

9-4

1. crece
2. escasez
3. echan

4. contaminadas
5. grave
6. depende del
7. se agotará
8. está a cargo

9-5

A.

1. No volveremos a casa hasta que Uds. limpien el patio de recreo.
2. Después de que los científicos visiten el río, escribiremos el informe.
3. El gobierno debe estudiar la situación antes de que nosotros tomemos medidas.
4. No sacaremos la basura hasta que tú separes las botellas de plástico de las de vidrio.

B.

1. hasta que esté limpio
2. cuando el gobierno la castigue con una multa
3. mientras las fábricas sigan contaminando el aire
4. cuando se agote el petróleo

9-6

A.

1. que
2. lo que
3. quienes
4. que
5. quienes

B.

1. El petróleo que las industrias tiraron al mar.
2. Los científicos con quienes trabajó mi padre.
3. Las historias que me contaron mis hermanos.
4. Los estudiantes a quienes les importa el medio ambiente.
5. Las fuentes de energía que descubrieron los científicos.

9-7

1. que / sepa más sobre sus actividades
2. que / me di cuenta de lo que se trataba
3. quienes / lleguen
4. la que / tome medidas
5. lo que / lo repita
6. que / inventen un coche eléctrico
7. que / resolver el problema

9-8

1. derrame de petróleo
2. rescate / aves
3. ballena
4. se derrite
5. extinción
6. selva tropical
7. piel / foca
8. efecto invernadero

9-9

1. conciencia
2. afecta
3. aerosoles
4. disminuir
5. recalentamiento global
6. climas
7. hielo
8. excesiva
9. caza
10. tierra
11. selvas tropicales
12. limpieza

9-10

1. se detenga su caza
2. se disminuya el uso de aerosoles
3. estén en peligro de extinción
4. les den multas a los culpables
5. aumenten las temperaturas
6. se conserven las selvas tropicales
7. tomemos conciencia

9-11

1. llueva
2. estén
3. está
4. sea
5. ayuden
6. es
7. quieras
8. diste

9-12

1. ver
2. investiguen
3. llamarte
4. nos llames
5. conservar
6. sepas
7. decirte
8. resolver
9. termine
10. limpiar

9-13

Answers will vary

9-14

1.
   después (de) que
   en cuanto

   mientras
   tan pronto como

   cuando
   hasta que

2. These conjunctions are followed by the subjunctive when the action that follows has not taken place.

3. The conjunction *antes (de) que* is always followed by the subjunctive.

4.
   para que   con tal (de) que
   a menos que   sin que

5. *Para* and *sin* are followed by the infinitive if the subject of the sentence does not change.

6. *Aunque* is followed by the subjunctive to express uncertainty.

7. *Aunque* is followed by the indicative when there is no uncertainty.

8. The relative pronoun *que* is used to combine two sentences or to give clarifying information.

9. The relative pronoun *que* is replaced by *quien / quienes* to refer to people after a preposition.

10. The relative phrase *lo que* is used to refer to a situation, concept, action, or object not yet identified.

Nombre _____ Hora _____

Fecha _____ AVSR, Sheet 1

Verbos como gustar (p. 385)

Remember that you use the verb **gustar** to talk about likes and dislikes. When you use **gustar**, the subject of the sentence is the thing that is liked or disliked.

- If the thing liked or disliked is a singular object or a verb, use the singular form of **gustar**.

  (A mí) me gusta el camión amarillo.   ¿Te gusta conducir?

- If the thing liked or disliked is a plural object, use the plural form of **gustar**.

  Nos gustan los cuadernos con papel reciclado.

A. First, underline the subject of each sentence. Then, circle the correct form of **gustar** to complete the sentence. ¡**Recuerda!** The subject is the thing that is liked or disliked.

Modelo   A los padres de Juana les (**gusta**/ gustan) el parque.

1. A nadie le (**gusta**/ gustan) la contaminación.
2. A mí me (gusta /**gustan**) los ríos claros.
3. A nosotros nos (**gusta** /gustan) el barrio Norte.
4. A mi hermano le (gusta /**gustan**) los coches rojos.

- **Gustar** is used with an indirect object pronoun to indicate to whom something is pleasing. The indirect object pronouns appear below.

me	nos
te	os
le	les

- To clarify the person to whom the indirect object pronoun refers, use the personal **a** plus a noun or a subject pronoun. This is often used with the pronouns **le** and **les**.

  A ella le gustan los grupos que protegen el medio ambiente.
  A los voluntarios les gusta mejorar las condiciones para la gente.

  You can also use the personal **a** plus a pronoun for emphasis.

  A Marta le gusta pasear en barco pero a mí no me gusta porque no puedo nadar.

B. Match the beginning of each of the following sentences with the correct ending. The first one has been done for you.

D 1. A los estudiantes...   A. ...nos gusta colaborar.
B 2. A la gente...   B. ...le gusta la naturaleza.
E 3. A mí...   C. ...te gusta hacer trabajo voluntario?
C 4. ¿A ti...   D. ...no les gusta el tráfico.
A 5. A mis amigos y a mí...   E. ...me gusta pasar tiempo en el aire libre.

realidades.com
• Web Code: jed-0901

Nombre _____ Hora _____

Fecha _____ AVSR, Sheet 2

- There are several other Spanish verbs that often follow the same pattern as **gustar**. Look at the list below.

encantar	to love
molestar	to bother
preocupar	to worry
importar	to matter
interesar	to interest

doler	to ache, to be painful
faltar	to lack, to be missing
quedar (bien/mal)	to fit (well / poorly)
parecer	to seem

C. Write the correct indirect object pronoun and circle the correct form of the verb to complete each sentence. Follow the model.

Modelo   A mí __*me*__ (**encantaba**/ encantaban) montar en bicicleta.

1. A mí __*les*__ (interesaba/ **interesaban**) los insectos.
2. A mis amigos __*les*__ (preocupaba/ **preocupaban**) la contaminación del lago que estaba cerca de su casa.
3. A nosotros nos (**dolía** /dolían) la espalda después de subir árboles.
4. A mi mejor amiga __*le*__ (importaba/ **importaban**) reciclar papel.
5. A ti __*te*__ (**quedaba** /quedaban) mal los zapatos de tu papá.

D. Use the elements below to write complete sentences. You will need to add the appropriate indirect object pronoun and conjugate the verb in the present tense.

Modelo   a mis padres / molestar / zonas de construcción.
         A mis padres les molestan las zonas de construcción.

1. a mí / doler / los pies / después de correr
   A mí me duelen los pies después de correr.
2. a ti / faltar / dinero / para comprar el carro
   A ti te falta dinero para comprar el carro.
3. a nosotras / preocupar / las causas de la contaminación
   A nosotras nos preocupan las causas de la contaminación.
4. a la profesora / importar / las buenas notas en los exámenes
   A la profesora le importan las buenas notas en los exámenes.
5. a mí / encantar / manejar el camión de mi abuelo
   A mí me encanta manejar el camión de mi abuelo.

realidades.com
• Web Code: jed-0901

Uses of the definite article (p. 387)

- In general, the definite article (el, la, los, las) is used in Spanish the same way it is in English, whenever you need the word "the." However, it is also sometimes used in Spanish when it is not needed in English, in the following ways:

- When you are referring to someone by a name and title, in front of the title (Note: This is not used when speaking directly to the person.)

  El doctor Fuentes no está aquí hoy.   Hola, profesora Martínez.

- With a street, avenue, park, or other proper name.

  La avenida Yacútoro es una calle muy larga.

- In front of a noun that represents an entire species, institution or generality.

  Los gatos duermen más que los perros.   La felicidad es fundamental.

A. Read the following sentences to determine the reason the underlined definite article is needed. Write **T** for title (such as profession), **P** for proper name, and **G** for generality.

Modelo   _G_   El chocolate es delicioso.

1.   _T_   La profesora Corzano llega a las nueve.

2.   _G_   Las universidades son instituciones importantes.

3.   _P_   La Torre Eiffel está en Francia.

4.   _P_   El Parque Nacional de Yellowstone es impresionante.

5.   _G_   Los policías de nuestro barrio son valientes.

6.   _P_   Caminamos por la calle Córdoba.

B. Complete each sentence with the appropriate definite article. Follow the model.

Modelo   Mi profesor de biología es ___el___ Sr. Rivera.

1.   _Las_   hormigas son insectos que me molestan mucho.

2.   Hay un semáforo en la esquina de _las_ avenidas Santiago y Castillo.

3.   _La_   señora Ramos fue a las montañas para acampar.

4.   Voy a ir a Guatemala con _el_ doctor Jiménez para estudiar la selva tropical.

5.   _El_   respeto es una parte importante de las relaciones.

6.   _Los_   terremotos destruyen muchas casas cada año.

realidades.com
● Web Code: jed-0901

- The definite articles are also used with certain time expressions that refer to age, days of the week, hours (time of day) and seasons. Look at the examples below.

  Aprendí a manejar a los 16 años.   Vamos a salir a las 8 de la mañana.

  La cena para los honrados es el viernes.   El verano es mi estación favorita.

C. Circle the correct definite article to complete each sentence. Follow the model.

Modelo   Voy a graduarme de la escuela secundaria a (las /(los)) 18 años.

1.   Me gusta muchísimo ((el)/ la) otoño porque hace fresco.

2.   La tormenta empezó a (los /(las)) diez de la noche.

3.   El viaje al bosque es ((el)/ los) miércoles que viene.

4.   A ((los)/ la) 5 años, mi papá vio un oso feroz en el bosque.

- The definite article is also included when it is an inseparable part of the name of a country or city, such as **El Salvador, La Paz,** and **La Habana.**

- Remember that the combination **a + el** produces the contraction **al** and the combination **de + el** produces the contraction **del.**

  Salimos **del** parque zoológico y después caminamos **al** parque nacional.

- However, when **el** is part of a proper name, it does not combine with **a** or **de.**

  Viajamos **a** El Paso, Texas.   Somos **de** El Salvador.

D. Combine the first part of the sentence with the phrase in parentheses, creating **al** or **del** when necessary. Remember, this only occurs with the article **el,** but not with proper names. Follow the model.

Modelo   Vamos a ir a (el campo). Vamos a ir ___al campo___ .

1.   Mis amigos salieron de (el desierto). Mis amigos salieron ___del desierto___ .

2.   Dimos una caminata a (las montañas). Dimos una caminata ___a las montañas___ .

3.   Quiero viajar a (el desierto africano). Quiero viajar ___al desierto africano___ .

4.   Nosotros venimos de (La Paz). Venimos ___de La Paz___ .

5.   Me gustaría viajar a (el fondo del mar). Me gustaría viajar ___al fondo del mar___ .

6.   Carlos viene de (El Cajón), California. Viene ___de El Cajón___ .

realidades.com
● Web Code: jed-0901

Realidades **3**

Nombre _____ Hora _____

Capítulo 9

Fecha _____ **Vocabulary Flash Cards, Sheet 1**

Write the Spanish vocabulary word below each picture. If there is a word or phrase, copy it in the space provided. Be sure to include the article for each noun.

el _____ desperdicio	el _____ veneno	_____ contaminado , _____ contaminada
el _____ echar	el _____ petróleo	la _____ pila
agotar(se) _____ agotar(se)	amenazar _____ amenazar	castigar _____ castigar

---

Realidades **3**

Nombre _____ Hora _____

Capítulo 9

Fecha _____ **Vocabulary Flash Cards, Sheet 2**

Copy the word or phrase in the space provided. Be sure to include the article for each noun.

colocar _____ colocar	conservar _____ conservar	la contaminación _____ la contaminación
crecer _____ crecer	dañar _____ dañar	debido a _____ debido ____ a
depender de _____ depender ____ de	deshacerse de _____ deshacerse ____ de	desperdiciar _____ desperdiciar

Copy the word or phrase in the space provided. Be sure to include the article for each noun.

el pesticida	promover	la protección
el _____ pesticida	_____ promover	la _____ protección

químico, química	el recipiente	el recurso natural
químico _____ química	el _____ recipiente	el _____ recurso natural

suficiente	tan pronto como	tomar medidas
_____ suficiente	tan _____ pronto como	tomar _____ medidas

Copy the word or phrase in the space provided. Be sure to include the article for each noun.

económico, económica	la electricidad	en cuanto
económico _____ económica	la _____ electricidad	en _____ cuanto

la escasez	estar a cargo (de)	fomentar
la _____ escasez	estar _____ a cargo (de)	_____ fomentar

el gobierno	grave	limitar
el _____ gobierno	_____ grave	_____ limitar

Tear out this page. Write the English words on the lines. Fold the paper along the dotted line to see the correct answers so you can check your work.

agotar(se)	*to exhaust, to run out*
la amenaza	*threat*
amenazar	*to threaten*
ambiental	*environmental*
castigar	*to punish*
colocar	*to put, to place*
conservar	*to preserve*
la contaminación	*pollution*
contaminado, contaminada	*polluted*
crecer	*to grow*
dañar	*to damage*
debido a	*due to*
depender de	*to depend on*
deshacerse de	*to get rid of*
desperdiciar	*to waste*
el desperdicio	*waste*

Fold In ↓

Copy the word or phrase in the space provided. Be sure to include the article for each noun. The blank cards can be used to write and practice other Spanish vocabulary for the chapter.

ambiental	**la atmósfera**	**la amenaza**
ambiental	*la atmósfera*	*la amenaza*
la fábrica	**en vez de**	
la fábrica	*en vez de*	

Tear out this page. Write the English words on the lines. Fold the paper along the dotted line to see the correct answers so you can check your work.

echar	*to throw (away)*
la electricidad	*electricity*
la escasez	*shortage*
estar a cargo de	*to be in charge of*
fomentar	*to encourage*
el gobierno	*government*
grave	*serious*
limitar	*to limit*
el pesticida	*pesticide*
el petróleo	*oil*
la pila	*battery*
promover	*to promote*
químico, química	*chemical*
el recipiente	*container*
tomar medidas	*to take steps (to)*
el veneno	*poison*

Fold In ↓

Tear out this page. Write the Spanish words on the lines. Fold the paper along the dotted line to see the correct answers so you can check your work.

to exhaust, to run out	*agotar(se)*
threat	*la amenaza*
to threaten	*amenazar*
environmental	*ambiental*
to punish	*castigar*
to put, to place	*colocar*
to preserve	*conservar*
pollution	*la contaminación*
polluted	*contaminado, contaminada*
to grow	*crecer*
to damage	*dañar*
due to	*debido a*
to depend on	*depender de*
to get rid of	*deshacerse de*
to waste	*desperdiciar*
waste	*el desperdicio*

Fold In ↓

Left page (280)

Tear out this page. Write the Spanish words on the lines. Fold the paper along the dotted line so you can check your work.

to throw (away)	echar
electricity	la electricidad
shortage	la escasez
to be in charge of	estar a cargo de
to encourage	fomentar
government	el gobierno
serious	grave
to limit	limitar
pesticide	el pesticida
oil	el petróleo
battery	la pila
to promote	promover
chemical	químico, química
container	el recipiente
to take steps (to)	tomar medidas
poison	el veneno

Fold In ↓

realidades.com
• Web Code: jed-0902

Right page (281)

Conjunciones que se usan con el subjuntivo y el indicativo (p. 398)

• Spanish has several conjunctions that refer to time.

cuando: when
después (de) que: after
tan pronto como: as soon as
en cuanto: as soon as
mientras: while, as long as
hasta que: until

• These time conjunctions are followed by the subjunctive when they refer to actions that have not yet occurred.

Vamos a usar coches eléctricos tan pronto como se agote el petróleo.
We are going to use electric cars as soon as oil runs out.

A. Complete each sentence with the correct form of the present subjunctive.

Modelo (sembrar) Habrá peligro de deforestación mientras nosotros no **sembremos** suficientes árboles.

1. (terminar) Reciclaré el periódico cuando yo **termine** de leerlo.

2. (estar) Vamos a colocar estos recipientes en el depósito de reciclaje tan pronto como **estén** vacíos.

3. (dejar) La contaminación no se eliminará hasta que la fábrica **deje** de echar sustancias químicas al lago.

4. (beber) En cuanto **beba** este refresco, voy a reciclar la botella.

• These time conjunctions are followed by the preterite when the action that follows has already taken place.

Jorge recicló las latas tan pronto como tuvo tiempo.
Jorge recyled the cans as soon as he had time.

• If the action occurs regularly, the verb will be in the present indicative.

Uso productos reciclados cuando puedo. *I use recycled products when I can.*

B. Look at the underlined part of each sentence below and write **I** if it is in the indicative mood or **S** if it is in the subjunctive mood. Base your decision on whether the underlined part is something that has already happened or occurs regularly (indicative) or whether it has not yet happened (subjunctive). Follow the model.

Modelo __I__ Los peces mueren cuando el agua del lago se contamina.

1. __I__ El agricultor usó pesticidas hasta que encontró productos orgánicos.

2. __S__ El medio ambiente sufrirá mientras no conservemos los recursos naturales.

3. __S__ Dejaré de molestarte en cuanto tú aprendas a reciclar.

4. __I__ Usan pesticidas mientras los insectos se comen las verduras.

realidades.com
• Web Code: jed-0903

C. Look at the first verb in each sentence to determine how to conjugate the second verb. If the verb is an action that happened, use the preterite; if the action has not yet taken place, use the present subjunctive; and if the first verb describes something that occurs regularly, use the present indicative. Follow the model.

Modelo (beber) **a.** Yo reciclo las botellas cuando _bebo_ jugo.

b. Yo reciclaré esta botella cuando _beba_ el jugo.

c. Yo reciclé la botella cuando _bebí_ jugo ayer.

1. (lavar) **a.** Yo cerraré la llave del agua tan pronto como _lave_ estos platos.

b. Yo cerré la llave del agua tan pronto como _lavé_ los platos ayer.

c. Yo siempre cierro la llave del agua tan pronto como _lavo_ los platos.

2. (leer) **a.** Los estudiantes trabajaron para resolver el problema después de que la profesora les _leyó_ un artículo.

b. Los estudiantes trabajarán para resolver el problema después de que la profesora les _lea_ un artículo.

c. Los estudiantes generalmente trabajan para resolver problemas después de que la profesora les _lee_ artículos.

- You must always follow the conjunction **antes de que** with the subjunctive.
  Voy a comprar un carro eléctrico antes de que este verano termine.
- With the conjunctions **antes de, después de,** and **hasta,** conjugate the verbs only if there is a subject change. If there is no subject change, use the infinitive.
  Voy a comprar un carro eléctrico después de ahorrar mucho.

D. Circle the choice that correctly completes each sentence. If there is only one subject, choose the infinitive. If there are two subjects, choose the subjunctive.

Modelo Estaré a cargo del club estudiantil después de que la presidenta actual (graduarse /(se gradúe)).

1. Reciclaremos este papel después de ((escribir)/ escribamos) el reportaje.

2. Los estudiantes empezarán a escribir antes de que la profesora (llegar /(llegue)).

3. Estudiarás hasta ((aprender)/ aprendas) más sobre el medio ambiente.

4. Usaremos más energía solar después de que el petróleo (agotarse /(se agote)).

5. Limpiaremos el lago antes de que los peces (morir /(mueran)).

realidades.com
• Web Code: jed-0903

Los pronombres relativos que, quien, y lo que (p. 402)

- Relative pronouns are used to combine two sentences or to provide clarifying information. In Spanish, the most commonly used relative pronoun is **que.** It is used to refer either to people or to things, and can mean "that," "which," "who," or "whom."

  Se deshicieron del veneno *que* mató las hormigas.
  They got rid of the poison that killed the ants.

A. Your biology class is touring the community with an environmental expert. Match the beginnings of the tour guide's sentences with the most logical endings.

_C_ 1. Estos son los contaminantes...

_A_ 2. Ésta es la fábrica...

_E_ 3. Éstos son los recipientes...

_D_ 4. La profesora Alcatrán es la persona...

_B_ 5. Ésas son las estudiantes...

A. ... que produce los contaminantes.

B. ... que hacen trabajo voluntario para educar a las personas sobre la contaminación.

C. ... que dañan el medio ambiente.

D. ... que dirige la organización *Protege la tierra.*

E. ... que contienen los productos químicos.

- When you use a preposition, such as **a, con,** or **en,** with a relative pronoun, **que** refers to things and **quien(es)** refers to people.

  El producto *con que* lavé el piso contiene algunos químicos.
  The product with which I washed the floor contains some chemicals.

  La mujer *de quien* hablo es una científica importante.
  The woman about whom I am speaking is an important scientist.

  Los jefes *para quienes* trabajo insisten en que reciclemos.
  The bosses for whom I work insist that we recycle.

- Notice that you use **quien** if the subject is singular and **quienes** if it is plural.

B. Read each sentence and determine whether the subject refers to a person or a thing. Then, circle the correct relative pronoun to complete the sentence.

Modelo El profesor a (que /(quien)) le hicimos las preguntas es el Sr. Rodríguez.

1. La situación en (que)/ quien) me encuentro es divertida.

2. Los reporteros a (quien /(quienes)) pedí prestado el video ya salieron.

3. Los recursos con ((que)/ quienes) trabajamos son escasos.

4. Los estudiantes con (que /(quienes)) hicimos los experimentos desaparecieron.

realidades.com
• Web Code: jed-0904

C. Fill in the sentences with **que, quien,** or **quienes.** Remember that **quien(es)** is only used after a preposition. When you refer to people without a preposition, use **que.**

Modelo   El muchacho con ___quien___ trabajé limpiando una sección del río se llama Manuel.

1. Nosotros vivimos en una comunidad ___que___ se preocupa mucho por conservar los recursos naturales.

2. Hay un autobús ___que___ va directamente al centro comercial. No es necesario ir en carro.

3. Los estudiantes de ___quienes___ hablo trabajan en una fábrica durante el verano.

4. El senador a ___quien___ le escribí una carta me respondió la semana pasada.

- The relative phrase **lo que** is used to refer to situations, concepts, actions, or objects that have not yet been identified.

  Todos escuchamos con atención lo que el profesor dijo sobre la protección del planeta.
  We all listened carefully to what the professor said about the protection of the planet.

  Lo que necesitamos es más voluntarios.
  What (The thing) we need is more volunteers.

- As seen in the example above, **lo que** often occurs at the beginning of a sentence.

D. Complete each of the following sentences with **que** or **lo que.** Remember that you will use **que** to clarify a specific thing and **lo que** to refer to something abstract or not yet mentioned. Follow the model.

Modelo   ___Lo que___ me molesta más es el uso de los contaminantes.

1. La organización ___que___ escribió esos artículos hace muchas cosas buenas.

2. No podemos hacer todo ___lo que___ queremos para mejorar las condiciones.

3. Ayer hubo un accidente ___que___ afectó el medio ambiente.

4. ___Lo que___ queremos hacer es crear un grupo para limpiar una sección de la carretera.

5. Hay muchos contaminantes en el aire, ___lo que___ no es bueno para la respiración.

6. El petróleo ___que___ usamos se va a agotar algún día.

realidades.com
• Web Code: jed-0904

Write the Spanish vocabulary word or phrase below each picture. Be sure to include the article for each noun.

el _____ agujero

la capa _____ de ozono

el _____ efecto invernadero

el _____ águila calva

el _____ ave

la _____ ballena

la _____ foca

la _____ pluma

el derrame _____ de petróleo

Realidades 3

Capítulo 9

Nombre _____

Hora _____

Fecha _____

Vocabulary Flash Cards, Sheet 8

Copy the word or phrase in the space provided. Be sure to include the article for each noun.

con tal que	detener	disminuir
con ___ tal ___ que	detener	disminuir
la especie	excesivo, excesiva	explotar
la ___ especie	excesivo , excesiva	explotar
la falta	la limpieza	en peligro de extinción
la ___ falta	la ___ limpieza	en ___ peligro de ___ extinción

Realidades 3

Capítulo 9

Nombre _____

Hora _____

Fecha _____

Vocabulary Flash Cards, Sheet 7

Write the Spanish vocabulary word below each picture. If there is a word or phrase, copy it in the space provided. Be sure to include the article for each noun.

el hielo	a menos que
el ___ hielo	a ___ menos que
derretir	atrapar
derretir	atrapar
el aerosol	afectar	el clima
el ___ aerosol	afectar	el ___ clima
la atmósfera	la caza	
la ___ atmósfera	la ___ caza	

Tear out this page. Write the English words on the lines. Fold the paper along the dotted line to see the correct answers so you can check your work.

el aerosol	*aerosol*
afectar	*to affect*
el agujero	*hole*
el águila calva (pl. las águilas calvas)	*bald eagle*
atrapar	*to catch, to trap*
el ave	*bird*
la ballena	*whale*
la caza	*hunting*
la capa de ozono	*ozone layer*
el clima	*weather*
el derrame de petróleo	*oil spill*
derretir	*to melt*
detener	*to stop*
disminuir	*to decrease, to diminish*
el efecto invernadero	*greenhouse effect*

Fold In ↓

Copy the word or phrase in the space provided. Be sure to include the article for each noun.

la piel	la preservación	producir
_la_ _piel_	_la_ _preservación_	_producir_
el recalentamiento global	el rescate	la reserva natural
_el_ _recalentamiento_ _global_	_el_ _rescate_	_la_ _reserva_ _natural_
salvaje	la selva tropical	tomar conciencia de
salvaje	_la_ _selva_ _tropical_	_tomar_ _conciencia_ _de_

Tear out this page. Write the English words on the lines. Fold the paper along the dotted line to see the correct answers so you can check your work.

en peligro de extinción	*(in) danger of extinction, endangered*
la especie	*species*
excesivo, excesiva	*excessive*
explotar	*to exploit, to overwork*
la falta	*lack*
la foca	*seal*
el hielo	*ice*
la limpieza	*cleaning*
la piel	*skin*
la pluma	*feather*
la preservación	*conservation*
el recalentamiento global	*global warming*
el rescate	*rescue*
la reserva natural	*nature preserve*
salvaje	*wild*
la selva tropical	*tropical forest*
tomar conciencia de	*to become aware of*

Fold In ↓

Tear out this page. Write the Spanish words on the lines. Fold the paper along the dotted line to see the correct answers so you can check your work.

aerosol	*el aerosol*
to affect	*afectar*
hole	*el agujero*
bald eagle	*el águila calva* (pl. *las águilas calvas*)
to catch, to trap	*atrapar*
bird	*el ave*
whale	*la ballena*
hunting	*la caza*
ozone layer	*la capa de ozono*
weather	*el clima*
oil spill	*el derrame de petróleo*
to melt	*derretir*
to stop	*detener*
to decrease, to diminish	*disminuir*
greenhouse effect	*el efecto invernadero*

Fold In ↓

Más conjunciones que se usan con el subjuntivo y el indicativo (p. 412)

• Earlier in this chapter, you learned some conjunctions that can be followed by the subjunctive or the indicative. Below is another list of conjunctions. These conjunctions are usually followed by the subjunctive to express the purpose or intention of an action.

con tal (de) que: provided that para que: so that

a menos que: unless sin que: without

aunque: even if, even though, although

Las águilas calvas desaparecerán *a menos que* trabajemos para protegerlas.
Bald eagles will disappear unless we work to protect them.

A. Circle the conjunction that most logically completes each sentence, according to the context. Follow the model.

Modelo Van a la marcha (**para que** / a menos que) los animales estén protegidos.

1. No podemos usar aerosoles (**sin que** / a menos que) produzcan agujeros en la capa de ozono.

2. Las selvas tropicales serán bonitas (a menos que / **con tal de que**) no las explotemos.

3. El presidente va a crear una ley (**para que** / sin que) nadie pueda cazar las ballenas.

4. Tenemos que tomar conciencia de los problemas (para que / **aunque**) sea difícil hacerlo.

5. El grupo de voluntarios construirá una reserva natural (sin que / **a menos que**) no tenga suficiente dinero.

B. Complete the sentences with the correct present subjunctive form of the verbs in parentheses. Follow the model.

Modelo **(usar)** Puedes protegerte de los rayos ultravioleta con tal de que ___**uses**___ anteojos de sol y loción protectora para sol.

1. **(proteger)** Las especies en peligro de extinción no van a sobrevivir a menos que nosotros las ___**protejamos**___.

2. **(hacer)** La condición del planeta no puede mejorar sin que todas las personas ___**hagan**___ un esfuerzo.

3. **(tener)** El gobierno va a crear varias reservas naturales para que los animales ___**tengan**___ un lugar protegido donde vivir.

4. **(poder)** Es importante entender los peligros del efecto invernadero, aunque tú no ___**puedas**___ ver todos sus efectos personalmente.

realidades.com
• Web Code: jed-0907

Tear out this page. Write the Spanish words on the lines. Fold the paper along the dotted line to see the correct answers so you can check your work.

(in) danger of extinction, endangered	**en peligro de extinción**
species	**la especie**
excessive	**excesivo, excesiva**
to exploit, to overwork	**explotar**
lack	**la falta**
seal	**la foca**
ice	**el hielo**
cleaning	**la limpieza**
skin	**la piel**
feather	**la pluma**
conservation	**la preservación**
global warming	**el recalentamiento global**
rescue	**el rescate**
nature preserve	**la reserva natural**
wild	**salvaje**
tropical forest	**la selva tropical**
to become aware of	**tomar conciencia de**

Fold In ↓

realidades.com
• Web Code: jed-0906

• With the conjunctions **para** and **sin**, use the infinitive if the subject of the sentence does not change.

Trabajo *para proteger* los animales.   *I work to protect animals.*

C. Complete each sentence below. If there is no subject change, choose **para** or **sin**. If there is a subject change, choose **para que** or **sin que.**

Modelo   No debes comprar estos productos ((sin)/ sin que) pensar.

1. La policía investigará el problema (sin /(sin que)) la compañía lo sepa.

2. Distribuiremos los artículos (para /(para que)) los lea el dueño.

3. Ellos se pondrán camisetas y anteojos ((para)/ para que) protegerse la piel.

4. Los turistas deben disfrutar del parque ((sin)/ sin que) dañarlo.

D. Circle the conjunction in each sentence. Then, complete each sentence with the infinitive or the present subjunctive of the verb in parentheses.

Modelo   (rescatar) Nosotros hacemos un viaje (para) *rescatar* las ballenas.

1. (conseguir) No podemos visitar la selva tropical (sin) *conseguir* una guía.

2. (poder) Debo salir de la cocina (para que) mamá *pueda* cocinar.

3. (dar) Esa foca no va a sobrevivir (sin que) nosotros le *demos* comida.

4. (explicar) Un científico vino a la clase (para) *explicar* el efecto invernadero.

• The conjunction **aunque** is followed by the subjunctive when it expresses uncertainty. It is followed by the indicative when there is no uncertainty.

Aunque la ballena **esté** muy enferma, vamos a cuidarla.
Even though the whale may be very sick, we are going to take care of it.
Aunque la ballena **está** muy enferma, vamos a cuidarla.
Even though the whale is very sick, we are going to take care of it.

E. Select the best English translation for the underlined portion of each sentence.

1. Aunque no haya mucha gente, debemos continuar con la marcha.
   □ there aren't a lot of people   ☑ there may not be a lot of people

2. Aunque son nuevos, los viajes de ecoturismo son muy populares.
   ☑ they are new   □ they may be new

3. Aunque no te guste, es más importante protegerte del sol que estar bronceado.
   □ you don't like it   ☑ you may not like it

4. Aunque el hielo se derrite, no habrá una inundación en este lugar.
   ☑ the ice is melting   □ the ice may be melting

realidades.com
• Web Code: jed-0907

Puente a la cultura (pp. 416–417)

A. This reading contains several *cognates*, or words that look and sound like English words with the same meaning. See if you can determine what the following words mean:

1. volcánico: ___**volcanic**___

2. piratas: ___**pirates**___

3. tortugas: ___**tortoises**___

4. velocidad: ___**velocity/speed**___

5. mamíferos: ___**mammals**___

6. flora y fauna: ___**flora and fauna (plant and animal life)**___

B. Look at the statements below and match them with the century (**siglo**) in which they happened according to the reading. Use the topic sentences in the reading to help you.

a. el siglo XX (1900s)
b. el siglo XVIII (1700s)
c. el siglo XVII (1600s)
d. el siglo XIX (1800s)

1. __c__ Los piratas ingleses llegaron a las islas.

2. __b__ Los balleneros llegaron y cazaron muchas tortugas.

3. __d__ Charles Darwin llegó a las islas e hizo un estudio para escribir su libro *El origen de las especies.*

4. __a__ El gobierno ecuatoriano estableció una reserva natural.

C. The Galápagos Islands, once a perserved paradise, have suffered greatly in recent years. Look at the following list and cross out the one item that is *not* an issue that has affected the Galápagos Islands.

extinción de algunas especies	~~teremotos~~
exceso de población	faltas de recursos del gobierno ecuatoriano

D. In the Galápagos Islands, the government needed to get involved in order to save rare species of plants and animals. Can you think of other places where the government or environmental organizations have helped with preservation efforts? Think of the places you have studied or visited. Explain why outside involvement was needed to help save local wildlife.

Answers will vary. Possible answers include: The rain forest (Costa Rica, Peru, etc.), the Everglades in Florida, Antarctica, the Arctic Ocean.

_____

realidades.com
• Web Code: jed-0910

Lectura (pp. 422–424)

A. You are about to read an article about the monarch butterfly. Based on your previous knowledge or what you can determine from the pictures accompanying the text, write three characteristics that describe a monarch butterfly.

1. *Answers will vary. Possible answers: they are beautiful, black and orange, migrate, fly in groups, etc.*
2. ___
3. ___

B. Try to use context to help you determine the meaning of the terms from the reading in your textbook which you may not know. Read the following selections and write the letter of the definition that best corresponds with the highlighted phrase.

a. en la última parte de   b. aproximadamente   c. setenta y cinco por ciento

1. «Tres cuartas partes de los animales que viven en la tierra son insectos.» __c__
2. «Las mariposas, en general, viven alrededor de 24 días» __b__
3. «Llegan a fines de octubre a la zona entre...» __a__

C. The introduction to the reading in your textbook includes several descriptions of the monarch butterfly. Read the first two paragraphs on page 422 and decide which of the following descriptions of the monarch butterfly are mentioned. Indicate with a check mark.

1. ✔ hermosa
2. ___ más grande que la mayoría de las mariposas
3. ✔ agente polinizador
4. ✔ vive más tiempo que otras mariposas
5. ___ sólo vive en lugares tropicales
6. ✔ resistente a las condiciones del clima

D. Look at each section title on pages 423 and 424 of the reading in your textbook. Based on the title given, decide which choice would most accurately represent what that section is about. Circle your choice.

1. **Llegada a México**
   a. los conquistadores españoles llegan a México
   (b.) el camino de la mariposa monarca

2. **Hibernación**
   (a.) cómo pasan el invierno   b. cómo pasan de un lugar al otro

3. **Migración**
   (a.) cómo sobreviven mudándose de un lugar al otro
   b. qué comen

4. **Refugios**
   (a.) dónde se reunen para pasar el invierno   b. sus colores

5. **Peligros**
   a. dónde viven   (b.) qué los amenaza

E. Now look more closely at each section. Use the following cues to help you look for a key piece of information in each section. Write in the most appropriate words to complete the statements from each section.

1. **Llegada a México**
   Las mariposas monarca vuelan de __Canadá__ a __México__ antes de octubre, y regresan en abril.

2. **Hibernación**
   Las mariposas monarca pasan el invierno en __la Sierra Madre__, unas montañas que se encuentran entre Michoacán y el Estado de México.

3. **Migración**
   El número de mariposas monarca que llega a México para pasar el invierno todos los años está entre __100__ y __140__ millones.

4. **Refugios**
   Las mariposas monarca pasan el invierno en __bosques__ al lado de las montañas.

5. **Peligros**
   Dos acontecimientos que causaron posibles peligros a las mariposas monarca fueron un __incendio__ en 2001 y una __tormenta (de invierno)__ en 2003.

Actividad 2

Vas a oír dos discursos breves de los dos candidatos para presidente del Club del Medio Ambiente de la escuela. Mientras escuchas los discursos, decide si las frases de la tabla son ciertas o falsas, según lo que opina cada estudiante. Marca con una C las frases que son ciertas y con una F las frases que son falsas. Vas a oír cada discurso dos veces.

Candidato(a)	¿Cierto o Falso?	
1. Susana Montoya	C	Si las fábricas echan pesticidas, habrá contaminación.
	F	Es demasiado tarde para encontrar una solución.
	C	Las fábricas dejarán de contaminar si el gobierno les pone una multa.
	F	Antes de ser presidente, Susana organizará una manifestación.
2. Óscar Lezama	C	Si hay otras fuentes de energía, no dependeremos del petróleo.
	F	Si no usamos petróleo, habrá más contaminación.
	C	Si se usan coches eléctricos, no se usará petróleo.
	C	Cuando sea presidente, Óscar promoverá los coches eléctricos.

Actividad 1

Vas a oír a cinco estudiantes describir cuál, en su opinión, es el peor problema con relación al medio ambiente. Mientras escuchas, mira los dibujos y escoge el que mejor represente una solución para cada problema. Escribe el número del o de la estudiante que describe el problema al lado del dibujo apropiado. No todos los dibujos se usan. Vas a oír cada descripción dos veces.

Actividad 5

Vas a oír descripciones de cinco problemas del medio ambiente. Mientras escuchas, mira la siguiente escena y escribe el número del problema en el sitio donde está pasando. Vas a oír cada problema dos veces.

5

1

2

3

4

Actividad 3

Vas a escuchar cuatro descripciones de animales que están en peligro de extinción. Mientras escuchas, escribe el número de la descripción al lado del dibujo que mejor corresponde. Vas a oír cada descripción dos veces.

2

1

4

3

Actividad 4

Vas a oír a cuatro estudiantes describir sus emociones y sentimientos sobre el medio ambiente, los animales en peligro de extinción y la preservación de los recursos. Mientras escuchas, selecciona el problema de la lista que describe cada estudiante y escribe su número al lado del nombre de la persona que habla. No se usan todos los problemas. Vas a oír cada comentario dos veces.

Problemas posibles:

1. los derrames de petróleo
2. el efecto invernadero
3. la explotación de la selva tropical
4. la escasez de agua
5. el derretimiento del hielo de los polos
6. la extinción de especies de animales
7. la contaminación del aire

Estudiante	Problema
María	3
Alejandro	1
Ernesto	4
Juliana	6

Capítulo 9

Actividad 6

A. ¿Qué problemas tiene el medio ambiente? Ordena las letras para formar palabras relacionadas con los problemas del medio ambiente. Usa las letras numeradas para hallar la frase secreta.

EDLERCIDTICA E L E C T R I C I D A D
                      4   14

POEREÓLT P E T R Ó L E O
              15   2

VERSANROC C O N S E R V A R
                        8

VENNOE V E N E N O
            11

FÁCBRIA F Á B R I C A
           1   12

AOTAEGRS A G O T A R S E
            7   10

SACZEES E S C A S E Z
                 3

REVGA G R A V E
          13 9

SUORRSEC TEUASNALR R E C U R S O S   N A T U R A L E S
                             5   6

R E C I C L A R   E S   V I V I R
1 2 3 4 5 6 7 8   9 10 11 12 13 14 15

B. Ahora, escribe los tres problemas del medio ambiente que más te preocupan y explica por qué.

Problema 1: Answers will vary.

Problema 2:

Problema 3:

Capítulo 9

Actividad 7

¿Qué pasará en el futuro? Para cada uno de los siguientes problemas, escribe un párrafo sobre lo que crees que pasará y cuáles serían las soluciones. **Answers will vary.**

Modelo *Mientras tengamos agua suficiente, todos viviremos tranquilos. Tan pronto como la cantidad de agua para beber comience a disminuir, la forma de vida de la gente cambiará.*

1.

2.

3.

4.

Capítulo 9 Fecha _____

Actividad 8

Imagina que estás viendo algunas fotos con una amiga. Ella no entiende de qué son las fotos. Escribe las explicaciones para que tu amiga sepa qué está viendo. **Answers will vary.**

Modelo *Éste es el veneno que encontré en el jardín hace una semana. Lo que hice fue tirarlo a la basura. No sé quién lo dejó en mi jardín.*

1. _____

2. _____

3. _____

4. _____

5. _____

6. _____

Capítulo 9 Fecha _____

Actividad 9

Te preocupa mucho el medio ambiente y decides escribir un artículo sobre los problemas ambientales para el periódico de la escuela.

A. Lee y contesta las preguntas de abajo. **Answers will vary.**

1. ¿Cuáles son los problemas más graves del medio ambiente? _____

2. ¿Qué recursos naturales podemos usar? _____

3. ¿Qué medidas pueden tomar los gobiernos para proteger el medio ambiente? _____

4. ¿Qué puede hacer la gente para ayudar? _____

B. Ahora, usa tus respuestas para escribir tu artículo. **Answers will vary.**

WRITING

Actividad 10

Hoy en día nuestro planeta tiene muchos problemas ambientales. Observa la escena siguiente y escribe un párrafo que la describa y que dé tu opinión.

Answers will vary.

WRITING

Actividad 11

Contesta las siguientes preguntas usando la expresión entre paréntesis. **Answers will vary.**

1. ¿Qué haces generalmente cuando tienes problemas en la escuela? (a menos que)

2. ¿Cómo ayudarías a dos amigos tuyos que se han peleado? (sin que)

3. Describe qué fiesta le prepararías a un(a) amigo(a) que se va a vivir a otro país. (para que)

4. Si te enteras de una noticia que va a poner triste a un(a) buen(a) amigo(a), ¿se la dirías? (aunque)

5. ¿Cómo evitarías hacer algo que te piden que hagas, pero que no quieres hacer? (con tal de que)

Actividad 13

A tus amigos y a ti les preocupan los problemas del medio ambiente hoy en día. Quieren hacer una campaña para que la gente tome conciencia de la situación. Diseña un cartel que explique cuáles son los principales problemas ambientales y qué puede hacer la gente para ayudar.

Answers will vary.

Actividad 12

Imagina que eres un(a) político(a) y participas en una rueda de prensa (press conference) sobre los problemas ambientales. Contesta las preguntas de los periodistas usando una de las expresiones del recuadro y tu opinión sobre el tema. **Answers will vary.**

| a menos que | con tal (de) que | |
| para que | aunque | sin que |

1. ¿Qué piensa usted sobre el agujero de la capa de ozono?

2. ¿Qué podemos hacer para proteger las especies en peligro de extinción?

3. ¿Cuál es el futuro de los aerosoles?

4. ¿Cuál es el problema de los derrames de petróleo?

5. ¿Cómo se puede evitar el efecto invernadero?

6. ¿Cómo puede la población tomar conciencia de los problemas ambientales?

VIDEO

Antes de ver el video

Actividad 14

Ordena los siguientes problemas del 1 al 4, de acuerdo a la importancia que crees que tienen.

Answers will vary.

____ El efecto invernadero

____ El agujero de la capa de ozono

____ La contaminación

____ La escasez de recursos naturales

¿Comprendes?

Actividad 15

Lee la lista de aspectos del medio ambiente que se mencionan en el video. Decide a qué lugar(es) pertenece, y escribe cada elemento en la columna correcta.

Los aspectos del medio ambiente: producción de oxígeno, animales marinos, 25 parques nacionales, líder en la preservación de reservas naturales, abundancia de especies, San Ramón, archipiélago volcánico, se limita el número de visitantes, plantas curativas

Aspecto(s) de las selvas tropicales de Costa Rica	Aspecto(s) de las Islas Galápagos de Ecuador	Aspecto(s) de los dos lugares
producción de oxígeno	animales marinos	abundancia de especies
25 parques nacionales	archipiélago volcánico	plantas curativas
líder en la preservación	se limita el número	
de reservas naturales	de visitantes	
San Ramón		

  Communication Workbook

VIDEO

Actividad 16

Lee las siguientes frases y escribe C si son ciertas o F si son falsas, según el video.

1. La preservación de reservas ayuda a conservar el equilibrio ecológico. __C__

2. En Costa Rica hay más de 25 parques nacionales. __C__

3. La reserva de San Ramón es también un centro educativo. __C__

4. La reserva de San Ramón tiene dos especies de insectos. __F__

5. Las Islas Galápagos no tienen tortugas. __F__

Y, ¿qué más?

Actividad 17   Answers will vary.

1. ¿Qué problema de los que has visto en el video te preocupa más?

2. ¿Qué lugares del video te gustaría visitar? ¿Por qué?

3. ¿Conoces algún parque natural cerca de donde tú vives?

4. Escribe un párrafo corto sobre las cosas que podríamos hacer para proteger el medio ambiente.

Capítulo 9   **133**   Video Activities   Communication Workbook

Test Preparation Answers

Reading Skills

p. 213   2. **D**

p. 214   2. **B**

Integrated Performance Assessment

p. 215

Answers will vary.

Practice Test: Greenpeace en el mundo hispano

p. 217

1. D

2. F

3. C

4. Las respuestas variarán pero pueden incluir: ¿Por qué le interesó trabajar como ecólogo(a)? ¿Cuál cree Ud. que es el mayor problema ecológico del país? ¿Cómo cree Ud. que podemos resolverlo?

5. Las respuestas variarán pero pueden incluir información sobre el reciclaje de papel, cartón, aluminio, plástico y vidrio; el uso de transporte público; restricciones sobre el uso de agua en el verano; no echar la basura en los lagos o ríos; programas para mantener limpias las carreteras; programas para plantar árboles; programas para reducir el tráfico.

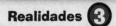
Table of Contents

Capítulo 10: ¿Cuáles son tus derechos y deberes?

Chapter Project

Web pages for: Club Los Ruidosos

Overview:

You will work in teams of four to create illustrated pages for a Web site of fans and members of a music-sharing club. The home page should include an introduction and an index to three pages. You will present your Web page to the class, describing all the information featured in the page.

Resources:

digital or print photos, image editing and page layout software; if computers are not available, poster boards, magazines, markers, glue, scissors

Sequence:

STEP 1. Review the instructions with your teacher.

STEP 2. Submit sketches of your Web pages. Incorporate your teacher's suggestions into your drafts.

STEP 3. Do layouts of Web pages. Try different arrangements.

STEP 4. Submit a draft of the texts for each page.

STEP 5. Complete and present your Web pages to the class, reading and / or describing all the information featured in the pages.

Assessment:

Your teacher will provide you with a rubric to assess this project.

Chapter 10 Project: Web pages for: Club Los Ruidosos

Project Assessment Rubric

RUBRIC	Score 1	Score 3	Score 5
Your evidence of planning	You provide no layout or written draft.	Your layout and written draft are provided, but not corrected.	You show evidence of corrected draft and layout.
Your use of illustrations	You include no images and little of the required information.	You include images but your layout is disorganized.	Your Web pages are carefully done and images are consistent with text.
Your presentation	You include little of the required information.	You include most of the required information.	You include all the required information.

21st Century Skills Rubric: Encourage Initiative and Self-Direction

RUBRIC	Score 1	Score 3	Score 5
Organization and planning	Does not create a timeline.	Creates a timeline with benchmarks but does not monitor benchmarks during project.	Creates a timeline and monitors benchmarks during project.
Review of rubric and creating tools	Does not review rubric.	Reviews rubric and creates list.	Reviews rubrics, creates list, and includes examples for using vocabulary and grammar tools.
Use of tools	Project does not incorporate any tools from rubric review.	Project shows some evidence of using vocabulary and grammar tools.	Project shows much evidence of using vocabulary and grammar tools.

School-to-Home Connection

Dear Parent or Guardian,

This chapter is called *¿Cuáles son tus derechos y deberes?* (What are Your Rights and Responsibilities?).

Upon completion of this chapter, your child will be able to:

- talk about rights and responsibilities at home, in school, and in society at large
- discuss the rights of children and measures to protect them
- talk about civil liberties and rights guaranteed by the Constitution of the United States

Also, your child will explore:

- the passive voice
- talking about hypothetical situations with the present perfect, imperfect, and pluperfect subjunctive
- using the conditional perfect to talk about events that would have happened

Realidades helps with the development of reading, writing, and speaking skills through the use of strategies, process speaking, and process writing. In this chapter, students will:

- read about heroes of the Latin American independence movements
- deliver a speech about student rights and responsibilities in school
- write an essay about rights guaranteed by the United States Constitution

To reinforce and enhance learning, students can access a wide range of online resources on **realidades.com,** the personalized learning management system that accompanies the print and online Student Edition. Resources include the eText, textbook and workbook activities, audio files, videos, animations, songs, self-study tools, interactive maps, voice recording (RealTalk!), assessments, and other digital resources. Many learning tools can be accessed through the student Home Page on **realidades.com.** Other activities, specifically those that require grading, are assigned by the teacher and linked on the student Home Page within the calendar or the Assignments tab.

You will find specifications and guidelines for accessing **realidades.com** on home computers and mobile devices on MyPearsonTraining.com under the SuccessNet Plus tab.

For: Tips to Parents
Visit: www.realidades.com
Web Code: jce-0010

Check it Out! Ask your child to make a chart listing his or her rights at home on the left and his or her responsibilities on the right. Ask him or her to explain the rights and responsibilities in English.

Sincerely,

Pura vida Script

Episodio 13: ¡Seamos cultos!

MARCELA: ¡Hola Felipe! Felicidades. Te compraste tu camioneta. Confieso que me alegré de que tuviste problemas con la otra. Es terrible, lo sé. Pero si te la hubieran arreglado te habrías ido antes. Supongo que ahora te irás, ¿no?

FELIPE: Sí, Marcela. Quiero irme a verla hoy mismo.

SILVIA: ¿A verla? ¿A quién?

MARCELA: Pensé que ya lo sabía todo el mundo.

SILVIA: ¿Qué misterio es éste?

FELIPE: Bueno, bueno, miren, es que conocí a alguien en la Web, una mujer de México D.F.

HERMÉS: ¿Cuánto hace que la conoces?

FELIPE: Hace casi un año, nos conocimos en un chat y voy a reunirme con ella.

SILVIA: ¡Qué romántico!

FELIPE: Se los quería decir desde hace tiempo, pero…

PATRICIO: Aunque no lo parezca, Felipe es un hombre tímido y reservado. Si se hubiera quedado un año más, creo que tampoco me lo habría dicho.

FELIPE: No es que sea tan reservado pero ya no tiene sentido ocultarlo. Bueno, ahora lo saben todos. Salgo hoy mismo. Quiero llegar a su debut.

SILVIA: ¿Su debut? ¿Es actriz?

HERMÉS: ¿O bailarina?

PATRICIO: ¿O cantante de jazz?

FELIPE: No, es primera violinista. El martes que viene toca con la Orquesta Filarmónica de la Ciudad de México. Tengo asiento de primera fila, así que tengo que llegar a México antes del martes o…

SILVIA: ¡A mí me apasiona el violín!

FELIPE: ¿Ah, de verdad?

SILVIA: ¡Sí! Tengo las mejores grabaciones de Sergiu Luca y de Midori. Qué pena, porque si lo hubiera sabido, te habría dado un disco compacto para ella.

FELIPE: Elvira también ha grabado unos cuantos discos con su cuarteto. Te los mandaré dedicados.

HERMÉS: ¿Tienes ropa adecuada para ir al concierto? ¿No pensarás presentarte con esos pantalones viejos y tu chaqueta de pana?

MARCELA: Supongo que llevarás el traje de la boda.

FELIPE: El traje no era mío, era de alquiler. Pero no importa, a mí la moda no me interesa. Hermés, no puedo…

HERMÉS: ¿Qué pasa? ¿No te gusta?

FELIPE: ¡Claro que sí!

HERMÉS: Es de cuero, así que cuídala bien. ¡Bueno, pruébatela! A ver si es de tu talla. Caballero, ahora te pareces un señor respetable.

FELIPE: Es muy bonita, pero no me acostumbro a llevar chaqueta. Me siento como si llevara un disfraz.

SILVIA: Que no, hombre. Te queda muy bien. Es muy sencilla y elegante.

MARCELA: Además no te la tienes que poner todos los días.

FELIPE: Gracias por todo.

HERMÉS: Me cuidas la chaqueta.

FELIPE: Seguro.

PATRICIO: Suerte hombre. Cuídate. Gracias por todo.

FELIPE: Española, a ti te toca darme dos, ¿no?

SILVIA: Y a ti también.

FELIPE: Marcela…

SILVIA: Escríbenos.

FELIPE: Seguro.

DOÑA MARÍA: Vamos, vamos muchachos.

FELIPE: Ah, doña María. Estas flores son para usted.

DOÑA MARÍA: Ay, mi hijo. Muchas gracias. Cuídate. Adiós, hijo. No te olvides que ésta es tu casa.

Episodio 14: ¿Te gusta la política?

MARCELA: No se imagina a quién acabamos de ver en persona.

HERMÉS: ¿A quién?

MARCELA: ¡A la mismísima Rigoberta Menchú!

HERMÉS: Me suena su nombre…

SILVIA: Sí, es aquella líder indígena guatemalteca a la que le dieron el premio Nóbel de la Paz. ¿Dónde la habéis visto?

PATRICIO: Se está celebrando un congreso internacional de globalización y desarrollo, aquí en San José. Y Rigoberta ha pronunciado un discurso excelente.

SILVIA: ¿Y, qué ha dicho? Seguro que ha hablado de la anti-globalización, como siempre. La globalización también puede ser buena para la gente.

MARCELA: Bueno, lo que Rigoberta Menchú plantea es, ¿a quién beneficia la globalización? ¿a la gente común? ¿a los pueblos oprimidos? ¿a los trabajadores? ¿o a las grandes multinacionales?

HERMÉS: En América Latina, como en muchas otras partes, mucha gente sigue siendo pobre, con multinacionales y sin ellas.

PATRICIO: Sí, pero la globalización también tiene un gran impacto en el medio ambiente. El llamado "libre comercio" permite que vengan grandes compañías a explotar nuestros recursos naturales.

The script for Episodio 14 is continued on page 353.
The script for Episodio 14 is continued on page 353.

Input Script

Presentation: *A primera vista 1*

Input Vocabulary and Dialogue, pp. 436–437: Conduct the presentation as though students are all psychologists or family counselors attending a professional development conference. Come to class dressed as such a professional and ask students to do the same. In the front of the classroom, hang a large butcher paper sign that says *Reunión nacional de consejeros*. Place a podium there as well as a "kitchen" table with three chairs. A day or two before the presentation ask three volunteers to help you by playing the roles of *Laura, Madre,* and *Padre* in the dialogues on pp. 436–437. Find a time to help them practice reading the lines fluently and with as much expression as possible. You will play the role of the conference coordinator. Have "Laura" leave the set at the part of the dialogue at the top of p. 437 and return for the part at the bottom of the page. Record her thoughts in the thought balloon at the bottom of p. 436 and have another volunteer play this recording at the appropriate moment during the presentation.

On the day of the presentation, distribute copies of the Clip Art and have students cut them into individual images and flashcards. Ask students to hold them up as they hear the vocabulary items mentioned during the presentation.

Then step up to the podium and call the "conference" to order. Gesture towards the conference sign, and say, "*Bienvenidos a la Reunión nacional de consejeros. Aquí hablaremos de los derechos y las responsabilidades de los miembros de la familia.*" Introduce your volunteers as follows and have them take their places at the "kitchen" table. "*Vamos a empezar con una dramatización. Estamos en la cocina con el Sr. y la Sra. Gómez y su hija adolescente, Laura.*" Read the introduction yourself and have the three volunteers act out the entire dialogue on pp. 436–437 once through. Listeners should have their books closed. Then repeat the reading, this time with listeners' books open. Pause periodically to check comprehension with questions such as "*Veo inmediatamente un sinónimo de responsabilidades. ¿Cuál es?*", "*¿Qué quiere hacer Laura el sábado?*", "*¿Por qué dice su madre que Laura no puede ir a la fiesta?*", "*¿Laura piensa que sus padres la tratan como una persona adulta o como una niña?*", "*¿Cómo quiere el padre de Laura que se sienta su hija?*", "*¿Qué desean ambos padres para su hija?*", "*Según el padre ¿cómo debe tratarlos su hija?*" At this point, you may wish to have "Laura" assume her thinking pose again and replay the recording of her thoughts. Then ask, "*¿Qué piensan de la idea de Laura para resolver el asunto?*", "*¿Y cómo respondió el padre?*" If necessary, guide students to understand that Laura's idea was to write a list of her rights and that Father responded by writing his own list.

Place *Vocabulary and Grammar Transparencies* 185 and 186 on the screen as necessary and call on students to read the lists of rights. Follow each reading with comprehension questions.

Then continue your role as "conference coordinator" and invite students to discuss the pros and cons of the lists and the possible repercussions of the various rights.

Comprehension Check

- Continue the *Reunión de consejeros* by making TPR commands. Students demonstrate their understanding by holding up appropriate Clip Art images or flashcards. For example: "*Muéstrame una palabra que significa los dos*" (ambos). "*Muéstrame lo contrario de insuficiente*" (adecuado).

Presentation: *A primera vista 1 (continued)*

Input Vocabulary and Text, pp. 438–439: Continue as the "coordinator" of the *Reunión nacional de consejeros*. Tell students, *"Nosotros los consejeros pasamos mucho tiempo trabajando con los adolescentes. Sabemos que muchos de sus conflictos tienen que ver con su vida en la escuela. Por esta razón tenemos un cartel sobre los derechos y deberes de los estudiantes en España. Esperamos que les sirva."*

Continue by reading the introductory information on p. 438. Then place *Vocabulary and Grammar Transparency* 187 on the screen. Call on several individuals to read one or two rights and responsibilities at a time. After the readings, check students' comprehension with questions such as, *"¿A quién deben respetar los estudiantes?"*, *"¿Los estudiantes deben o no deben discriminar a los demás por motivos personales o sociales?"*, *"¿Una educación gratuita es un deber o un derecho?"*, *"¿De cuáles libertades pueden gozar los estudiantes?"*

Now say, *"También tenemos para Uds. un artículo sobre los derechos de los niños en la sociedad. Mirémoslo juntos."* Place *Vocabulary and Grammar Transparency* 188 on the screen. Call on volunteers to read the article. Follow up with comprehension questions such as *"¿El estado es responsable de aplicar o de obedecer las leyes que protegen a los niños?"*, *"¿Qué cosas deben garantizar los gobiernos?"*, *"¿Qué deben hacer los gobiernos para los niños que sufren de pobreza?"*, *"¿Cuál es la responsabilidad de los gobiernos con respecto a la discriminación?"*

Comprehension Check

- Give definitions of the vocabulary and have students hold up the Clip Art image or flashcard that matches the definition: *"Las personas que controlan"* (las autoridades). *"Estar expuesto a"* (estar sujeto a). *"Razones para hacer algo"* (motivos).

Presentation: *A primera vista 2*

Input Vocabulary and Text, pp. 448–449: Conduct the presentation as though you are the president of a Web site development company and your students are your employees. Help create this image by wearing a white lab coat and carrying a clipboard. Fill the front of the classroom with as much computer and other technical equipment as possible. If you wish, invent a name for your company and create a sign for it. From colored transparency material or other translucent plastic, cut one or more dialogue balloons like those that appear on pp. 448–449. It will not be necessary to write on these, but rather simply place them as blank dialogue balloons over *Vocabulary and Grammar Transparencies* 191–192.

On the day of the presentation, distribute copies of the Clip Art and have students cut them into individual images and flashcards. Ask them to hold them up the appropriate images and flashcards as they hear the vocabulary items mentioned during the presentation.

Have students close their books. Announce yourself and say, *"Todos los empleados de este negocio nos hemos reunido hoy por una sola razón: tenemos un nuevo proyecto. El proyecto es muy grande y, además, viene del gobierno. El Departamento de Estado ha pedido que desarrollemos un sitio Web para enseñar al público sobre los derechos fundamentales garantizados por la Constitución de los Estados Unidos. También vamos a informar al público sobre los conflictos sociales y algunas soluciones. Hoy vamos a compartir ideas sobre una página Web sobre nuestro primer tema, los derechos de los ciudadanos."*

Place *Vocabulary and Grammar Transparency* 191 on the screen. Say, *"Aquí tengo algunas ideas para las fotos que aparecerán en la página Web sobre los derechos."* Point to the empty space beside the girl at the top and say, *"En este espacio pensamos en poner un párrafo introductorio que va más o menos así. ¿Qué piensan Uds.?"* Read the introductory paragraph. Place a dialogue balloon cut-out near the photo of the girl at the top and say, *"Pensamos en este diseño: las personas en las fotos van a hablar. Por ejemplo esta muchacha va a decir…"* Continue by reading what the girl says on p. 448. Continue this procedure with the rest of the transparency and then move on to *Transparency* 192, "filling in" the various dialogue balloons by reading the material aloud. Then have students open their books and read the two pages again silently. Follow up with questions to check comprehension. For p. 448, for example, ask, *"Según la muchacha ¿cuál es la base de una sociedad democrática?"*, *"¿Por qué debemos proteger la libertad de prensa?"*, *"Según la mujer, ¿por qué es esencial la igualdad?"*, *"¿Ella quiere los mismos derechos para todos?"*

Comprehension Check

- Ask students to sort Clip Art images and flashcards into various categories by writing the categories on the board and having students tape the Clip Art beneath the appropriate ones. Possible categories include *"los derechos fundamentales"* (justicia, igualdad, juicio); *"el juicio"* (sospechoso, acusado, testigo, inocente, culpable, juzgado, jurado); and *"antónimos"* (inocente / culpable).

Presentation: *A primera vista 2 (continued)*

Input Vocabulary and Text, pp. 450–451: Continue as the president of a Web site development company with students as your employees. Present pp. 450–451 as further possibilities for the pages of your new site.

Place *Vocabulary and Grammar Transparencies* 193 and 194 on the screen. Tell students that, again, the photos are possibilities for a Web page for the site you are developing. This page is about the concerns of young people in society today. With books closed, invite students to speculate as to what the young people in the various photos might be saying. Then have them open their books and call on volunteers to read the various parts of the text. Check students' comprehension with questions such as those below:

Introduction, p. 450: *"¿Qué hacen los jóvenes en la Red de Jóvenes y Estudiantes?", "¿La Red de Jóvenes y Estudiantes es un ejemplo de qué?"*

List of Problems, p. 450: *"¿Qué hacen los jóvenes a medida que participan en las reuniones de la Red?", "¿De qué tipos de desigualdades hablan?"*

Lydia, p. 451: *"A Lydia, ¿qué carrera le interesa?", "¿Ella quiere ayudar a los jóvenes a alcanzar sus metas? ¿Cómo lo sabes?"*

Mark, p. 451: *"¿Mark cree en la libertad de la palabra? ¿Cómo lo sabes?", "A él, ¿qué carrera le interesa?"*

Yamiko and Alicia, p. 451: *"¿Yamiko y Alicia quieren ser abogadas o consejeras de estudiantes?", "¿Las muchachas están a favor de medidas violentas o medidas pacíficas?"*

Comprehension Check

- Give definitions of the vocabulary and have students hold up the Clip Art image or flashcard that matches the definition: *"La situación en que la gente no trabaja"* (el desempleo); *"expresar una opinión"* (opinar); *"mientras"* (a medida que); *"la escasez"* (la falta de); *"maneras de hacer algo"* (modos).

Audio Script

Audio DVD, Capítulo 10

Track 01: Libro del estudiante, p. 436—437, *A primera vista 1*, Vocabulario y gramática en contexto **(4:31)**

Lee en tu libro mientras escuchas el diálogo.

FEMALE ADULT: Los adolescentes sienten a veces que tienen tantos deberes o responsabilidades como los adultos, pero menos derechos que los niños. ¿Crees que los problemas de Laura son comunes entre los adolescentes de hoy?

FEMALE TEEN: ¿Puedo ir a la fiesta el sábado?

FEMALE ADULT 2: El sábado vamos a ver a tu abuela.

FEMALE TEEN: ¡Es una injusticia! Tengo 16 años y no tengo libertad para decidir qué voy a hacer el sábado . . .

Ustedes dicen que quieren mi felicidad, pero no sé hasta qué punto es justo que me traten como a una niña, de ese modo no soy feliz.

MALE ADULT: Laura, claro que queremos que seas feliz y que sientas nuestro apoyo. Para nosotros también es difícil saber cómo tratar a una chica de 16 años.

FEMALE TEEN: Pero, ¿por qué tienen que obligarme a ir a casa de la abuela un sábado por la noche?

FEMALE TEEN: Creo que tengo una idea para resolver este asunto.

Derechos de los adolescentes
Iré siempre donde yo quiera ir.
Podré usar la ropa que yo quiera.
Nadie podrá prohibirme que me pinte el pelo de cualquier color.
Hablaré por teléfono con mis amigas todo el tiempo que sea necesario.
Nadie me prohibirá navegar en la Red.
Nadie entrará a mi cuarto sin permiso.

MALE ADULT: Ana, nosotros nunca hemos maltratado a Laura . . . ambos queremos su felicidad. ¿Por qué está tan enojada con nosotros?

FEMALE ADULT 2: Pedro, si tú tuvieras 16 años, ¿no te sentirías como ella?

MALE ADULT: Quizás. Pero creo que debe tratarnos con respeto y tolerancia. ¿O es que los padres no tenemos derechos?

FEMALE TEEN: Papá, creo que mi lista de derechos es muy adecuada, ¿verdad?

MALE ADULT: Pues yo también hice una lista, pero de los derechos de los padres. ¿Qué te parece?

Derechos de los padres
Nos dirás siempre adónde vas.
Si te vas a cambiar el color del pelo, pedirás permiso.
Estableceremos un horario para hablar por teléfono.
Estableceremos un horario para usar la Red.
Mantendrás tu cuarto ordenado y limpio.

Track 02: Libro del estudiante, p. 437, Act. 1,
Los derechos de cada uno **(2:06)**

Escribe los números del 1 al 5 en una hoja. Escucha cada frase y escribe C (cierta) o F (falsa). Vas a oír cada frase dos veces.

1. Los adolescentes sienten a veces que tienen pocos derechos.

2. Laura tiene la libertad de hacer siempre lo que quiere.

3. Laura cree que sus padres la tratan como a una niña.

4. Los padres de Laura quieren obligarla a ir a ver a su abuela.

5. El padre de Laura quiere que ella lo trate con respeto.

Track 03: Libro del estudiante, p. 438, *A primera vista 1*, Vocabulario y gramática en contexto **(2:29)**

Lee en tu libro mientras escuchas la narración.

FEMALE ADULT: Derechos y deberes en la escuela

En todas las escuelas, los estudiantes tienen ciertos derechos y deberes. Sin embargo, no en todos los países, ni en todas las escuelas, son iguales. Por ejemplo, en tu escuela, ¿hay un código de vestimenta o todo el mundo puede llevar la ropa que más le guste? Y en cuanto a los armarios de los estudiantes, ¿los maestros tienen derecho a registrarlos?

Para resolver estas preguntas de manera satisfactoria, el gobierno en España estableció una ley de los derechos y deberes de los estudiantes.

MALE TEEN: Los estudiantes tienen el deber de:
cumplir y respetar los horarios para el desarrollo de las actividades de la escuela
respetar la autoridad de los maestros
respetar el derecho al estudio de sus compañeros
respetar la libertad de expresión y pensamiento de sus compañeros
no discriminar a ningún o ninguna estudiante por sus motivos personales o sociales
cuidar y utilizar correctamente las escuelas; ayudarlas a funcionar bien
participar en la vida y funcionamiento de las escuelas

FEMALE TEEN: Los estudiantes tienen derecho a:
recibir una enseñanza gratuita
no ser discriminados por causas personales o sociales
votar a sus representantes en el Consejo Escolar
gozar de libertad de expresión y pensamiento
reunirse y utilizar las escuelas para actividades educativas

Track 04: Libro del estudiante, p. 439, *A primera vista 1*, Vocabulario y gramática en contexto **(1:33)**

Lee en tu libro mientras escuchas la narración.

MALE ADULT: El gobierno y los derechos de la niñez
El estado, o sea todas las instituciones del gobierno, son responsables de aplicar las leyes que protegen a la niñez.

Los gobiernos deben:

1. Garantizar que los niños y adolescentes vivan en paz.

2. Garantizar que los niños no estén sujetos a maltratos ni abusos por parte de las personas que se encargan de ellos.

3. Dar ayuda a los niños que sufren de mucha pobreza.

4. Prohibir que se discrimine por razones de raza, nacionalidad o sexo.

5. Reconocer la igualdad de derechos ante la ley.

Track 05: Libro del estudiante, p. 440, Act. 6,
Entrevista con una peruana (1:35)

Lee esta entrevista con Viviana Gallegos, una adolescente del Perú.

Ahora, escucha las preguntas y contéstalas en clase. Vas a oír cada pregunta dos veces.

1. En Perú, en los colegios del estado, ¿las familias tienen que pagar la educación o ésta es gratuita?

2. ¿Hay un uniforme nacional para las escuelas de Perú o cada escuela tiene su propio uniforme?

3. ¿Qué son las postas médicas? ¿Qué servicios tienen?

Track 06: Writing, Audio & Video Workbook, p. 134, Audio Act. 1 (6:58)

La Dra. Suárez tiene un programa de radio sobre los problemas de los adolescentes. Primero, lee los nombres y los problemas de los cuatro adolescentes. Luego oirás cinco consejos de la Dra. Suárez. Escribe el número del consejo al lado del nombre del adolescente a quien corresponde. Solamente vas a escribir cuatro números. Vas a oír cada consejo dos veces.

1. Bueno, los adolescentes siempre quieren poder hacer más cosas. Tal vez tus padres temen que si no tienes nada que hacer, vas a meterte en problemas. En este caso, lo más importante es la comunicación. Tienes que hablar con tus padres para establecer una lista de quehaceres y deberes que sean satisfactorios para ti y para tus padres también. Así podrás estar con tus amigos sin que tus padres se enojen contigo.

2. Desafortunadamente, la discriminación es muy común en nuestra sociedad. Me da pena que sufras por los prejuicios y la falta de tolerancia de tus compañeros de clase. El primer consejo que te doy es que hables con las personas que te maltratan. Pero, si eso no te ayuda, recuerda que hay leyes en contra de la discriminación. Habla con un profesor para pedirle apoyo.

3. A ver . . . describes un problema muy importante. Tienes que hablar con tu amigo inmediatamente para darle apoyo y recordarle que el maltrato de las personas es algo ilegal. Hay leyes que protegen a los niños y a los adolescentes del maltrato. Creo que estas leyes se aplican en su caso, y él tiene que hablar con las autoridades inmediatamente. No es necesario que sufra en silencio — hay servicios gratuitos que lo pueden ayudar.

4. Éste es uno de los problemas clásicos de la adolescencia. Los adolescentes creen que sus padres los tratan como niños, y los padres dicen que sus hijos creen que son adultos. Para fomentar el respeto mutuo, debes hablar con tus padres y compartir tus sentimientos. Recuerda que la tolerancia y el respeto empiezan con la comprensión de las demás personas.

5. Las autoridades de las escuelas siempre tratan de aplicar leyes para controlar a los adolescentes. Temen que si no los controlan en cuanto a las cosas pequeñas, como la ropa, no podrán controlar cosas más importantes, como la violencia y la falta de respeto. Si el código de vestimenta es la ley en tu escuela, no hay mucho que puedas hacer, a menos que las autoridades acepten cambiar la situación. Tendrás que esperar hasta que llegue el fin de semana para ponerte la ropa que quieras.

Track 07: Writing, Audio & Video Workbook, p. 135, Audio Act. 2 (3:44)

Vas a oír un resumen de las decisiones de la última reunión del consejo estudiantil del Colegio Central. Mientras escuchas, escribe el número de la decisión al lado del tema correspondiente. Hay sólo un tema por decisión, pero no oirás decisiones para todos los temas. Vas a oír cada decisión dos veces.

Bueno, como secretario de la clase, voy a leer la lista de decisiones tomadas durante la reunión de la semana pasada . . .

1. Primero, la ley sobre la tolerancia y el respeto universal fue aprobada por todos los miembros del consejo estudiantil.

2. También, la fecha para las nuevas elecciones para el consejo estudiantil fue establecida. Las elecciones van a ser el 15 de abril.

3. Fue adoptada una ley para apoyar nuevos proyectos voluntarios en la comunidad.

4. Una declaración en contra del código de vestimenta fue pasada por los votos de la mayoría del consejo estudiantil.

5. Además, fue aprobada una lista de deberes que se le dará a las autoridades de la escuela. Vamos a entregarles la lista esta semana.

6. Finalmente, fue completada una lista sobre las actividades de nuestro consejo estudiantil durante el último año. ¡Eso es todo por ahora!

Track 08: Libro del estudiante, p. 444, Act. 12,
Las noticias del día (3:16)

Imagina que enciendes la radio y escuchas las noticias del día. Para cada frase que escuches, llena una tabla como ésta. Después, usa tus notas para contar de nuevo las noticias. Vas a oír cada noticia dos veces.

1. Un perro fue maltratado por su dueño esta mañana.

2. Varios jóvenes fueron discriminados en un restaurante de la ciudad.

3. Los dueños de una fábrica fueron acusados de abuso y maltrato.

4. Dos adolescentes fueron obligados a devolver un televisor robado.

5. La víctima fue apoyada por los abogados que la defendieron.

6. Un hombre fue criticado por otros ciudadanos por expresar sus opiniones.

7. Los criminales fueron perdonados por el juez.

8. Una empleada fue acusada por el dueño de la compañía de esconder dinero.

Track 09: Libro del estudiante, p. 447, *En voz alta*, Subjuntivo, de Hilario Barrero (1:08)

MALE ADULT:

Y tener que explicar de nuevo el subjuntivo,
. . . cuando lo que desean es (. . .)
y olvidarse del viejo profesor que les roba
su tiempo inútilmente.
Mientras copian los signos del lenguaje,
emotion, doubt, volition, fear, joy . . .,
y usando el subjuntivo de mi lengua de humo
mi deseo es que tengan un amor como el nuestro,
pero sé que no escuchan la frase
que les pongo para ilustrar su duda
ansiosos como están de usar el indicativo.
(. . .)

Track 10: Libro del estudiante, pp. 448–449, *A primera vista* 2, Vocabulario y gramática en contexto (3:09)

Lee en tu libro mientras escuchas la narración.

MALE ADULT: ¿Te preguntaste alguna vez de dónde vienen tus derechos? La garantía de decir lo que piensas, de reunirte con otros, y de sentirte tranquilo o tranquila forman parte de la Constitución de los Estados Unidos. Son parte de las diez primeras enmiendas que se añadieron a la Constitución en 1791 para garantizar la libertad de expresión y otros derechos fundamentales.

FEMALE ADULT: "La igualdad es esencial si queremos tener una sociedad libre y con justicia para todos. Hay que asegurar que todas las personas, en todo el mundo, lleguen a gozar de los mismos derechos."

FEMALE TEEN: "La libertad de la palabra es la base de una sociedad democrática. Debemos proteger la libertad de prensa, de modo que todos tengamos acceso a los diferentes puntos de vista que se expresan en los medios de comunicación."

FEMALE ADULT: "Debido a que todos gozamos de derechos, la policía no puede detener a una persona sin acusarla de un crimen específico. Tampoco puede registrar la casa del acusado sin un documento que indique que es sospechoso de haber violado la ley."

MALE ADULT: "La Declaración garantiza los derechos del acusado a tener un juicio rápido y público, a ser juzgado por un jurado imparcial del estado y a no recibir castigos crueles."

FEMALE ADULT: "El acusado es inocente hasta que se demuestre, con testigos y pruebas, que es culpable."

MALE ADULT: Vas a escuchar cada palabra o cada frase dos veces. Después de la primera vez hay una pausa para que puedas pronunciar la palabra o frase, y luego vas a escuchar de nuevo la palabra o frase.
el acusado   la testigo

Track 11: Libro del estudiante, p. 449, Act. 18,
Los derechos del pueblo (2:44)

Escribe los números del 1 al 6 en una hoja de papel. Escucha lo que dicen estos jóvenes y en cada caso escribe C (cierto) o F (falso). Vuelve a escribir las frases falsas, de manera que sean ciertas. Vas a oír cada frase dos veces.

1. La Constitución de los Estados Unidos protege varios derechos fundamentales.

2. La libertad de prensa no es necesaria para tener una sociedad democrática.

3. Es fácil asegurar que haya igualdad en la sociedad.

4. Los acusados tienen el derecho de ser juzgados por un jurado.

5. De acuerdo a la ley, las personas son culpables hasta que se demuestre que son inocentes.

6. La policía no puede detener a una persona sospechosa por mucho tiempo.

Track 12: Libro del estudiante, p. 450, *A primera vista* 2, Vocabulario y gramática en contexto (2:11)

Lee en tu libro mientras escuchas la narración.

MALE ADULT: Jóvenes por el desarrollo y la paz

Los jóvenes tienen gran fuerza en el mundo de hoy. El desarrollo de los países depende, entre otras cosas, de la participación de los jóvenes. Hay organizaciones internacionales, como la Red de Jóvenes y Estudiantes, que reúnen grupos de jóvenes de todo el mundo. Allí intercambian sus ideas y hacen propuestas sobre los diferentes modos de resolver sus propios problemas y los de otros jóvenes.

FEMALE ADULT: A medida que participan en estas reuniones, los jóvenes aprenden a respetar la diferencia de opiniones de otros grupos. Juntos proponen soluciones a sus problemas y a los problemas del mundo.

Éstos son algunos problemas que enfrentan los jóvenes:

las desigualdades sociales, económicas y políticas

el desempleo

la discriminación por sexo

los jóvenes sin hogar

los conflictos mundiales

la contaminación ambiental

las enfermedades, el hambre y la mala nutrición

los problemas en la familia

la falta de oportunidades de educación y entrenamiento

Track 13: Libro del estudiante, p. 451, *A primera vista 2*,
Vocabulario y gramática en contexto **(1:46)**

Lee en tu libro mientras escuchas la narración.

MALE ADULT: ¿Qué proponen los jóvenes? Lydia, de San
Luis Obispo, California. Ella quiere ser representante
ante la Organización de las Naciones Unidas.

FEMALE TEEN: En lugar de pensar sólo en nosotros mismos,
somos responsables de hablar por los jóvenes del
mundo que llevan una vida difícil. Ellos también tienen
derecho a lograr sus aspiraciones.

FEMALE ADULT: Mark, de Atlanta, Georgia. Mark dice que
trabajará en el gobierno.

MALE TEEN: El fin de la democracia es que tengamos más
libertad para expresar sin miedo lo que opinamos. La
libertad de expresión es un valor democrático
fundamental.

MALE ADULT: Yamiko y Alicia, de Providence, Rhode
Island. Ellas quieren ser consejeras de estudiantes.

FEMALE TEEN: Si la gente se reúne con fines pacíficos e
intercambia opiniones cuando no está de acuerdo,
puede encontrar soluciones a muchos problemas. Así,
habrá menos guerras y también menos problemas en las
escuelas.

Track 14: Libro del estudiante, p. 451, Act. 21,
Hagamos algo **(2:06)**

Escucha las frases. Después de oír cada frase, di quién de
los estudiantes de esta página crees que dijo cada cosa. Vas
a oír cada frase dos veces.

1. La responsabilidad de la Naciones Unidas es la de
   hablar por los jóvenes del mundo.

2. La libertad de expresión es un derecho fundamental.

3. Es importante escuchar a otras personas aunque no
   estés de acuerdo con ellas.

4. Yo necesito expresar mis opiniones sin miedo.

5. Los jóvenes del mundo tienen el derecho de lograr sus
   aspiraciones.

Track 15: Libro del estudiante, p. 454, Act. 26,
Escucha la radio **(3:10)**

A veces parece que las noticias siempre son malas. Escucha
la radio y completa las frases para hacer un resumen de las
noticias. Vas a oír cada noticia dos veces.

1. En Santa Ana, acusaron a un grupo de personas de
   tratar de robar un banco. El testigo principal en el juicio
   será un joven de 18 años de edad.

2. En Ciudad Luna, en lugar de no hacer nada para
   solucionar el problema del tráfico, todas las personas
   hicieron una manifestación pacífica frente al congreso.

3. Representantes de la organización internacional Los
   Amigos fueron a varios países para hablar de los
   derechos y los valores democráticos.

4. Y ahora las noticias locales. La policía dijo que hay tres
   nuevos sospechosos en la desaparición de 200 cajas de

juguetes de la tienda Alegría.

5. A pesar de que muchos se quejaron, el alcalde Marino
   dijo que se castigará a quien viole la ley contra el ruido.

Track 16: Writing, Audio & Video Workbook, p. 136,
Audio Act. 3 (4:48)

Vas a oír los comentarios de cuatro personas de la escena
del dibujo. Mientras escuchas, escribe el número de la
persona que habla al lado de la persona correspondiente
del dibujo. Vas a oír cada comentario dos veces.

1. **MALE ADULT 1:** Bueno, a ver lo que recuerdo . . . Fue un
   miércoles por la noche. Vi al acusado en el centro
   comercial . . . estaba corriendo rápidamente de una tienda
   de música. Todo me pareció muy sospechoso . . . Lo
   persiguió una policía que lo capturó y lo llevó preso . . .

2. **FEMALE ADULT 1:** Mira la cara de sospechoso que tiene . . .
   Parece que es culpable. Claro, tenemos que asegurarnos
   de toda la información antes de votar, porque él tiene
   derecho a recibir un juicio justo. Aunque no parece
   nada inocente . . . pero yo no debería tener prejuicios al
   momento de votar.

3. **FEMALE ADULT 2:** Sí, sí . . . ¡les aseguro que será un
   artículo extraordinario! Bueno, todavía no sabemos si el
   preso es culpable o no, pero la cosa más interesante es
   que él es el hijo del senador del estado. ¡Sí! ¡De veras!
   Bueno . . . no sé si lo dejarán libre . . . tienen que esperar
   hasta que lo terminen de juzgar . . . La corte no aceptará
   la intromisión de la prensa.

4. **MALE ADULT 2:** Todos deben escuchar muy
   cuidadosamente a los testigos y los comentarios de las
   abogadas. El acusado tiene la garantía de que recibirá
   un juicio imparcial con un jurado. Es fundamental que
   recuerden que el acusado es inocente hasta que se
   demuestre, con testigos y pruebas, que es culpable.

Track 17: Writing, Audio & Video Workbook, p. 137,
Audio Act. 4 (3:59)

Escucha los comentarios de tres personas que acaban de
participar en un juicio muy dramático. Primero lee la lista de
conclusiones. Luego, mientras escuchas, escribe el número
de la persona que habla al lado de la conclusión que mejor
se corresponda con lo que esta persona dice. No todas las
conclusiones se usan. Vas a oír cada comentario dos veces.

1. **FEMALE ADULT:** Bueno, yo soy la abogada del acusado.
   Después de ver cómo salió el juicio, puedo decir que si
   yo hubiera sabido todo lo que sé hoy, habría hecho las
   cosas de otra manera. Yo sabía que este hombre era
   inocente, pero de todos modos lo pusieron en la cárcel.
   Si yo hubiera encontrado más pruebas, habríamos
   probado su inocencia.

2. **MALE ADULT 1:** ¡Qué lástima! Yo soy el policía que lo
   llevó preso. Si no lo hubiera visto corriendo de la escena
   del crimen, no lo habría detenido. Claro, yo no sabía
   exactamente lo que había ocurrido, pero como ahora
   todos sabemos que es un hombre inocente, siento un
   poco de vergüenza . . . pero, ¿cómo hubiera podido
   saber yo lo que pasaría?

3. **Male Adult 2:** ¡Qué alivio! Por fin encontraron pruebas de que yo soy inocente. Si lo hubieran hecho antes, no habría pasado un mes en la cárcel. Fue solamente después de que hice una entrevista con la prensa que empezaron a salir pruebas nuevas, a causa de la publicidad . . . Si hubiera sabido eso antes . . .

Track 18: Writing, Audio & Video Workbook, p. 137, Audio Act. 5 (5:01)

Estás escuchando la radio. Mientras cambias de estación, oyes cuatro noticias sobre unos eventos recientes. Primero, mira la primera página de los siguientes periódicos. Luego, mientras escuchas, escribe el número de la noticia al lado de la página del periódico que mejor corresponda. Solamente vas a escribir *cuatro* números. Vas a oír cada noticia dos veces.

1. . . . y en otras noticias de la ciudad capital, parece que tres senadores del estado se encuentran acusados de crímenes fiscales. Los senadores Murillo, García y Rodríguez fueron detenidos en sus hogares esta tarde. La policía dijo que si no los hubiera detenido hoy, los senadores se habrían escapado del país . . .

2. . . . la pobreza, que todos sabemos ha sido el problema más serio que ha tenido este estado durante los últimos dos años. El gobernador del estado hoy firmó una ley que asegurará una variedad de servicios gratuitos para la gente necesitada. Si hubiera firmado esta ley hace un año, habría menos problemas hoy . . .

3. . . . después de un juicio largo, dramático y difícil. La abogada del señor Gómez anunció hoy que los testigos que se encontraron hace poco ayudaron a establecer la justicia. Si se hubieran encontrado a estos testigos antes, el señor Gómez no habría pasado tres años en la cárcel. Él ha estado gozando de su libertad desde esta mañana . . .

4. . . . el abuso de las personas menores de 18 años. La nueva ley, que hoy fue aprobada por el Congreso y el Senado, establece penas más fuertes para las personas que violan los derechos de los niños y adolecentes. La nueva ley se empezará a aplicar a principios de mayo, según autoridades en la oficina del gobernador . . .

Track 19: Libro del estudiante, p. 464, *¿Qué me cuentas?*, Justicia para todos (5:30)

Escucha el siguiente diálogo entre Sergio y su padre. Después de cada sección del diálogo vas a oír tres preguntas. Escoge la mejor respuesta para cada pregunta. Vas a oír el diálogo dos veces.

Male Teen: Papá, el otro día vino de visita a la clase un juez. Nos habló de la justicia en nuestro país.

Male Adult: Me habría interesado mucho participar en la clase. ¿Qué les dijo el juez?

Male Teen: Nos explicó cómo funciona la justicia en los Estados Unidos. Por ejemplo, que todas las personas acusadas de un crimen tendrían derecho a un juicio.

Male Adult: ¿Y cómo serían los juicios?

Male Teen: En los juicios habría un jurado, un juez y testigos. Si hubiéramos tenido más tiempo, el juez nos habría mostrado un video de un juicio público.

Vas a escuchar este diálogo de nuevo.

1. ¿A qué tendrían derecho todas las personas acusadas de un crimen?

2. ¿Qué habría en los juicios?

3. ¿Qué les habría mostrado el juez a los estudiantes si hubieran tenido más tiempo?

Male Adult: ¿Y qué derechos y garantías tendrían las personas ante la ley?

Male Teen: Todas las personas gozarían de igualdad ante la ley.

Male Adult: Eso es muy importante.

Male Teen: Sí y también que las personas no podrían ser discriminadas ni maltratadas ni podrían sufrir abusos.

Male Adult: ¿Quién asegura que esto último se cumpla?

Male Teen: El estado, a través de las leyes.

Male Adult: ¿Tomaste notas de todo lo que les explicó el juez?

Male Teen: Por supuesto. Saber sobre este tema es muy necesario.

Vas a escuchar este diálogo de nuevo.

4. ¿Qué derechos y garantías tendrían las personas ante la ley?

5. ¿Quién asegura que las personas no sean discriminadas ni maltratadas?

6. ¿Por qué es necesario saber sobre la justicia en nuestro país?

Track 20: Libro del estudiante, p. 472, *Repaso del capítulo*, Vocabulario (5:24)

Escucha las palabras y expresiones que has aprendido en este capítulo.

sobre tus derechos y responsabilidades

aplicar (las leyes)	maltratar
discriminado	obligar
discriminada	sufrir
discriminar	tratar
funcionar	votar
gozar (de)	

en el hogar

el abuso	la libertad
el adolescente	la niñez
la adolescente	la pobreza
el apoyo	

en la escuela

el armario	el maltrato
la autoridad	el motivo
el código de vestimenta	el pensamiento
el deber	la razón
la enseñanza	el respeto
la igualdad	

otros adjetivos y expresiones

adecuado	en cuanto a
adecuada	estar sujeto a
ambos	satisfactorio
de ese modo	satisfactoria

sobre los derechos de los ciudadanos

el acusado	el jurado
la acusada	la justicia
asegurar	juzgar
el castigo	la paz
la desigualdad	la prensa
el desempleo	la propuesta
detener	sospechoso
el estado	sospechosa
fundamental	el testigo
la felicidad	la testigo
fundamental	la tolerancia
la injusticia	violar
el juicio	

sobre los derechos de todas las personas

la aspiración	opinar
el fin	pacífico
la garantía	pacífica
la igualdad	proponer
intercambiar	el punto de vista
libre	el valor
mundial	

otros adjetivos y expresiones

a medida que	el modo
ante	en lugar de
culpable	la falta de
democrático	inocente
democrática	llegar a
de modo que	

Track 21: Libro del estudiante, p. 475, *Preparación para el examen,* Escuchar **(2:55)**

Responde a las preguntas sobre la reglas del Club. Deportivo Veloz. (a) ¿Respetar el código de vestimenta es un derecho o un deber de los miembros? (b) ¿Qué significa que los miembros tendrán derecho de opinar? (c) ¿Qué les pasa a los que no obedecen las reglas? (d) ¿Crees que hay igualdad entre los derechos y los deberes de los miembros? Di por qué. Vas a oír cada regla dos veces.

1. Los miembros deberán tener respeto por el código de vestimenta al hacer ejercicio.

2. Las decisiones sobre todas las actividades que se organicen serán democráticas y los miembros tendrán derecho a opinar.

3. Quienes violen las reglas la primera vez, serán castigados sin usar los equipos deportivos durante un mes. La segunda vez que no respeten las reglas, deberán salir del club.

4. No habrá tolerancia para los que violen las reglas.

Video Script

Gran trabajo para la comunidad

(3:30)

NARRADOR: En los Estados Unidos, todos los ciudadanos tienen el derecho de participar en el gobierno. Entre los diversos grupos étnicos, las comunidades latinas forman una gran proporción de la población. Como todos los cuidadanos, ellos son una parte integral del proceso democrático de este país. OÍSTE es una organización dedicada a enseñarle al público sobre la acción política. Le ofrecen talleres y ayudan en las campañas políticas. Ellos creen que cada uno de nosotros podemos gozar del poder político.

GIOVANNA NEGRETTI: La fuerza que tiene OÍSTE es la pasión con que trabajamos para defender los derechos de la diversidad de latinos que hay aquí en el estado de Massachusetts.

NARRADOR: Cada año, adolecentes de la secundaria y estudiantes universitarios trabajan con OÍSTE. Will siempre ha querido apoyar a su comunidad.

WILBER RENDEROS: Nosotros ofrecemos entrenamientos para la comunidad latina, para educarlos sobre los métodos que su comunidad y también para que aprendan sobre sus derechos civiles. Estos entrenamientos son gratuitos.

GIOVANNA NEGRETTI: También hacemos entrenamientos al nivel regional, en ciudades donde hay grandes cantidades de latinos, sobre asuntos que les afectan diariamente, ya sea en las escuelas, ya sea asuntos legislativos que les afectan diariamente a los latinos.

NARRADOR: OÍSTE también explica cómo se prepara para votar y le ofrece otros servicios importantes a la comunidad.

GIOVANNA NEGRETTI: OÍSTE participa de festivales en las comunidades. Por ejemplo, el Festival puertorriqueño, para poder repartir información sobre lo que hace la agencia y cómo nosotros trabajamos con la comunidad.

NARRADOR: OÍSTE nos enseña que el punto de vista de cada individuo puede contar. OÍSTE es un recurso importante para ciudadanos que aspiran a ejercer sus derechos en el sistema democrático de los Estados Unidos.

Realidades 3

Nombre _____

Capítulo 10

Fecha _____

Communicative Pair Activity 10-1

Estudiante A

Tú eres la **O** y tu compañero(a) es la **X**. Para empezar, tu compañero(a) escogerá un número del 1 al 9. Lee la frase del cuadrado que escogió tu compañero(a) y espera a que él o ella diga la palabra a la que responde la definición. Si responde la palabra correcta, pon una **X** en el cuadrado. Si no, no pongas nada y no le digas la respuesta porque puede escoger ese número más tarde. Luego será tu turno de escoger un número y contestar la palabra o frase correcta. La primera persona en obtener tres respuestas correctas horizontal, vertical o diagonalmente gana la partida.

1. algo que no es justo (injusticia)	**2.** comportarse con la gente (tratar)	**3.** aceptar las ideas de otros (tolerar)
4. hacer que alguien haga algo (obligar)	**5.** consideración, admiración (respeto)	**6.** los dos (ambos)
7. responsabilidad (deber)	**8.** poder de hacer lo que uno quiera (libertad)	**9.** estado en el que uno es feliz (felicidad)

Realidades **3**

Capítulo 10

Nombre _____

Fecha _____

Communicative Pair Activity 10-1

Estudiante B

Tú eres la **X** y tu compañero(a) es la **O**. Para empezar, escogerás un número del 1 al 9. Contesta la palabra que responde a la definición. Luego será el turno de tu compañero(a) de elegir un número. Lee la definición del número escogido. Si responde la palabra correcta, pon una **O** en el cuadrado. Si no, no pongas nada y no le digas la respuesta porque puede escoger ese número más tarde. La primera persona en obtener tres respuestas correctas horizontal, vertical o diagonal gana la partida.

1. reglas para la ropa apropiada (código de vestimenta)	**2.** tranquilidad (paz)	**3.** poder para decir a otros lo que tienen que hacer (autoridad)
4. acción de tratar mal a alguien (maltrato)	**5.** motivo (razón)	**6.** falta de dinero y comida (pobreza)
7. pasarlo mal (sufrir)	**8.** todas las instituciones del gobierno (estado)	**9.** estado en el que todo es igual (igualdad)

Realidades 3

Nombre _____

Capítulo 10

Fecha _____

Muchos compañeros de tu clase ayudaron a preparar el Festival de derechos del estudiante de tu escuela. Pregúntale a tu compañero(a) quiénes hicieron las siguientes actividades. Escribe sus respuestas en los espacios en blanco.

1. ¿Quién preparó los carteles?

_____

2. ¿Quién solicitó dinero para el nuevo gimnasio?

_____

3. ¿Quién construyó las mesas para el debate?

_____

4. ¿Quién organizó las olimpiadas de la enseñanza?

_____

5. ¿Quién sirvió la comida a los estudiantes?

_____

6. ¿Quién ayudó a los participantes?

_____

7. ¿Quién apoyó a la presidenta de la clase?

_____

8. ¿Quién recicló el papel con la información?

_____

Responde a las preguntas de tu compañero(a) según la información que tienes.

¿Quién cantó la canción? (los estudiantes)
La canción fue cantada por los estudiantes.

1. Julia

2. Mateo y Rosa

3. yo

4. la Srta. García

5. nosotros

6. el presidente de la clase

7. el periodista

8. todos

Realidades ③

Capítulo 10

Nombre _____

Fecha _____

Communicative Pair Activity 10-2

Estudiante B

Muchos compañeros de tu clase ayudaron a preparar el Festival de derechos del estudiante de tu escuela. Responde a las preguntas de tu compañero(a) según la información que tienes.

¿Quién cantó la canción? (los estudiantes)
La canción fue cantada por los estudiantes.

1. Beto

2. Mercedes y Raúl

3. el estudiante

4. el Sr. Gómez

5. nosotros

6. la maestra

7. yo

8. todos

Ahora, pregúntale a tu compañero(a) quiénes hicieron las siguientes actividades. Escribe sus respuestas en los espacios en blanco.

1. ¿Quién preparó los sándwiches? _____

_____

2. ¿Quién juntó fondos para el festival? _____

_____

3. ¿Quién limpió la clase? _____

_____

4. ¿Quién repartió información sobre los derechos de los estudiantes? _____

_____

5. ¿Quién sirvió refrescos a los participantes? _____

_____

6. ¿Quién leyó el discurso? _____

_____

7. ¿Quién sacó fotografías del festival? _____

_____

8. ¿Quién recicló las latas de refrescos? _____

_____

Talk!

Realidades **3**

Capítulo 10

Nombre

Fecha

Communicative Pair Activity 10-3

Estudiante A

Primero, completa las oraciones con tus opiniones sobre los siguientes temas. Después lee tus opiniones y escucha las reacciones de tu compañero(a). Según su reacción, pon una marca en la columna adecuada. Cuando tu compañero(a) te dé su opinión, responde con una reacción del recuadro.

	Mi compañero(a)	
En mi opinión . . .	**. . . está de acuerdo**	**. . . no está de acuerdo**
1. La prensa tiene que ser	☐	☐
2. Los acusados necesitan	☐	☐
3. Se debe detener	☐	☐
4. Es fundamental que	☐	☐
5. No hay que juzgar	☐	☐
6. Tenemos que asegurar	☐	☐

REACCIONES

¡Claro que sí!   Creo que sí.   *No estoy de acuerdo.*

No lo creo.   ¡No es verdad!   **Tienes razón.**

Realidades 3

Nombre _____

Capítulo 10

Fecha _____

Communicative Pair Activity 10-3

Estudiante B

Primero, completa las oraciones con tus opiniones sobre los siguientes temas. Después lee tus opiniones y escucha las reacciones de tu compañero(a). Según su reacción, pon una marca en la columna adecuada. Cuando tu compañero(a) te dé su opinión, responde con una reacción del recuadro.

Mi compañero(a)

En mi opinión . . .

	. . . está de acuerdo	. . . no está de acuerdo
1. La justicia tiene que ser	☐	☐
_____		
_____		
2. Tenemos derecho a	☐	☐
_____		
_____		
3. Una sociedad democrática debe	☐	☐
_____		
_____		
4. Los culpables deberían	☐	☐
_____		
_____		
5. La igualdad es	☐	☐
_____		
_____		
6. Reunirse con fines pacíficos es	☐	☐
_____		
_____		

REACCIONES

¡Es cierto!	¡Por supuesto!	Estoy de acuerdo.
Creo que no . . .	*Es verdad.*	**No tienes razón.**

Primero, escribe lo que tú habrías hecho en cada situación. Después, hazle la misma pregunta a tu compañero(a) y escribe su respuesta en la segunda línea.

ser astronauta
Si hubiera sido astronauta, habría viajado a todos los planetas.
—Si hubieras sido astronauta, ¿qué habrías hecho?

1. ver un fenómeno inexplicable

_____

_____

2. trabajar en otro país

_____

_____

3. escribir una novela

_____

_____

4. ganar cien millones de dólares

_____

_____

5. ser testigo de una injusticia

_____

_____

6. juzgar a un sospechoso

_____

_____

7. ir de viaje a la luna

_____

_____

8. dormir ocho horas

_____

_____

Realidades ③

Nombre

Capítulo 10

Fecha

Communicative Pair Activity **10-4**

Estudiante **B**

Primero, escribe lo que tú habrías hecho en cada situación. Después, hazle la misma pregunta a tu compañero(a) y escribe su respuesta en la segunda línea.

ser juez
Si hubiera sido juez, habría sido justo.
—Si hubieras sido juez, ¿qué habrías hecho?

1. ser famoso

_____

_____

2. poder comprar cualquier cosa en el mundo

_____

_____

3. encontrarse con extraterrestres

_____

_____

4. dirigir una universidad

_____

_____

5. entrevistar a una persona famosa

_____

_____

6. castigar a un culpable

_____

_____

7. actuar en una película

_____

_____

8. hacer un servicio voluntario

_____

_____

2A

Capítulo 10   **Realidades** 3

Hablar de los gobiernos en otras épocas

Estás hablando sobre lo que debían hacer los gobiernos en épocas antiguas para proteger a los ciudadanos.

— Pregúntale a tu compañero(a) cuáles cree que serían las responsabilidades más importantes del gobierno de una civilización antigua que haya estudiado.

— Añade otras responsabilidades de las que no haya hablado tu pareja y di si crees que son más o menos importantes y por qué.

— Responde la pregunta de tu compañero(a).

2B

Capítulo 10   **Realidades** 3

Hablar de los gobiernos en otras épocas

Estás hablando sobre lo que debían hacer los gobiernos en épocas antiguas para proteger a los ciudadanos.

— Responde la pregunta de tu pareja.

— Haz comentarios sobre la respuesta de tu compañero(a).

— Luego, pregúntale en qué se parecen y en qué se diferencian las responsabilidades que tienen los gobiernos de hoy y las que tenían los gobiernos de épocas antiguas.

1A

Capítulo 10   **Realidades** 3

Hablar de los derechos de los niños

Estás hablando con otro(a) estudiante sobre la mejor manera de proteger los derechos de los niños.

— Pregúntale a tu compañero(a) cuáles cree que son los derechos más importantes que tienen los niños.

— Pregúntale a tu pareja si enseñar a los niños esos derechos ayudaría a protegerlos.

— Da tu opinión sobre las respuestas de tu compañero(a). Da detalles para explicar mejor tu opinión.

1B

Capítulo 10   **Realidades** 3

Hablar de los derechos de los niños

Estás hablando con otro(a) estudiante sobre la mejor manera de proteger los derechos de los niños.

— Responde la pregunta de tu compañero(a).

— Responde la pregunta de tu compañero(a) y explica por qué. Luego, habla de otras maneras de proteger los derechos de los niños. Di si serían mejores y por qué.

Vocabulary Clip Art

el abuso

el / la acusado, -a

a medida que

adecuado, -a

Vocabulary Clip Art

el / la adolescente

ambos

ante

aplicar (las leyes)

el apoyo

el armario

asegurar

la aspiración

el asunto

la autoridad	castigo	el código de vestimenta
culpable	de ese modo	de modo que
el deber	democrático, -a	el desempleo

Vocabulary Clip Art

la desigualdad

detener

discriminar

en cuanto a

en lugar de

la enseñanza

el estado

estar sujeto a

falta de

Vocabulary Clip Art

la felicidad	el fin	funcionar
fundamental	la garantía	gozar de
gratuito	la igualdad	la injusticia

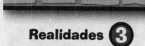

Vocabulary Clip Art

inocente

intercambiar

el juicio

la justicia

juzgar

la libertad

el ben libre gumo

b llegar a

maltratar

Vocabulary Clip Art

el maltrato	el modo	el motivo
mundial	la niñez	obligar
opinar	pacífico, -a	el pensamiento

Vocabulary Clip Art

la pobreza	proponer	la propuesta
el punto de vista	la razón	el respeto
satisfactorio, -a	sospechoso, -a	sufrir

la tolerancia

tratar

el valor

violar

Core Practice Answers

10-1

1. policía / arresta
2. juez / abogados
3. vecinas / pelean
4. manifestación / contra
5. obedece / padres
6. permite
7. ciudadanas

10-2

A.

1. se reunieron
2. disfrutábamos
3. obedecimos
4. confiaba
5. resolviste

B.

1. querías
2. sabía
3. supe
4. quiso
5. pudo
6. quería
7. conocía
8. conocí

10-3

1. injusticia
2. tratan
3. libertad
4. respeto
5. maltratado
6. obligan
7. deberes

10-4

1. código / vestimenta
2. igualdad
3. sujetos
4. obliguen
5. felicidad
6. gratuita
7. libertad / pensamiento
8. autoridad

9. Gozan / expresión
10. estado

10-5

1. Las responsabilidades del gobierno fueron discutidas en los periódicos.
2. Varios programas de salud fueron promovidos por las enfermeras de la ciudad.
3. Un discurso fue leído por el presidente del país.
4. Varios temas fueron tratados en el discurso.
5. Una nueva tienda de deportes fue abierta en el centro.
6. Muchos clientes fueron entrevistados por los reporteros.
7. Las opiniones de los clientes fueron escuchadas por el público.
8. El problema de la contaminación del río fue resuelto por un grupo de estudiantes.
9. Una campaña de limpieza fue organizada por ellos.

10-6

1. hagan / Antes pedían que los estudiantes hicieran tarea durante las vacaciones. Ya no.
2. se apliquen / Antes permitía que las reglas no se aplicaran con igualdad. Ya no.
3. abran / Antes dejaba que los profesores abrieran los armarios de los estudiantes. Ya no.
4. haya / Antes insistía en que hubiera un código de vestimenta. Ya no.
5. participen / Antes era posible que los estudiantes participaran en todas las decisiones del colegio. Ya no.
6. se queden / Antes era necesario que los estudiantes se quedaran hasta las cinco de la tarde. Ya no.
7. saquen / Antes se prohibía que

los estudiantes sacaran libros de la biblioteca. Ya no.
8. se levanten / Antes exigían que los estudiantes se levantaran cuando entraba el profesor. Ya no.

10-7

1. que estudiaran
2. no haya votado
3. que se divirtieran
4. que se pusiera una corbata
5. que se trataran con respeto
6. que fuera escrito por José Antonio
7. que estas reglas hayan sido establecidas por el director
8. que hayan prohibido las manifestaciones

10-8

1. acusado / juicio
2. valor
3. proponen / mundiales
4. testigos / culpable
5. detener
6. opinamos / aspiraciones
7. intercambiar / propuestas

10-9

1. democráticos
2. igualdad
3. libre
4. fundamentales
5. prensa
6. puntos de vista
7. desigualdad
8. En lugar de
9. pacíficas
10. fin

10-10

1. Me pareció bien que las mujeres hubieran exigido la igualdad de derechos.
2. Me gustó que los trabajadores hubieran pedido mejor acceso a los hospitales.

3. Me pareció importante que hubieran decidido tratar mejor a los extranjeros.

4. No pude creer que el gobierno hubiera prometido proteger la libertad de prensa.

5. Me alegré de que hubieran garantizado los derechos del acusado.

6. Dudaba que hubieran propuesto soluciones pacíficas a los conflictos con otros países.

7. Fue bueno que el gobierno hubiera empezado a luchar contra el desempleo.

8. ¡Cuánto me alegré de que el país hubiera mejorado tanto!

10-11

1. No, Luisa no habría salido.

2. No, yo no habría nadado.

3. No, Francisco no la habría invitado.

4. No, yo no la habría aceptado.

5. No, nosotros habríamos respetado las reglas.

6. No, los otros se habrían enterado del problema.

7. No, nosotros habríamos buscado en la casa.

8. No, yo lo habría resuelto.

9. No, sus amigos habrían propuesto una solución.

10-12

1. Si tú no hubieras conducido tan rápidamente, no te habría detenido la policía.

2. Si Pedro no hubiera dejado abierta la puerta de su coche, su coche no habría desaparecido.

3. Si hubiera habido traductores, habríamos comprendido la conferencia.

4. Si esas personas hubieran conocido sus derechos, se habrían defendido.

5. Si hubieran respetado sus derechos, no lo habrían arrestado.

6. Si Alicia hubiera corrido bien en la carrera, habría ganado el premio.

7. Si él hubiera visto el accidente, habría podido ser testigo.

8. Si hubieran manejado con cuidado, no habrían tenido un accidente.

10-13

Answers will vary.

10-14

1. The passive voice is formed by using *ser* + past participle.

2. Yes. The past participle is an adjective and has to agree in number and gender with the subject.

3. present, present perfect, command, future tense

4. preterite, imperfect, pluperfect, conditional

5. Use either the imperfect subjunctive or the pluperfect subjunctive.

6. The conditional perfect is formed using the conditional of *haber* +the past participle of the verb.

7. The past perfect subjunctive is used.

8. The conditional perfect is used.

9. habría ido
habrías ido
habría ido
habríamos ido
habríais ido
habrían ido

Pretérito vs. imperfecto (p. 431)

• Remember that you must determine whether to use the preterite or the imperfect when speaking in Spanish about the past.

Use the preterite:
• to talk about past actions or a sequence of actions that are considered complete.
  Mis padres fueron a la escuela y hablaron con mi profesor.

Use the imperfect:
• to talk about repeated or habitual actions in the past
  Yo siempre hacía mis tareas después de la escuela.
• to provide background information or physical and mental descriptions
  Nacha, una chica que tenía diez años, estaba enojada.
• to convey two or more actions that were taking place simultaneously in the past.
  Yo leía mientras mis padres preparaban la cena.

A. Read the following sentences and decide if the action is a completed action (C), a habitual/repeated action (H), or background information (B). Follow the model.

Modelo Los científicos trabajaban todos los días para proteger el medio ambiente.   C (H) B

1. El martes pasado el presidente **habló** sobre la injusticia.   (C) H B
2. Mi hermano mayor **tenía** 22 años.   C H (B)
3. Nuestro vecino nos **trajo** unos panfletos sobre la economía.   (C) H B
4. Los estudiantes siempre **luchaban** por leyes más justas.   C (H) B
5. Los miembros de la comunidad **estaban** muy entusiasmados.   C H (B)

B. Conjugate the verbs in parentheses in the preterite or imperfect to complete the sentences. Follow the model.

Modelo El verano pasado nosotros **fuimos** (ir) a un concierto en beneficio de los niños diabéticos.

1. Cuando mis padres **eran** (ser) niños, ellos siempre **obedecían** (obedecer) las reglas de su escuela.
2. De niña, mi vecina **tenía** (tener) pelo muy largo.
3. Yo **cumplí** (cumplir) con todas mis responsabilidades hoy.
4. En sus conciertos de escuela, mi prima **cantaba** (cantar) mientras mi primo **tocaba** (tocar) el piano.
5. Todos los estudiantes **disfrutaron** (disfrutar) de la fiesta del sábado pasado.

realidades.com
• Web Code: jed-1001

Pretérito vs. imperfecto (p. 431)

• You may use the preterite and imperfect together in one sentence when one action (preterite) interrupts another action that was already taking place (imperfect).
  Nosotros hacíamos las tareas cuando nuestro vecino llamó.

C. Complete the following sentences with the preterite or imperfect of the verbs in parentheses. Remember to put the background action in the imperfect and the interrupting action in the preterite.

Modelo Los soldados **luchaban** (luchar) cuando **empezó** (empezar) a llover.

1. Mi hermana menor **estaba** (estar) en la clase de ciencias cuando **sonó** (sonar) la alarma contra incendios.
2. Nosotros **hablábamos** (hablar) de las obligaciones de la sociedad cuando mi amigo **salió** (salir).
3. Constantino **se cayó** (caerse) cuando **corría** (correr) en el centro de la comunidad.
4. Yo **jugaba** (jugar) al fútbol con mis amigos cuando José **metió** (meter) un gol.
5. ¿Tú **viste** (ver) el accidente cuando **caminabas** (caminar) a la escuela?

D. Read the following paragraph about a surprising turn of events. Conjugate the verbs given in the preterite or imperfect, according to the context. The first one has been done for you.

Ayer después de clases, yo (1) **salí** (salir) con mis padres. Yo (2) **me sentía** (sentirse) impaciente porque (3) **tenía** (tener) mucha tarea y (4) **quería** (querer) ver a mi novio. De repente, mi papá (5) **paró** (parar) el coche enfrente de mi restaurante favorito. Cuando nosotros (6) **entramos** (entrar) al restaurante, (yo) (7) **vi** (ver) que (8) **estaban** (estar) todos mis amigos con un pastel grande en honor de mi cumpleaños. ¡Qué sorpresa!

realidades.com
• Web Code: jed-1001

Verbos con distinto sentido en el pretérito y en el imperfecto (p. 433)

• Remember that some verbs change meaning depending on whether they are used in the preterite or the imperfect tense. Look at the chart below for a reminder.

Verb	Preterite	Imperfect
conocer	met for the first time *Marta conoció a su mejor amiga en la escuela primaria.*	knew someone *El abogado y el juez se conocían muy bien.*
saber	found out, learned *El policía supo que el criminal se había escapado.*	knew a fact *Los ciudadanos sabían que tenían que obedecer la ley.*
poder	succeeded in doing *Después de mucho trabajo, la policía pudo arrestar al ladrón.*	was able to, could *El juez nos dijo que no podíamos hablar con nadie sobre el caso.*
querer	tried *Quisimos resolver el conflicto, pero fue imposible.*	wanted *El gobierno quería escuchar las opiniones de la gente.*
no querer	refused *No quise reunirme con el jefe. Salí temprano.*	didn't want *Nosotros no queríamos ir a la manifestación, pero fuimos.*

A. Match the conjugated forms of the following preterite and imperfect verbs with their English meanings. The first one has been done for you.

D 1. supe   **A.** I met (somebody) for the first time

F 2. pude   **B.** I didn't want to

E 3. sabía   **C.** I tried to

C 4. quise   **D.** I found out, learned

A 5. conocí   **E.** I knew

B 6. no quería **F.** I managed to, succeeded in

B. Circle the preterite or the imperfect form of the verb, according to the context.

Modelo (Conocí /(Conocía) a mucha gente nueva en la manifestación.

1. (Conocí /(Conocía) al hombre que la organizó. Era un amigo de mis padres.

2. No (supe /(sabía) que la policía trabajaba con la organización.

realidades.com
• Web Code: jed-1001

---

3. Durante la manifestación, ((supe)/ sabía) que un juez también luchaba contra el problema.

4. No (supe /(sabía) mucho del problema antes de ir a la manifestación.

C. Circle the correct preterite or the imperfect form of the verb given, according to the context. The first one has been done for you.

No 1.(quise /(quería) salir el viernes pasado porque tenía mucha tarea, pero fui al cine con mi mejor amiga. Después ella me preguntó si nosotras 2.(pudimos /(podíamos) ir a un restaurante. Yo le dije que sí y cuando llegamos, ella pidió los calamares. ¡Qué asco! Yo 3.((no quise)/ no quería) comerlos así que pedí una pizza. Cuando recibimos la cuenta, nos dimos cuenta de que no teníamos dinero. No 4.(quisimos /(queríamos) llamar a nuestros padres, pero no había otra opción. Mi padre nos trajo dinero y por fin 5.(podíamos /(pudimos) pagar la cuenta.

D. Conjugate the verbs in the following sentences in the correct preterite or the imperfect form, depending on context. Follow the model.

Modelo (querer) Mi madre no ___quiso___ comer en ese restaurante. Se quedó en casa.

1. (poder) Después de hacer un gran esfuerzo, mis padres ___pudieron___ resolver el problema.

2. (saber) Yo siempre ___sabía___ que era muy importante decir la verdad.

3. (conocer) La semana pasada nosotros ___conocimos___ al boxeador que ganó la pelea reciente.

4. (poder) La policía le aseguró a la víctima que ___podía___ garantizar su seguridad.

5. (querer) Paco no ___quería___ respetar el límite de velocidad, pero la policía le dijo que tenía que hacerlo.

6. (conocer) El presidente y la senadora se ___conocían___ muy bien y se confiaban mucho.

realidades.com
• Web Code: jed-1001

Copy the word or phrase in the space provided. Be sure to include the article for each noun.

el código de vestimenta	la autoridad	el asunto
el ___ código ___ de ___ vestimenta	la ___ autoridad	el ___ asunto
discriminado, discriminada	el deber	de ese modo
discriminado , discriminada	el ___ deber	de ___ ese ___ modo
la enseñanza	en cuanto a	discriminar
la ___ enseñanza	en ___ cuanto ___ a	discriminar

Write the Spanish vocabulary word below each picture. If there is a word or phrase, copy it in the space provided. Be sure to include the article for each noun.

		el abuso
la ___ paz	votar	el ___ abuso
adecuado, adecuada	el/la adolescente	ambos
adecuado , adecuada	el/la ___ adolescente	ambos
aplicar (las leyes)	el apoyo	el armario
aplicar (las leyes)	el ___ apoyo	el ___ armario

Copy the word or phrase in the space provided. Be sure to include the article for each noun.

la libertad	libre	maltratar
la _libertad_	_libre_	_maltratar_

el maltrato	el motivo	la niñez
el _maltrato_	el _motivo_	la _niñez_

obligar	el pensamiento	la pobreza
obligar	el _pensamiento_	la _pobreza_

Copy the word or phrase in the space provided. Be sure to include the article for each noun.

el estado	estar sujeto, sujeta a	la felicidad
el _estado_	estar _sujeto_, sujeta _a_	la _felicidad_

funcionar	gozar de	gratuito, gratuita
funcionar	gozar _de_	_gratuito_, gratuita

la igualdad	la injusticia	la justicia
la _igualdad_	la _injusticia_	la _justicia_

Tear out this page. Write the English words on the lines. Fold the paper along the dotted line to see the correct answers so you can check your work.

Fold In ↓

el abuso	*abuse*
adecuado, adecuada	*adequate*
ambos	*both*
aplicar (las leyes)	*to apply (the law)*
el apoyo	*support*
el armario	*locker*
el asunto	*subject*
la autoridad	*authority*
el código de vestimenta	*dress code*
el deber	*duty*
discriminado, discriminada	*discriminated*
discriminar	*to discriminate*
la enseñanza	*teaching*
el estado	*the state*
estar sujeto, sujeta a	*to be subject to*
la felicidad	*happiness*
funcionar	*to function*

Copy the word or phrase in the space provided. Be sure to include the article for each noun. The blank cards can be used to write and practice other Spanish vocabulary for the chapter.

la razón	el respeto	**satisfactorio, satisfactoria**
la razón	el respeto	satisfactorio, satisfactoria
sufrir	la tolerancia	
sufrir	la tolerancia	

Sheet 2

Tear out this page. Write the Spanish words on the lines. Fold the paper along the dotted line to see the correct answers so you can check your work.

abuse	*el abuso*
adequate	*adecuado, adecuada*
both	*ambos*
to apply (the law)	*aplicar (las leyes)*
support	*el apoyo*
locker	*el armario*
subject	*el asunto*
authority	*la autoridad*
dress code	*el código de vestimenta*
duty	*el deber*
discriminated	*discriminado, discriminada*
to discriminate	*discriminar*
teaching	*la enseñanza*
the state	*el estado*
to be subject to	*estar sujeto, sujeta a*
happiness	*la felicidad*
to function	*funcionar*

Fold In ↓

Sheet 3

Tear out this page. Write the English words on the lines. Fold the paper along the dotted line to see the correct answers so you can check your work.

gozar (de)	*to enjoy*
la injusticia	*injustice*
la libertad	*liberty*
maltratar	*to mistreat*
el maltrato	*mistreatment*
el motivo	*cause*
la niñez	*childhood*
obligar	*to force*
la paz	*peace*
el pensamiento	*thought*
la pobreza	*poverty*
la razón	*reason*
el respeto	*respect*
satisfactorio, satisfactoria	*satisfactory*
sufrir	*to suffer*
la tolerancia	*tolerance*
votar	*to vote*

Fold In ↓

La voz pasiva: ser + participio pasado (p. 444)

- In a sentence written in the *active voice*, the subject performs the action.

  El gobierno estudiantil organizó el evento.
  The student government organized the event.

- In a sentence written in the *passive voice*, the subject does not *perform* the action, but rather has the action "done to it" or receives the action.

  El evento fue organizado por el gobierno estudiantil.
  The event was organized by the student government.

- The passive voice is formed by using the verb **ser** + the past participle of another verb. Note how the past participle functions as an adjective, modifying the subject of the verb **ser**. As an adjective, it must agree in number and gender with the subject.

  Las clases son planeadas por la maestra.
  The classes are planned by the teacher.

  El texto fue leído por todos los estudiantes.
  The article was read by all the students.

A. Read each of the following statements and decide if it is active voice or passive voice. Write an A in the space for **voz activa** or a P for **voz pasiva**. Follow the model.

| Modelo | _P_ | El pastel fue decorado por el cocinero. |

1. _A_ El director registró los armarios.

2. _P_ Los derechos fueron respetados por todos los estudiantes.

3. _P_ Las leyes fueron aplicadas de una manera justa.

4. _A_ La estudiante pidió permiso para usar el carro.

5. _P_ La lista de derechos fue creada por los adolescentes.

B. Circle the correct form of **ser (fue or fueron)** in the sentences below. Then, write the correct ending of the past participle (o, a, os, or as) in the blank. Make sure the subject and participle of each sentence agree in number and gender. Follow the model.

Modelo La celebración (**fue** / fueron) organizad**a** por el club de español.

1. Las leyes (fue / **fueron**) establecid**as** por los líderes del país.

2. El presidente estudiantil (**fue** / fueron) elegid**o** por los estudiantes.

3. Los abusos (fue / **fueron**) criticad**os** por toda la gente justa.

4. La injusticia (**fue** / fueron) sufrid**a** por los padres de la adolescente.

5. La lista (**fue** / fueron) hech**a** por mamá.

realidades.com
• Web Code: jed-1003

Tear out this page. Write the Spanish words on the lines. Fold the paper along the dotted line to see the correct answers so you can check your work.

to enjoy	*gozar (de)*
injustice	*la injusticia*
liberty	*la libertad*
to mistreat	*maltratar*
mistreatment	*el maltrato*
cause	*el motivo*
childhood	*la niñez*
to force	*obligar*
peace	*la paz*
thought	*el pensamiento*
poverty	*la pobreza*
reason	*la razón*
respect	*el respeto*
satisfactory	*satisfactorio,*
	satisfactoria
to suffer	*sufrir*
tolerance	*la tolerancia*
to vote	*votar*

Fold In ↓

realidades.com
• Web Code: jed-1002

El presente y el imperfecto del subjuntivo (p. 445)

• Use the *present subjunctive* or the *present perfect subjunctive* after **"que"** when the first verb is in the:

Present	Espero que tú *hayas recibido* una educación gratuita.
Command form	Díga*les que no *discriminen*.
Present perfect	Hemos exigido que ellos *sean justos*.
Future	Será excelente que nosotros *resolvamos* el conflicto.

A. Circle the first verb of each sentence. On the line next to the sentence, write a **P** if that verb is in the present, **C** if it is a command, **PP** if it is in the present perfect and **F** if it is in the future. Then, underline the subjunctive verb.

Modelo _P_ (Me alegro) de que todos participen en la vida de la escuela.

1. _C_ (Recomiéndenle) que vaya a la reunión este viernes.

2. _F_ Mis padres (estarán) felices con tal de que les diga adónde voy.

3. _P_ (Busco) un horario que sea flexible.

4. _PP_ (Hemos dudado) que esa ley sea justa.

B. Circle the first verb in each sentence. Then, conjugate the verbs in the correct form of the present subjunctive to complete the sentences. Follow the model.

Modelo (venir) (Será) necesario que todos los estudiantes _vengan_ a la reunión.

1. (participar) (He esperado) que Uds. _participen_ en la lucha por la igualdad.

2. (compartir) (Díle) al profesor que _comparta_ esta información con sus estudiantes.

3. (apoyar) (No hay) nadie aquí que _apoye_ los abusos del poder.

4. (haber) Este programa no (funcionará) bien a menos que _haya_ fondos adecuados.

realidades.com
• Web Code: jed-1004

La voz pasiva: *ser* + participio pasado *(continued)*

C. Underline the subject of each sentence. Then, write the correct preterite form of **ser** and the correct form of the past participle of the verb in parentheses. Follow the model. Remember to check number and gender agreement.

Modelo (aceptar) Las reglas _fueron_ _aceptadas_ por todas las personas en la reunión.

1. (resolver) Los conflictos _fueron_ _resueltos_ por todos los miembros de la familia.

2. (establecer) El horario _fue_ _establecido_ por los padres.

3. (eliminar) La discriminación _fue_ _eliminada_ en la escuela.

4. (tomar) Las decisiones _fueron_ _tomadas_ por los miembros de la administración.

5. (escribir) Los documentos _fueron_ _escritos_ por los consejeros.

6. (cancelar) La reunión _fue_ _cancelada_ por el director porque nevaba.

• The passive voice can also be expressed by using the *impersonal se*. You often use the *impersonal se* when the person or thing who does the action is unknown. In these types of sentences, the verb usually comes before the subject. When the subject is an infinitive, the singular verb form is used.

Se prohíbe la discriminación. *Discrimination is prohibited*

Se respetan los derechos. *Rights are respected.*

D. Underline the subject of each sentence. Use the verb in parentheses to complete the sentence using the passive voice. Include the pronoun **se** with the correct third person form of the verb.

Modelo (necesitar) _Se_ _necesita_ una discusión para resolver los conflictos.

1. (registrar) _Se_ _registran_ los armarios una vez por mes.

2. (querer) _Se_ _quiere_ igualdad entre todos los estudiantes.

3. (poder) _Se_ _puede_ votar en las elecciones.

4. (respetar) _Se_ _respeta_ la autoridad de los maestros.

5. (deber) _Se_ _debe_ seguir el código de vestimenta.

6. (aplicar) _Se_ _aplican_ las leyes en esta situación.

realidades.com
• Web Code: jed-1003

Write the Spanish vocabulary word below each picture. If there is a word or phrase, copy it in the space provided. Be sure to include the article for each noun.

el

jurado

el/la

testigo

la

prensa

a _____ medida

a medida

que

acusado,

acusado,

acusada

ante

ante

asegurar

asegurar

la

la aspiración

el

el castigo

el

el

aspiración

el

castigo

El presente y el imperfecto del subjuntivo (continued)

• Use the *imperfect subjunctive* after **que** when the first verb is in the:

Verb Tense	Main Clause
Preterite	*Recomendé que ellos siguieran las reglas del club.*
Imperfect	*Dudábamos que él gozara de libertad de expresión.*
Pluperfect	*El profesor había querido que los estudiantes se respetaran.*
Conditional	*Sería fantástico que se eliminara por completo la discriminación.*

C. Underline the first verb in each sentence and determine whether the following verb will be present subjunctive or imperfect subjunctive. Circle your choice to complete each sentence. Follow the model.

Modelo Era importante que los profesores siempre (respeten /(respetaran)) a los estudiantes.

1. No creo que ((sea)/ fuera) justo discriminar por razones de raza, nacionalidad o sexo.

2. Buscaremos un trabajo que ((tenga)/ tuviera) un ambiente de paz y tolerancia.

3. El profesor recomendó que nosotros (pensemos /(pensáramos)) libremente.

4. Yo dudaba que (haya /(hubiera)) una solución fácil al problema de la pobreza.

5. Fue terrible que tantas personas (sufran /(sufrieran)) maltratos y abusos por razones de su nacionalidad.

D. Conjugate the verbs in the appropriate form of the imperfect subjunctive.

Modelo (vivir) Era triste que tantas personas __*vivieran*__ en un estado de pobreza.

1. (establecer) Nosotros habíamos sugerido que el comité __*estableciera*__ unas reglas nuevas.

2. (ser) Me gustaría que la educación universitaria __*fuera*__ gratuita.

3. (respetar) El policía dudaba que el criminal __*respetara*__ su autoridad.

4. (ir) Me gustaría que nosotras __*fuéramos*__ a la manifestación.

5. (discriminar) Queríamos unas leyes que no __*discriminaran*__.

realidades.com
• Web Code: jed-1004

Copy the word or phrase in the space provided. Be sure to include the article for each noun.

fundamental	la garantía	la igualdad
fundamental	_la_ _garantía_	_la_ _igualdad_

inocente	intercambiar	el juicio
inocente	_intercambiar_	_el_ _juicio_

juzgar	llegar a	el modo
juzgar	_llegar_ _a_	_el_ _modo_

Copy the word or phrase in the space provided. Be sure to include the article for each noun.

culpable	de modo que	democrático, democrática
culpable	_de_ _modo_ _que_	_democrático_ , _democrática_

el desempleo	la desigualdad	detener
_el_ _desempleo_	_la_ _desigualdad_	_detener_

en lugar de	la falta de	el fin
_en_ _lugar_ _de_	_la_ _falta_ _de_	_el_ _fin_

Realidades 3

Capítulo 10

Nombre _____

Hora _____

Fecha _____

Vocabulary Check, Sheet 5

Tear out this page. Write the English words on the lines. Fold the paper along the dotted line to see the correct answers so you can check your work.

Fold In ↓

el acusado, la acusada	*accused, defendant*
ante	*before*
asegurar	*to assure*
el castigo	*punishment*
culpable	*guilty*
la desigualdad	*inequality*
el desempleo	*unemployment*
detener	*to detain*
en lugar de	*instead of*
la falta de	*lack of*
el fin	*purpose*
fundamental	*fundamental, vital*
la garantía	*guarantee*
la igualdad	*equality*
inocente	*innocent*
intercambiar	*to exchange*
el juicio	*judgement*

Realidades 3

Capítulo 10

Nombre _____

Hora _____

Fecha _____

Vocabulary Flash Cards, Sheet 9

Copy the word or phrase in the space provided. Be sure to include the article for each noun.

opinar	pacífico, pacífica	proponer
opinar	_pacífico_ , _pacífica_	_proponer_
la propuesta	el punto de vista	sospechoso, sospechosa
_la_ _propuesta_	_el_ _punto_ _de_ _vista_	_sospechoso_ , _sospechosa_
tratar	el valor	violar
tratar	_el_ _valor_	_violar_

Tear out this page. Write the English words on the lines. Fold the paper along the dotted line to see the correct answers so you can check your work.

- Fold In ↓

el jurado	_jury_
la justicia	_justice_
juzgar	_to judge_
llegar a	_to reach, to get to_
el modo	_the way_
mundial	_worldwide_
opinar	_to think_
pacífico, pacífica	_peaceful_
la prensa	_the press_
proponer	_to propose, to suggest_
la propuesta	_proposal_
el punto de vista	_point of view_
sospechoso, sospechosa	_suspicious_
el/la testigo	_witness_
tratar	_to treat_
el valor	_value_
violar	_to violate_

Tear out this page. Write the Spanish words on the lines. Fold the paper along the dotted line to see the correct answers so you can check your work.

- Fold In ↓

accused, defendant	_el acusado,_ _la acusada_
before	_ante_
to assure	_asegurar_
punishment	_el castigo_
guilty	_culpable_
inequality	_la desigualdad_
unemployment	_el desempleo_
to detain	_detener_
instead of	_en lugar de_
lack of	_la falta de_
purpose	_el fin_
fundamental, vital	_fundamental_
guarantee	_la garantía_
equality	_la igualdad_
innocent	_inocente_
to exchange	_intercambiar_
judgement	_el juicio_

El pluscuamperfecto del subjuntivo (p. 456)

• The *pluperfect subjunctive* is used when describing actions in the past, when one action takes place before the other. In the following sentences, note that the first verb is in the preterite or imperfect and the verb after *que* is in the pluperfect subjunctive.

    Yo me alegré de que el juicio *hubiera terminado.*
    I was happy the trial had ended.

    Nosotros esperábamos que los estudiantes *hubieran hecho la propuesta.*
    We hoped the students had made the proposal.

To form the pluperfect subjunctive, use the imperfect subjunctive of **haber** plus the past participle of another verb. Here are the imperfect subjunctive forms of the verb **haber**:

    hubiera, hubieras, hubiera, hubiéramos, hubierais, hubieran

A. Underline the first verb in each sentence. Then, circle the correct form of the pluperfect subjunctive to complete the sentence.

Modelo <u>Fue</u> una lástima que el ladrón (hubieras cometido / <u>**hubiera cometido**</u>) el crimen.

1. El abogado <u>dudaba</u> que los testigos (hubiera dicho / <u>**hubieran dicho**</u>) la verdad.

2. Nosotros <u>habíamos dudado</u> que el acusado (<u>**hubiera sido**</u> / hubieran sido) un niño pacífico.

3. No <u>había</u> ningún testigo que (<u>**hubiera participado**</u> / hubieras participado) en un juicio antes.

4. ¿El juez no <u>creía</u> que tú (hubiera conocido / <u>**hubieras conocido**</u>) al acusado antes?

B. Complete each of the following sentences with the pluperfect subjunctive by using the correct form of **haber** with the past participle of the verb in parentheses.

Modelo (estudiar) La profesora dudaba que sus estudiantes ___*hubieran*___ ___*estudiado*___ durante el verano.

1. (hablar) El presidente se alegró de que los líderes mundiales ___*hubieran*___ ___*hablado*___ de los problemas internacionales.

2. (ver) No había nadie que no ___*hubiera*___ ___*visto*___ la contaminación ambiental en la ciudad.

3. (subir) Era una lástima que el nivel de desempleo ___*hubiera*___ ___*subido*___

4. (lograr) A tus padres no les sorprendió que tú ___*hubieras*___ ___*logrado*___ tus aspiraciones.

realidades.com
• Web Code: jed-1007

Tear out this page. Write the Spanish words on the lines. Fold the paper along the dotted line to see the correct answers so you can check your work.

jury	___*el jurado*___
justice	___*la justicia*___
to judge	___*juzgar*___
to reach, to get to	___*llegar a*___
the way	___*el modo*___
worldwide	___*mundial*___
to think	___*opinar*___
peaceful	___*pacífico, pacífica*___
the press	___*la prensa*___
to propose, to suggest	___*proponer*___
proposal	___*la propuesta*___
point of view	___*el punto de vista*___
suspicious	___*sospechoso, sospechosa*___
witness	___*el/la testigo*___
to treat	___*tratar*___
value	___*el valor*___
to violate	___*violar*___

- Fold In ↓

realidades.com
• Web Code: jed-1006

Realidades 3

Capítulo 10

Nombre _____

Fecha _____

Hora _____

Guided Practice Activities, Sheet 6

• The *pluperfect subjunctive* can also be used when the first verb is in the conditional tense.

   *Yo **me alegraría** de que ellos **hubieran** intercambiado sus ideas.*

C. In each of the following sentences, underline the verb in the conditional tense and then complete the sentence with the pluperfect subjunctive of the verb in parentheses. Follow the model.

Modelo (experimentar) <u>Sería</u> una lástima que los jóvenes *hubieran experimentado* desigualdad social.

1. (tener) Me <u>gustaría</u> mucho que mis padres *hubieran* *tenido* las mismas aspiraciones que yo.

2. (desaparecer) <u>Sería</u> terrible que las oportunidades *hubieran* *desaparecido* .

3. (violar) No <u>creería</u> que tú *hubieras* *violado* la ley.

4. (poder) <u>Sería</u> excelente que nosotros *hubiéramos* *podido* ver un juicio verdadero.

5. (ver) No <u>habría</u> nadie que no *hubiera* *visto* algo sospechoso.

• The expression **como si** (*as if*) always refers to something that is contrary to the truth, or unreal. In Chapter 8, you saw that **como si** can be followed by the imperfect subjunctive. It can also be followed by the pluperfect subjunctive.

   El ladrón hablaba del crimen como si no *hubiera* hecho nada serio.
   The robber talked about the crime as if he hadn't done anything serious.

D. Complete the following sentences using **como si** with the appropriate form of the pluperfect subjunctive. Follow the model.

Modelo (ocurrir) El juez recordaba el juicio como si *hubiera* *ocurrido* ayer.

1. (entender) La testigo habló como si no *hubiera* *entendido* la pregunta del abogado.

2. (participar) El juicio fue tan duro que el juez sintió como si todos *hubieran* *participado* en una guerra.

3. (visitar) Jorge habló de México como si *hubiera* *visitado* el país varias veces.

4. (ver) El hombre culpable corrió como si *hubiera* *visto* un fantasma.

5. (correr) Después de tanto trabajo, nosotros sentíamos como si *hubiéramos* *corrido* en un maratón.

realidades.com
• Web Code: jed-1007

Realidades 3

Capítulo 10

Nombre _____

Fecha _____

Hora _____

Guided Practice Activities, Sheet 7

El condicional perfecto (p. 459)

• The conditional perfect is used to talk about what *would have happened* (but didn't) in the past.

   En esa situación, yo *habría* dicho la verdad.
   In that situation, I would have told the truth.

   Nosotros no *nos habríamos* portado así.
   We wouldn't have acted like that.

   To form the conditional perfect, use the conditional form of the verb **haber** plus the past participle of another verb. Here are the conditional forms of the verb **haber:**

   habría, habrías, habría, habríamos, habríais, habrían

A. Pepe is making some statements about things he has done (present perfect) and some statements about things he would have done (conditional perfect), if he had studied abroad in Mexico. Mark the column labeled **Sí** if it is something he actually did, and **No** if it is something he didn't *actually* do, but would have done.

	Sí	No
Modelos He comido enchiladas en la cena.	X	
Habría ido a la playa mucho.		X
1. Habría visitado el Zócalo.		X
2. He visto un partido del equipo de fútbol mexicano.	X	
3. Mis amigos y yo hemos ido al mercado.	X	
4. Habría ido a ver las pirámides aztecas.		X
5. Habría conocido al presidente de México.		X

B. Complete each of the following sentences about what you and others would have done if school had been canceled today with the correct forms of the conditional perfect.

Modelo (nadar) Mis amigas Lola y Rafaela *habrían* *nadado* en la piscina de la comunidad.

1. (terminar) Yo *habría* *terminado* mi proyecto de filosofía.

2. (dormir) Nosotros *habríamos* *dormido* hasta las diez.

3. (leer) La profesora *habría* *leído* un libro de Gabriel García Márquez.

4. (jugar) Mis hermanos menores *habrían* *jugado* al fútbol.

5. (ver) Yo *habría* *visto* un juicio en la tele.

realidades.com
• Web Code: jed-1008

Puente a la cultura (pp. 462–463)

A. The reading in your textbook is about heroes. Think about what being a hero means to you. Write three characteristics of a hero in spaces below.

1. *Answers will vary. Possible answers include: courage to fight through adversity or against tyranny, leadership in such a role, strength to prevail*
2. *or to help the less fortunate, uncommon skill that helps him prevail, an ideal for others to strive toward.*
3.

B. When you encounter unfamiliar words in a reading, a good strategy is to look at the context for clues. The word **o** ("or") is often used to introduce a definition to a new or difficult word.

Look at the following excerpts from the reading and circle the definitions for the highlighted words.

1. *«Este territorio tenía aproximadamente 17 millones de habitantes y estaba dividido en cuatro virreinatos, o (unidades políticas)»*

2. *«Al sentir que la monarquía estaba débil, los criollos, o (hijos de españoles nacidos en América) se rebelaron contra la Corona, iniciando así un movimiento de independencia...»*

C. In the reading, you learn about 3 different heroes. Write a **B** next to the following characteristics if they apply to Simón Bolívar, an **M** if they apply to José Martí, or an **H** if they apply to Miguel Hidalgo.

1. **H** Llamó al pueblo mexicano a luchar durante un sermón.
2. **B** Fue presidente de la República de la Gran Colombia.
3. **M** Era un gran poeta.
4. **M** Fue a prisión por lo que escribió contra las autoridades españolas.
5. **B** Quería crear una gran patria de países latinos.
6. **H** Motivó a la gente indígena a participar en la lucha por la independencia.

D. Which of the three countries mentioned in the reading actually gained independence from Spain first?

a. México   (b.) Bolivia   c. Cuba

realidades.com
• Web Code: jed-1010

Reading Activities — 10-1   327

• To talk about what might have been if circumstances had been different, you can use a **si** clause. In these sentences, you use the pluperfect subjunctive and the conditional perfect together.

Si yo hubiera visto el crimen, habría llamado a la policía.
If I had seen the crime, I would have called the police.

Si nosotros no hubiéramos hablado del conflicto, no habríamos encontrado una solución.
If we had not talked about the conflict, we would not have found a solution.

C. In each sentence below, underline the verb in the pluperfect subjunctive and complete the sentence with the conditional perfect of the verb in parentheses. Follow the model.

Modelo (decir) Si ellos no hubieran estudiado política, no **habrían** **entendido** lo que dijo el presidente.

1. (agradecer) Si yo hubiera conocido a Martin Luther King, Jr., le **habría** **agradecido** su trabajo para eliminar la discriminación.

2. (tener) Si tú hubieras hecho un esfuerzo, **habrías** **tenido** más oportunidades.

3. (poder) Si no hubiera nevado, los testigos **habrían** **podido** llegar a la corte a tiempo.

4. (recibir) Si el acusado hubiera dicho la verdad **habría** **recibido** una sentencia menos fuerte.

D. Form complete sentences by conjugating the infinitives in the pluperfect subjunctive and conditional perfect. Follow the model.

Modelo Si / yo / tomar / esa clase / aprender / mucho más
Si yo hubiera tomado esa clase, habría aprendido mucho más.

1. Si / tú / venir / a la reunion / entender / el conflicto
Si tú hubieras venido a la reunión, habrías entendido el conflicto.

2. Si / yo / experimentar discriminación / quejarse / al director
Si yo hubiera experimentado discriminación, me habría quejado al director.

3. Si / ellas / tener más derechos / ser / más pacíficos
Si ellas hubieran tenido más derechos, habrían sido más pacíficas.

4. Si / tú / votar / en las últimas elecciones / cambiar / el resultado
Si tú hubieras votado en las últimas elecciones, habrías cambiado el resultado.

326 *Guided Practice Activities — 10-8*

realidades.com
• Web Code: jed-1008

Lectura (pp. 468–470)

A. In this article, you will read about some of the responsibilities the narrator has outside of school. Take a minute to think about your responsibilities and obligations outside of school (to family, sports teams, etc.). Write two of your responsibilities on the lines below.

1. *Answers will vary. Students may mention things like cleaning their rooms, doing household chores, showing up for sports practices and games, etc.*

2. _____

B. Look at the excerpt from the reading in your textbook. What word or words are synonyms for each of the highlighted words?

«nosotros teníamos una vivienda que consistía en **una pieza** pequeñita donde no teníamos patio y no teníamos dónde ni con quiénes dejar a **las wawas**. Entonces, consultamos al director de la escuela y él dio permiso para llevar a mis hermanitas conmigo»

‗‗‗‗‗‗‗‗‗

‗‗‗‗‗‗‗‗‗

C. Read the following excerpt carefully and put an **X** next to the tasks for which the narrator was responsible.

Salía de la escuela, tenía que cargarme la niñita, nos íbamos a la casa y tenía yo que cocinar, lavar, planchar, atender a las wawas. Me parecía muy difícil todo eso. ¡Yo deseaba tanto jugar! Y tantas otras cosas deseaba, como cualquier niña.

1. ____ trabajar en la mina

2. **X** llevar a sus hermanas a la escuela con ella

3. ____ dar de comer a los animales

4. **X** limpiar la casa

5. **X** preparar la comida

D. Use the following sentences to help you locate key information in the reading. The sentences are in order. Circle the choice that completes them with correct information about the story.

1. La narradora empezó a ir a la escuela sola porque (sus hermanas tenían que trabajar /(su profesora dijo que sus hermanas metían bulla)).

2. El papá de la hija quería que (ella se graduara de la universidad /(ella dejara de asistir a la escuela)).

3. Los problemas y la pobreza de la familia obligaron a los padres de la narradora a tener una actitud muy (antipática /(generosa)) hacia otras personas.

4. La narradora sufría castigos en la escuela porque ((no traía sus materiales a la escuela)/ no hacía su tarea).

5. Cuando el profesor de la narradora le pidió que le contara lo que pasaba, ella ((le dijo la verdad)/ le mintió).

6. La narradora tenía tantas responsabilidades porque ((su mamá había muerto)/ a su mamá no le gustaba trabajar).

7. El padre de la narradora estaba (muy enojado porque no tenía un hijo varón /(muy orgulloso de sus hijas)).

E. Now look back at the opening line from the reading. Based on what you read after this, and using the excerpt below as a reference, answer the following questions.

«Bueno, en el 54 me fue difícil regresar a la escuela después de las vacaciones.» ‖

1. Who is the narrator? Is this a fictional tale? Explain.

   The narrator is a young Domitilla Barrios Chugara. The reading is not fictional, but autobiographical, based on the experiences of Domitilla, the main character.

2. What is the tone of the reading? Is the author formal or informal? Explain.

   Answers will vary. The tone is conversational, very informal. The first line is very casual, matter-of-fact speech.

3. How would you describe the main character of the book? Use adjectives and specific instances in the reading to support your answer.

   Answers will vary. The main character is strong, hard-working, optimistic, studious, goal-oriented, generous. Students can use a number of different examples to support these.

Actividad 2

Vas a oír un resumen de las decisiones de la última reunión del consejo estudiantil del Colegio Central. Mientras escuchas, escribe el número de la decisión al lado del tema correspondiente. Hay sólo un tema por decisión, pero no oirás decisiones para todos los temas. Vas a oír cada decisión dos veces.

__4__ el código de vestimenta

_____ la pobreza en la comunidad

__6__ las obligaciones del consejo estudiantil

__1__ la tolerancia en el colegio

_____ las leyes del gobierno estudiantil

__2__ la fecha de las elecciones estudiantiles

__5__ los deberes de las autoridades

__3__ el apoyo para los proyectos voluntarios

Actividad 1

La Doctora Suárez tiene un programa de radio sobre los problemas de los adolescentes. Primero, lee los nombres y los problemas de los cuatro adolescentes. Luego oirás cinco consejos de la Doctora Suárez. Escribe el número del consejo al lado del nombre del adolescente a quien corresponde. Solamente vas a escribir cuatro números. Vas a oír cada consejo dos veces.

Adolescente	Número del consejo
Serafina: Sus padres no la respetan.	4
Javier: Un amigo sufre de abusos.	3
Enrique: No le gusta el código de vestimenta.	5
Beatriz: Siente que no tiene tiempo libre.	1

Actividad 3

Vas a oír los comentarios de cuatro personas de la escena del dibujo. Mientras escuchas, escribe el número de la persona que habla al lado de la persona correspondiente del dibujo. Vas a oír cada comentario dos veces.

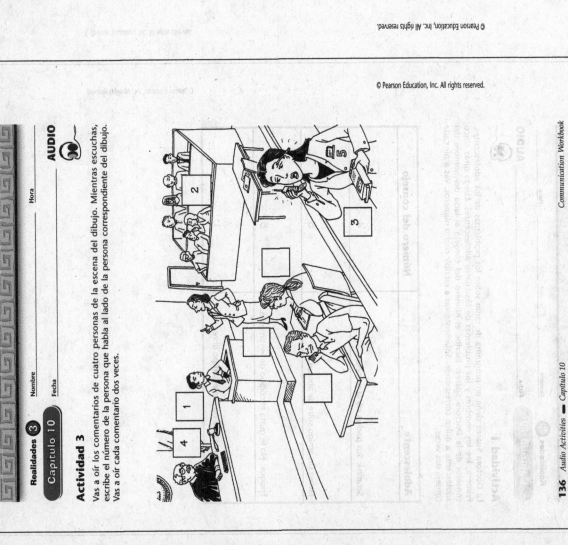

Actividad 4

Escucha los comentarios de tres personas que acaban de participar en un juicio muy dramático. Primero lee la lista de conclusiones (*conclusions*). Luego, mientras escuchas, escribe el número de la persona que habla al lado de la conclusión que mejor se corresponda con lo que esta persona dice. No todas las conclusiones se usan. Vas a oír cada comentario dos veces.

Comentarios posibles:

2 "Habría sido mejor no detenerlo".

1 "Habría sido mejor buscar más pruebas antes del juicio".

___ "Habría sido mejor que fuera inocente".

3 "Habría sido mejor hablar con la prensa antes".

Actividad 5

Estás escuchando la radio. Mientras cambias de estación, oyes cuatro noticias sobre unos eventos recientes. Primero, mira la primera página de los siguientes periódicos. Luego, mientras escuchas, escribe el número de la noticia al lado de la página del periódico que mejor corresponda. Solamente vas a escribir *cuatro* números. Vas a oír cada noticia dos veces.

LA PRENSA
¡Castigo para Gómez!

EL HERALDO ✉
¡Tres políticos detenidos por sus crímenes! ___ 1

LA VANGUARDIA
¡Nuevas leyes contra el maltrato! ___ 4

EL TIEMPO
¡Justicia y libertad para Gómez! ___ 3

EL MERCURIO
¡Servicios gratuitos en contra de la pobreza! ___ 2

WRITING

Actividad 7

Imagina que eres un(a) reportero(a) de radio. Observa la escena de abajo y describe lo que ves.

Answers will vary.

Modelo *El discurso fue leído por el presidente.*

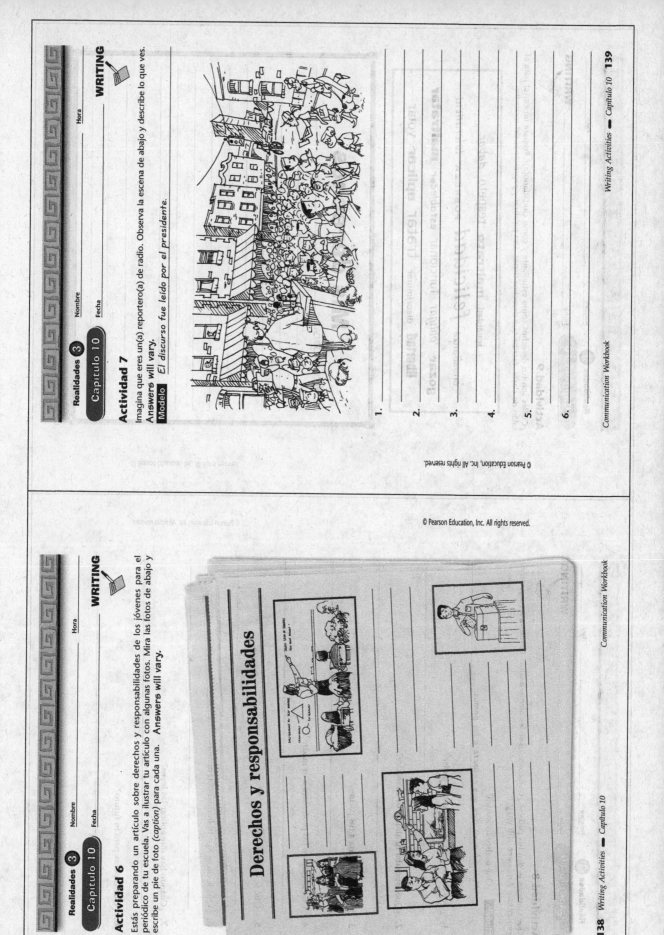

1.

2.

3.

4.

5.

6.

WRITING

Actividad 6

Estás preparando un artículo sobre derechos y responsabilidades de los jóvenes para el periódico de tu escuela. Vas a ilustrar tu artículo con algunas fotos. Mira las fotos de abajo y escribe un pie de foto (caption) para cada una. **Answers will vary.**

Derechos y responsabilidades

Actividad 9

¿Cuáles son tus derechos como estudiante y como ciudadano(a)? Prepara un cartel para el salón de clases. Escribe qué derechos tienes. Usa palabras y expresiones del recuadro.

igualdad **maltrato** respeto *deber*
enseñanza *felicidad* POBREZA *tolerancia*
gozar *obligar* funcionar *establecer* **maltratar**
libertad discriminar tratar aplicar votar

Mis derechos

Answers will vary.

_____

_____

_____

_____

_____

_____

_____

_____

_____

_____

Actividad 8

¿Qué consejos te dan tus padres? ¿Qué consejos se les dieron a ellos? Contesta las siguientes preguntas. Answers will vary.

Modelo ¿Qué te dice tu madre?
Mi madre me dice que respete a los demás.

1. ¿Qué le aconsejó tu abuelo a tu padre?

_____

2. ¿Qué esperaba tu abuela de tu madre?

_____

3. ¿Qué les gustaría a tus padres?

_____

4. ¿Qué le exigían los profesores a tu madre?

_____

5. ¿Qué te exige tu profesor a ti?

_____

6. ¿Qué le dices tú a tu hermano(a) menor?

_____

7. ¿Cuándo hay que aplicar las leyes?

_____

8. ¿Qué esperas para tu futuro?

_____

Actividad 10

¿Qué derechos garantiza el gobierno? Busca palabras relacionadas con este tema en la sopa de letras.

1. Una persona que no tiene la culpa se dice que es __inocente__.

2. Cuando no hay trabajo, hay __desempleo__.

3. En un país __democrático__ todas las personas tienen derecho a votar.

4. Después del juicio, la persona __culpable__ fue a la cárcel.

5. Cuando los periódicos pueden decir lo que quieran, hay libertad de __prensa__.

6. En un juicio, al grupo de gente que decide la situación de un acusado se le llama __jurado__.

7. Una persona que vio un crimen puede ser __testigo__ en un juicio.

8. Cuando algo afecta a toda la Tierra, se dice que es un problema __mundial__.

9. En un __juicio__ se decide si alguien es culpable o inocente.

```
K M W C O C T R C R Y P J F Q
C P N S Z V U E T Y B H Y D E
M C K L X H U L S Q I M Z A V
N E S J Q N L A P T X Á S D D
H J W T V K J Y U A I L Y L E
I N O C E N T E A T B G O Á S
J U I C I O W I F H E L O U E
D E M O C R A T I C O R E G M
E S Z X F J O L M D G L P I P
O O F B T D H P J U H S B F L
N T B S A X M R L D N S K R E
C N U R D T B E O N P D P S O
F D U J Z E B N C O Á Á I H E
U K Q I B T S H Q Z Z K A T
D A H Y Y R D A S F K U G Q L
```

Actividad 11

Has sido testigo de este accidente y ahora tienes que responder a las preguntas del abogado. Mira el dibujo del accidente. Luego, lee las preguntas y escribe una frase con tu respuesta. **Answers will vary.**

Modelo   ¿Qué esperaba que hubiera pasado?
Esperaba que el coche hubiera parado en el semáforo.

1. ¿Qué te sorprendió?

2. ¿Qué había querido hacer el conductor del coche?

3. ¿Qué dijo el policía?

4. ¿Cómo se comportó el taxista?

5. ¿Qué esperaba el conductor del camión?

6. ¿De qué dudabas tú?

7. ¿Qué creían los otros testigos?

8. ¿Por qué se enojó el taxista?

Actividad 12 (left page)

Realidades 3

Capítulo 10

Nombre _____

Fecha _____

Hora _____

WRITING

Actividad 12

Piensa en varios problemas y situaciones difíciles que hayas tenido en el pasado y cómo los resolviste. Escribe frases que digan qué habría pasado si los hubieras resuelto de otra forma. Si quieres, puedes inventar los problemas y las situaciones. **Answers will vary.**

Modelo *Si hubiera sabido que el examen era tan difícil, no habría ido a jugar al fútbol el fin de semana.*

1. _____

2. _____

3. _____

4. _____

5. _____

6. _____

7. _____

8. _____

Actividad 13 (right page)

Realidades 3

Capítulo 10

Nombre _____

Fecha _____

Hora _____

WRITING

Actividad 13

Imagina que eres el (la) guionista *(screenwriter)* de una película. Mira la ilustración del juicio. Piensa en lo que pasa en esta escena. Imagina lo que piensan y dicen los personajes. ¿Cuál será el resultado del juicio? Ahora escribe tu escena. **Answers will vary.**

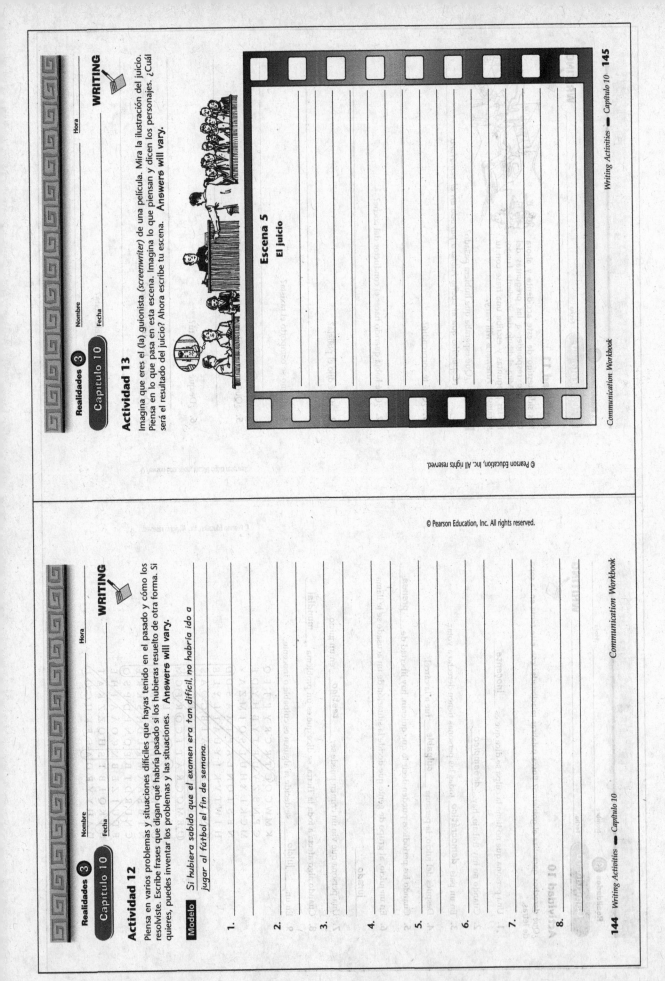

Escena 5

El juicio

Actividad 14

En los Estados Unidos existen muchas organizaciones que tienen el propósito de mejorar la comunidad. Menciona una organización comunitaria que conoces que beneficia a cada grupo de individuos. **Answers will vary.**

1. los niños _____

2. las familias sin hogar _____

3. los acusados _____

4. los recién llegados _____

Actividad 15

En este segmento conociste la organización comunitaria OíSTE. Escribe lo que aprendiste sobre los siguientes aspectos de esta organización. **Answers will vary.**

1. ¿Cómo le enseña al público latinoamericano sobre la acción política?

_____
_____

2. ¿Qué hace OíSTE para educar a los latinos para que aprendan sobre sus derechos civiles y participen en su comunidad?

_____
_____

3. ¿Para qué participa OíSTE en los festivales de las comunidades latinoamericanas?

_____
_____
_____

Communication Workbook

Actividad 16

Escoge la respuesta correcta, según la información del video.

1. Todos los ciudadanos de los Estados Unidos tienen derecho de participar en
   a. entrenamientos gratuitos.   **(b.)** el proceso democrático.

2. Entre los diversos grupos étnicos que se encuentran en los Estados Unidos, las comunidades latinas forman
   (a.) gran proporción de la población.   b. 75% de los ciudadanos.

3. La organización comunitaria OíSTE
   (a.) ayuda en las campañas políticas.   b. ofrece bailes y conciertos gratuitos.

4. OíSTE les permite la oportunidad de trabajar como voluntario a los
   a. individuos desempleados.   **(b.)** jóvenes de la secundaria y estudiantes universitarios.

5. OíSTE participa en festivales de la comunidad para
   (a.) repartir información sobre cómo trabaja con la comunidad.   b. disfrutar del ambiente latino.

Actividad 17

En tu opinión, ¿qué responsabilidades tiene cada grupo de educar a los ciudadanos sobre sus derechos y deberes?   **Answers will vary.**

1. la prensa _____

2. las escuelas _____

3. la televisión _____

4. el gobierno _____

5. las organizaciones comunitarias _____

Communication Workbook

Test Preparation Answers

Reading Skills
p. 219   2. **B**
p. 220   2. **A**

Integrated Performance Assessment
p. 221
Answers will vary.

Practice Test: Mary McLeod Bethune
p. 223

1. D

2. G

3. C

4. G

5. Las respuestas variarán pero pueden incluir el derecho a votar, el derecho a hablar libremente, el derecho a reunirse, el derecho a llevar armas.

6. Las respuestas variarán, pero las cualidades mencionadas pueden incluir la capacidad para imaginar las cosas que ella quería hacer; ser valiente para enfrentar el racismo; y no perder la esperanza; la confianza en sí misma para llevarse bien con las personas de dinero y poder.

Pura vida Script

Episodio 12: El futuro es tuyo (cont.)

SILVIA: ¿Por qué no la buscas en el Internet?

MARCELA: Ay, sí. ¡Con lo divertido que es comprar en la Red!

FELIPE: Vamos allá. Voy a poner 'camioneta' en el buscador.

MARCELA: ¿Usas Olé punto com? Yo prefiero Google o Terra.

FELIPE: ¡Vaya! ¿Y por qué me sale este mensaje de error?

SILVIA: Trata de escribir directamente en la barra de direcciones. Pon uve doble, uve doble, uve doble, punto, Terra punto com.

FELIPE: doble be, doble be, doble be, Terra punto com.

MARCELA: Ahora tienes que combinar palabras. Por ejemplo pon "vehículos usados" y "costa rica". ¿Viste? Ahí hay una lista de enlaces a sitios de vehículos usados.

FELIPE: ¡Bárbaro! Sólo he tardado un minuto en llegar a la tienda.

SILVIA: La cíber tienda, mejor dicho. Mira, ahí hay una base de datos donde buscar. ¿Por qué no miras ahí?

FELIPE: ¡Vamos allá!

MARCELA: Fíjate, vienen con foto y todo. A mí me gusta esa roja... Hola Patricio, ¿cómo te fue en la entrevista?

PATRICIO: Quieren darme el trabajo.

SILVIA: ¡Felicidades! ¿Qué vas a hacer?

PATRICIO: Aún no lo sé. Pero, hay algo que no me gusta.

FELIPE: ¿Cuál es el problema?

MARCELA: ¿Será que el dinero no es bueno?

PATRICIO: No, el dinero es muy bueno.

SILVIA: ¿A qué te refieres? ¿Cuánto dinero te ha ofrecido?

PATRICIO: Me ha ofrecido el doble de lo que gano ahora.

FELIPE: ¿Tú estás loco? ¡Acéptalo! ¡Acéptalo ya!

SILVIA: ¡No lo aceptes!

PATRICIO: Me parece mucho dinero para un trabajo relacionado con el medio ambiente.

SILVIA: Exactamente.

FELIPE: ¡Mi camioneta! ¡Mi camioneta!

PATRICIO: ¿Qué?

FELIPE: ¡Mira la pantalla! He encontrado mi camioneta. ¡Miren qué linda!

MARCELA: Ay, ¡Felipe se ha vuelto a enamorar! Ay, pero, Felipe, se ve muy vieja.

FELIPE: Es perfecta.

SILVIA: Haz click donde pone "detalles" para ver las especificaciones.

FELIPE: ¡Otra ventana! ¡Qué pesadez! Voy a cerrar aquí.

MARCELA: ¡Espera! ¡Espera! ¡Ahí anuncian una oferta de trajes de baño!

FELIPE: Dejate de trajes de baño. ¿Qué vamos a comprar, ropa o una camioneta? Andá, andá...

SILVIA: Yo creo que merece la pena, ¿no? ¿Por qué no vas a verla? Mira a ver adónde está la tienda.

FELIPE: Cuatrocientos veinte de la Calle 15. Voy a imprimir la información.

SILVIA: ¿Con qué impresora?

FELIPE: Tendré que hacerlo según el método tradicional.

MARCELA: Aquí va. Te estoy enviando un mensaje con toda la información.

FELIPE: ¡Gracias, Marcela! Patricio, ¿me prestas tu moto?

PATRICIO: Bueno, pero te pones el casco, ¿eh? ¡Aquí van las llaves!

Pura vida Script

Episodio 14: ¿Te gusta la política? (cont.)

MARCELA: Sí, es cierto. Además tenemos que enfrentar otros problemas. La globalización no va a solucionarlos.

SILVIA: No, pero la anti-globalización tampoco. La globalización sirve para crear trabajos y generar nuevas oportunidades.

HERMÉS: En España también hay multinacionales extranjeras…

SILVIA: ¡Claro! Hay multinacionales de Estados Unidos, de Francia, de Alemania, de Japón. Y hasta de México.

PATRICIO: Bueno, a lo mejor el problema no es la globalización en sí. Necesitamos senadores, representantes cualificados; políticos que se preocupen de verdad por la gente.

MARCELA: Si Rigoberta Menchú fuera candidata a la presidencia de mi país, yo votaría por ella.

SILVIA: Yo creo que la globalización puede tener sus beneficios. En teoría hace que los recursos de la Tierra se distribuyan por igual.

HERMÉS: Claro, pero hay que controlarla.

MARCELA: En Suramérica se están construyendo gaseoductos que pasan por poblaciones indígenas. ¿Verdad Patricio?

PATRICIO: Sí, se habló de ello en el congreso. Pero las poblaciones siguen sin escuelas, sin hospitales, sin infraestructuras…

SILVIA: ¡Qué horror!

MARCELA: Yo creo que el mayor reto es acabar con la pobreza.

DOÑA MARÍA: Hola, les presento a Cristina. Estará con nosotros unos días hasta que encuentre casa.

MARCELA: Hola Cristina, bienvenida.

PATRICIO: Bienvenida.

SILVIA: ¿Qué tal?

HERMÉS: Hola.

CRISTINA: Hola a todos, encantada de saludarlos. Me llamo Cristina Armada.

HERMÉS: Hola. Yo soy Hermés, Hermés Montero. ¿Tú también eres argentina?

CRISTINA: Hola, Hermés. No, no, no. Soy chilena. De Santiago. ¿Ustedes trabajan aquí?

SILVIA: Sí, llevamos aquí un par de meses. ¿Y tú?

CRISTINA: Trabajo en Papelosa, una de las multinacionales del papel más importantes del mundo, y ahora la compañía ha abierto oficinas en San José.

MARCELA: Hmm, qué interesante.

DOÑA MARÍA: Vamos.

DOÑA MARÍA: Los viernes, fruta del mercado.

SILVIA: Muchas gracias, doña María.

CRISTINA: Doña María, ¿puedo estacionar mi Cayenne en el patio?

DOÑA MARÍA: ¡Claro que sí!

HERMÉS: ¿Tienes un Porsche?

CRISTINA: Es de la compañía.

MARCELA: Me pregunto dónde estarán Felipe y su camioneta ahora…

FIN

Notes

Notes

Notes

Notes

Notes

Notes

Notes